ДМИТРИЙ БЫКОВ

ДМИТРИЙ БЫКОВ

СПИ-САН-НЫЕ

РОМАН

Москва

ПРОЗАиК

2008

УДК 882-311.2
ББК 84Р7-4
  Б95

Дизайн — *Б. Протопопов*

Быков Д.

Б95   Списанные: Роман / Дмитрий Львович Быков. —
М.: ПРОЗАиК, 2008. — 352 с.

ISBN 978-5-91631-001-6

Неприятности бывают у каждого. Но как быть, если из досадных случайностей они перерастают в стройную и неумолимую систему, преодолеть которую не представляется возможным? Если неприятности преследуют тебя повсюду — в работе, в общении, в быту? И если те немногие, кто еще решается разговаривать с тобой, в ответ на твои жалобы отделываются многозначительными намеками, показывая указательным пальцем куда-то вверх...

Ты — списанный. Списанный из жизни, как негодный товар со склада. И так хочется узнать, чей карандаш поставил против твоей фамилии роковое слово — «списать»!

УДК 882-311.2
ББК 84Р7-4

ISBN 978-5-91631-001-6

Все экспериментально-философские фэнтези N построены по инвариантной схеме. На протяжении романа развивается владеющая героем сверхценная идея. Читатель внутренне спорит с ней, но по ходу сюжета она набирает силу, и читатель готов то ли поверить в нее, то ли объявить роман полным бредом, когда в последний момент автор вдруг отмежевывается от этой идеи и сваливает всю ответственность на одержимого ею героя.

Александр Жолковский

Так-то въяве и выглядит все это —
Язвы, струпья, лохмотья и каменья,
Знак избранья, особая примета,
Страшный след твоего прикосновенья.
Так что лучше тебе меня не трогать,
Право, лучше тебе меня не трогать.

Дмитрий Быков, 1995

Глупец! Пойми — ты живешь и дышишь, пока я на тебя смотрю. Ведь ты только потому и есть ты, что это я к тебе обращаюсь.

Абрам Терц, «Ты и я»

Писать про то, что есть, трудней, чем про то, что было или будет и чего никто не видел. Упрек в журнализме — самое легкое последствие. Но если не работать с реальностью, она такой и останется. Большая часть романа придумана и написана в Артеке, в гостинице «Адалары», персоналу которой автор, пользуясь случаем, свидетельствует любовь и благодарность.

Дмитрий Быков,
Москва, январь 2008

ЧАСТЬ ПЕРВАЯ
ПЕРЕЧЕНЬ ПРИЧИН

1

Во Внукове сценариста Сергея Свиридова, вылетавшего в Крым на детский кинофестиваль с картиной «Маленькое чудо», задержали на границе.

Свиридов поздоровался с добродушной блондинистой пограничницей, протянул ей загранпаспорт (можно было лететь с российским, но Свиридову нравилось думать, что он представляет работу за границей) и приготовился ждать. Обычно процедура занимала не более минуты. Блондинка, однако, вгляделась в документ, сверилась с увесистым талмудом, потом с двумя списками в полиэтиленовых папках, потом куда-то позвонила и зачитала свиридовские данные. Свиридова испугало не это, а взгляд, которым она уперлась в него после этих процедур. Обычно в случае непредвиденной задержки — мало ли, фамилия совпала с подозрительной, — погранцы смотрели виновато: свои люди, формальность. Теперь же на Свиридова смотрели с выражением, слишком ему знакомым по генетической памяти: «Будем признаваться или дальше обманывать органы?».

— Что-нибудь не так? — с отвратительной заискивающей интонацией спросил Свиридов.

— Вам все скажут, — ответила пограничница, чье добродушие мигом испарилось. Свиридов хорошо знал, как это бывает. На таких должностях добрых не держат, да они и не пойдут.

— Но в чем дело? — все еще мирно спросил он. — Документ неправильный?

— Отойдите в сторону и ждите, — сказала она уже с раздражением. — Через пять минут перезвонят, и пройдете.

— А кто вам должен перезвонить?

— Не мешайте проходу! — прикрикнула она.

Свиридов шагнул в сторону, пропуская потную мамашу с вялым мальчиком лет трех. Беспомощно распяленный паспорт сценариста остался лежать перед пограничницей. Ясно было, что Свиридов уже никуда не денется, так и будет стоять в сторонке. Он был привязан за паспорт. Слава богу, он один летел от группы: издевательствам не было бы конца. «А я всегда знал, что Серый неблагонадежен. У него в пузе наркотики, девушка, проверьте пузо!» Мимо прошел кинокритик Лосев, неприятный человек с энтевешным прошлым. Вел на старом НТВ информационную кинопрограмму «Куда пойти», над названием которой сам без устали каламбурил. Тип был скользкий — из тех, что всегда ругают власть, но им ничего за это не бывает. После разгона он спокойно устроился на ТВЦ, но так и ходил в ореоле гонимого.

— Что, Сережа, — сказал он сочувственно, — за границу не пускают?

— Да вот, — не желая откровенничать, неопределенно ответил Свиридов.

— Девушка, вы его что, не знаете? — спросил Лосев пограничницу. — Благонадежнейший малый, сценарист сериала «Погибель Отечества». Не смотрели?

— Проходите, — нелюбезно сказала пограничница Лосеву, с силой проштамповывая его паспорт, пухлый от вклеенных виз. Лосев не вылезал с международных фестивалей, эстет гребаный.

— Ну давай, — с тайным торжеством произнес Лосев, помахал Свиридову и прошел мимо.

Прошли еще двое, один задел Свиридова тяжелым чемоданом — конечно, теперь можно...

— Девушка, — робко напомнил о себе Свиридов, — у меня вылет через полчаса. Сейчас посадка закончится.

— Надо пораньше приходить, — предсказуемо ответила пограничница, не глядя на него.

— Но могу я узнать, в чем дело?! — возмутился Свиридов.

— Все скажут, — повторила она.

— Я что, вообще могу не вылететь?

— Можете, — спокойно ответила она. — Я здесь для того и сижу.

— Для чего?

— Для контроля. Отойдите с прохода, гражданин.

Вот как, уже и гражданин. Свиридов озлился. Страх начал вытесняться раздражением: в конце концов, он не

10

знает за собой ничего такого. Почему он должен отвечать за идиотские сбои в их системе? Ульмана не могут поймать, а сценариста могут!

— Если у меня сорвется вылет на фестиваль, вы ответите лично, — пригрозил он. Пограничница не удостоила его ответом.

— Вы меня слышите? — спросил он.

Она сняла трубку и набрала трехзначный номер.

— Пятый? — сказала она. — У меня человек угрожает. Чего-то, говорит, отвечу. Да, бузит громко. Подойдите, объясните, кто чего ответит. А то он чего-то это. Да. Хорошо.

Она положила трубку и подняла на Свиридова торжествующий взгляд.

— Сейчас вам всё ответят, — сказала она. — Придет майор и всё ответит.

К Свиридову уже направлялся майор неизвестных войск в белой летней форме. Он выскочил, как черт из табакерки, из потайной двери под лестницей — из щели, в которую незаметно проваливаются неблагонадежные; за дверью мог быть обезьянник, камера пыток, что угодно.

— Этот? — сквозь стеклянную стену кабинки спросил он пограничницу, указывая на Свиридова и не удостаивая его обращением. Толстуха радостно кивнула.

— Пройдите, — сказал майор, показывая на дверь.

— Но почему, собственно...

— Мне наряд вызвать? — скучно спросил майор. Свиридов понял, что шутки кончились. Он пожал плечами и пошел за майором в незаметную дверь.

Там не было ничего ужасного — служебное помещение, стул, стол, диванчик. О камере пыток напоминал только стандартный мутный графин с желтой, явно железного вкуса водой. Только такой и освежаются палачи — другая не восстанавливает палаческих сил.

— Присаживайтесь, — сказал майор, сам уселся за столик и вернулся к разгадыванию кроссворда в газете «Зятек».

— Могу я узнать, в чем моя проблема? — после минутной паузы спросил Свиридов. Вот-вот должны были объявить посадку.

Майор поднял на него белесые глаза и некоторое время смотрел молча, исподлобья, ожидая, что жертва не выдержит гипноза, устыдится, опустит очи долу и погрузится в раскаяние. Но Свиридов смотрел прямо, с вызовом, и майор вынужден был нарушить молчание.

— Вам объяснят.

— Кто объяснит?

— Касающиеся люди.

— Понимаете, я должен вылететь сегодня...

— Мы понимаем, что вы должны. Мы должны, и вы должны. Происходит проверка. По результатам проверки вы или вылетите, или... — Майор сделал паузу, Свиридов замер. — Или не вылетите.

Свиридов и раньше догадывался, что эти люди имеют над его планами куда большую власть, чем он сам. Никакие перетряски и переименования не могли лишить эту службу, мгновенно опознаваемую по интонациям, даже толики прав. Майор продолжил штурм кроссворда. Минут через пять он снова поднял на Свиридова белесоватые глаза и спросил:

— Русский советский писатель, автор повести «Обмен». Восемь букв.

— Трифонов, — услужливо ответил Свиридов. Майор кивнул, словно вопрос был частью проверки. Странно, подумал Свиридов. Может, он дает мне понять, что не считает врагом? Станут они у врага спрашивать, кто автор повести «Обмен». Враг наверняка введет в заблуждение. Но, может, то, что я читал Трифонова, само по себе криминал? Может, это специальный чекистский тестовый кроссворд? Взрывчатое вещество из восьми букв, первая «г». Гексоген. Пройдемте. Голова продолжала плодить сюжеты даже в теперешних мутных обстоятельствах. Из подозрительных людей тревожно-мнительного склада получаются наилучшие сценаристы — они вечно озабочены сценариями воображаемых козней, которые против них плетутся.

Тут у майора на столе зазвонил телефон, и разгадывание тест-кроссворда прервалось надолго. Майор чертил на газете сложные зигзаги, слушал равнодушно, иногда кивал.

— Ага,— сказал он. — Добро. Ага. Нет, здесь. Спокойно. Да нет, непохоже. Хорошо. Понятно. Зеленый. Нет, вчера. С запада. Сорок семь. Четырнадцать. Ага. Добро. Ага.

Само собой, Свиридов прислушивался ко всем этим репликам с особым вниманием, надеясь уловить в них разгадку своей судьбы, но ни цвета, ни цифры, ни стороны света не имели к нему никакого отношения. «Ага, шпион с запада, на вид сорок семь, от страха зеленый, сумка весит четырнадцать, ага, везет добро, ага», — машинально реконструировал он, поражаясь собственному спокойствию. Ужас положения еще не дошел до него по-настоящему.

— Можете лететь, — лениво сказал майор, положив трубку, но все еще глядя на Свиридова, словно удерживая его взглядом. Вероятно, он ждал вопроса.

— А что это было? — спросил Свиридов.

— Плановая проверка, — сказал майор.

— По какой линии?

— По нашей, — с вызовом ответил майор. Видимо, теперь Свиридову можно было знать об этом.

— И что выяснилось?

— Что все в порядке, — отводя глаза, сказал майор. Все явно было не в порядке, и он хотел оставить в теле жертвы отравленную иглу. Загноившаяся жертва будет вкуснее.

— А конкретно? — настаивал Свиридов. Он знал, что такие ситуации надо выскребать, дочерпывать до конца, как выскребают рану: малейшая двусмысленность могла отравить все, дать корни, побеги, превратиться в целую историю с задержанием.

— А конкретнее, — с тем же вызовом ответил майор, — вы в списке. Поэтому подлежите дополнительной проверке.

— В каком списке? — не понял Свиридов.

— Это уж я вам не могу сказать. Это сверх полномочий. Идите, самолет улетит.

Свиридов встал, подхватил чемодан с ноутбуком и побежал к будочке пограничницы. Его паспорт по-прежнему лежал перед ней, и она его уже штамповала.

— Ну? — сказала она с прежним добродушием. — И чего было буянить?

— Я не буянил, — сказал Свиридов. Здесь тоже было важно отмести ложные формулы, иначе где-то глубоко в его досье, которое наверняка ведет какая-нибудь белоформенная инстанция, так и останется запись: буянил в аэропорту. А это подозрительно, особенно если буянил стрезва. — Вы, пожалуйста, слова выбирайте.

Пограничница молчала. Такие мелкие уколы ее не трогали. Она протянула ему проштампованный паспорт.

— А в каком я списке, можно узнать? — менее уверенно, чем хотелось бы, выговорил Свиридов.

— Вы опять, гражданин? — спросила пухлая уже грозно и взялась за телефонную трубку, но Свиридов не стал ждать второго появления майора и стремглав проскользнул на ничейную землю. До конца посадки оставалось четверть часа.

Как все нервные люди, он испытывал потребность немедленно поделиться своей странной бедой и выслушать утешение, но из знакомцев на фестиваль летел один Лосев, а с этим человеком Свиридов не склонен был делиться чем бы то ни было. На свое счастье, он обнаружил в хвосте ЯКа толстого оператора Горного, с которым познакомился еще во ВГИКе, но общался редко. Горный был человек медлительный, задумчивый, крепкий ремесленник, не более, но сейчас именно такой спокойный малый был нужен Свиридову, чтобы рядом с его непрошибаемым спокойствием прийти в себя.

— Ты представляешь, Горный, — сказал Свиридов, — меня чуть на границе не задержали.

Горный медленно повернулся к нему.

— А чего?

— Да говорят, я в каком-то списке. Ты не знаешь, что за список?

— На границе?

— Ну.

— А ты не попадал раньше? Вез там чего-нибудь...

— Да я на Украине не был с пятого класса, когда меня мать в Крым возила.

— Ну не в Крым... Еще куда-то...

— Нет, не попадал.

— Ну не знаю. — Тормоз Горный был из тех, в чьей медлительности и немногословии окружающие часто угадывают бездны, Свиридов сам слышал, как восторженная девочка курсом младше распиналась в общаге: «Леша — очень, очень правильный человек!»; но на деле, как и у большинства туго соображающих и молчаливых увальней, за душой у него не было ровно ничего. Искать у него сочувствия было не перспективней, чем исповедоваться шкафу.

— А ты не слыхал, чего за списки?

— Не знаю, — повторил Горный.

Свиридов отвернулся и стал перебирать в уме свои прошлые грехи. От этого занятия его отвлек взлет. Свиридов терпеть не мог летать, от любой турбулентной болтанки бледнел и хватался за подлокотники, ЯК долго пробивал облачный слой, его мотало, на время мысли о списке вытеснились более ощутимой опасностью. Но на земле, в дождливом Симферополе, особенно неожиданном после знойной распаренной Москвы, на Свиридова напал настоящий ужас: что я такого сделал? Была, впрочем, надежда, что хоть на украинской границе его пропустят сразу, — но и тут долго сверялись с пластиковым талмудом, а потом молоденький пограничник выбрался из кабинки и под ропот очереди куда-то ушел со свиридовским паспортом.

— Ишь, — сказал Лосев из-за красной черты. Он стоял за Свиридовым и, кажется, ничуть не огорчился задержке. — Серьезных дел натворил Сережа. Мало что из России не выпускают, но и в Хохланд не берут. — Про Хохланд он говорил нарочито громко, бравируя пренебрежением к оранжевой загранице, и соседняя очередь, состоявшая из граждан Украины, одобрительно заулыбалась. Лосеву все сходило с рук.

Свиридов принужденно хихикнул. Все это, однако, переставало забавлять его.

Пограничник вернулся минут через десять.

— А у вас при пересечении российской границы не было проблем? — спросил он сочувственно, как и полагается функционеру свободного государства обращаться к гражданину тоталитарного.

— Мне сказали, что я в списке, — ответил Свиридов.

— Сказали? — недоверчиво переспросил молодой.

— Да, а что?

— Просто не говорят обычно. Но вы — да, в списке.

— А что за список-то? Мне не объяснили.

— А мы не знаем, — просто ответил пограничник. — Нам выслали, а что за список — не сказали. Просто надо фиксировать всех, кто из списка прибыл.

— Где фиксировать?

— В журнале. Проходите, мы и так задержали…

Ничего уже не понимая, Свиридов вышел на площадь перед аэропортом, где переминался Горный. Следом появился Лосев. Их тут же окружили таксисты, но Горный уже отыскал встречающего — за ними прислали «газель». Большая часть гостей приехала еще вчера поездом, но несколько человек задержались в Москве по делам и прибыли самолетом; премьера «Маленького чуда» планировалась на завтра.

«Настоящим довожу, что СВИРИДОВ С. В. при дополнительной проверке на границе проявил нервность, недовольство, неделикатность, неучтивость, граничащую с грубостью, но сопротивления не оказал. Пропустил женщину с ребенком, отойдя в сторону, но не ответил на улыбку малыша. На допросе по системе "Кроссворд" показал на ТРИФОНОВА Ю. В. (справка прилагается). Задал 6 (шесть) вопросов о причинах проверки и вероятных последствиях. По окончании проверки двигался ускоренно».

«По сути заданного мне вопроса могу показать, что СВИРИДОВ С. В. в самолете немедленно разгласил факт своего нахождения в списке и отнесся к нему отрицательно, без благодарности и доверия, но оскорбительных высказываний не допускал. В полете явления турбулентности не вызвали физиологических реакций СВИРИДОВА С. В.».

«На украинской границе СВИРИДОВ С. В. замечаний не имел».

2

Первые крымские дни утихомирили тревогу и заставили забыть о проклятом списке, но чем ближе было возвращение, тем больше Свиридов нервничал. У него появилась даже крамольная мысль остаться в Хохланде, но это, конечно, была бы та еще эмиграция. Да и выдавали по первому требованию.

Поначалу он не лазил в интернет, не читал газет, спал на балконе маленькой гостиницы, прилепившейся к сухому кипарисовому склону, пил густое горько-сладкое вино, закусывал копченым сыром и старался превратиться в растение. Следовало всеми порами тела впитывать блаженный воздух, настоянный на кипарисе и сосне, купаться, есть здоровую простую еду и никуда не спешить. Вскоре оказалось, что отдохнул не только сам Свиридов, но и его тревога, на четвертый день принявшаяся глодать душу со свежими силами. Проснувшись, он тотчас вспомнил о занозе, засевшей в сознании, и замычал от тоски. Никакие кипарисы, никакой отдаленный прибой уже не спасали. Свиридов был в списке, и по возвращении это могло грозить непредсказуемыми неприятностями.

Вдобавок надо было мотаться по лагерю, где проходил фестиваль, то на одной, то на другой площадке показывая «Маленькое чудо» — отвратительную поделку о юной балерине. Честно сказать, сценарий и сам был банальной халтурой, написанной для конкурса детских лент и взявшей второе место при полном отсутствии конкуренции: мастер свиридовского курса, член жюри, поведал по секрету, что все представленные работы были либо о школах чародейства и волшебства, либо о родных Микулах Селяниновичах; первый приз достался безвестному доселе графоману за гигантский, страниц на двести, сценарий о молодежном лагере «Своих», в котором перековывался очередной интеллигентский отпрыск. Микулы Селяниновичи были выполнены совсем уж топорно. Третье место взяла история о юном партизане, писанная еще к шестидесятилетию Победы, но тогда отклоненная за профнепригодностью; теперь представления о профпригодности заметно смягчились, а идеологические рамки, напротив, ужесточились, как и положено. Свиридов написал со слов бывшей возлюбленной историю о страшноватых нравах балетного училища, о том, как стремительно взрослеет девочка, проходящая через муштру, и о разладе в ее семье, который она умудряется преодолеть, поскольку обладает большей выдержкой, чем легкомысленный отец и плаксивая мать вместе взятые. История называлась «Танец маленьких лебедей», но режиссер переименовал. Это было, кажется, его единственное решение — все остальное на площадке и после решала продюсерша, она же исполнительница роли импульсивной матери. Она подыскивала роль для своего ребенка-вундеркинда — и свиридовская история подошла ей идеально. У нее подрастала дочь одиннадцати лет, еще от первого брака; во втором продюсерша, сыгравшая в девяностых пару голых ролей в бандитских боевиках, соединилась с газовым магнатом, вылитым героем тех самых боевиков. Из него и были выкачаны деньги на промоушен ребенка. Девочка Настя к одиннадцати годам была законченным монстром, от которого стонала вся группа. Ее привозили на съемки с многочасовыми опозданиями — «драмкружок, кружок по фото»; помимо балета, девочка занималась двумя языками и проходила курс в школе душевной гармонии, где изучались астрология, агни-йога и альтернативная история. Голова ее, и от природы не особенно крепкая, трещала от разнообразной ерунды, Настя ни в чем не знала отказа и не имела даже смутного представления о реальности. Мир представлялся ей гигантским гибридом балетной школы и супермаркета, где в первой половине дня истязают ее, а во второй она отыгрывается на родне и челяди. Поправив пару реплик в сценарии, она стала называть себя сценаристом; однажды пожелала вытащить на съемки подругу, дабы продемонстрировать всю свою звездность, и великодушно попросила написать роль и для подруги — магнат-газовик сверкнул очами на Свиридова, и у маленького чуда появилась подруга со словами. Мама-продюсер выдвигала свои требования, вовсе уже ни с чем не сообразные: она вбила себе в голову, что картина поедет на международные фестивали, и потому в ней обязательно должно быть что-нибудь о мире во всем мире. Вы не представляете, в какое тревожное время мы живем! Иногда Свиридову казалось, что она его соблазняет — дама в бальзаковских годах, магнат занят газом, хочется проверить чары на молодом авторе; но скоро он понял, что в очередной раз переоценил себя. Ночные звонки, долгие беседы наедине, многословные, с абсурднейшими мотивировками требования выкинуть то и подчеркнуть это — все диктовалось серьезнейшим отношением продюсерши к «Маленькому чуду»: больше ей решительно нечем было заняться. Настя к концу съемок окончательно возомнила себя звездой, перестала считаться с мольбами режиссера, вела себя в кадре как хотела, а текст импровизировала, начисто забыв о сценарии, к вящему умилению мамаши. В ней появилась капризность пожилой премьерши, она закатывала внезапные истерики — словом, поехала крышей; даже магнат заподозрил неладное и попросил съемки сократить, так что в итоге пожертвовали последними двумя сценами, которые могли придать получившейся лаже хоть какой-то смысл. Премьеру устроили в «Художественном» — «Октября» магнат не потянул, — и Настя потребовала объявить ее как юную актрису, юного режиссера и юную сценаристку. Свиридов не видел этого позора — он на премьеру не явился. Даже сценарий сериала «Спецназ своих не бросает» казался ему менее постыдным. Ни на один заграничный фестиваль, естественно, чудо не попало — магнат сумел продавить его только на крымский, проходивший в бывшем пионерлагере, да и то, кажется, отстегнул на его проведение; режиссер наотрез отказался представлять шедевр, сославшись на занятость новым проектом — историей о гибели десантной роты (тогда каждый месяц гробили по десантной роте, в неотличимых горах, с дословно совпадавшими диалогами). Само чудо лечили на швейцарском курорте — оно теперь бузило и вне площадки, требовало новых ролей и плохо ело; мать находилась при Насте неотлучно, и представлять поделку отправили Свиридова. Он плюнул и согласился — неделя в Крыму на халяву выглядела приличной компенсацией за мучения с чудом.

Дети в бывшем лагере, а ныне международном молодежном центре, оказались безнадежно провинциальными и смотрели всё с одинаковым удовольствием. Их радость при виде движущихся больших картинок была чисто физиологической, а если с экрана раздавалось знакомое слово вроде «жести», весь бетонный амфитеатр взрывался аплодисментами. По-настоящему их не занимало ничего, кроме компьютерных игр и дискотек, ко всему остальному они были добродушно-равнодушны, покорно задавали вопросы после каждого просмотра — одинаковые из раза в раз, о смешных случаях на съемках и о том, почему Свиридов выбрал профессию сценариста. На третьем просмотре Свиридову надоело соблюдать политкорректность, и на вопрос о смешных случаях на съемках он сымпровизировал целую историю о том, как девочка Настя, доставшая всех в первую же неделю работы, случайно встретила на площадке медведя и обкакалась. Свиридов подробно обосновал появление медведя на съемках — это был ручной медведь из картины, снимавшейся в соседнем павильоне, он свободно бродил по студии, и вот пожалуйста. Дети заметно оживились.

— Что, прямо медведь?

— Ну медвежонок.

— Что, прямо обкакалась?

— Прямо в штаны.

Гоготали даже вожатые. История пошла гулять по лагерю. Дети потребовали дополнительного просмотра, его организовали на стадионе, всем было интересно посмотреть на девочку, которая танцевала-танцевала, пищала какие-то глупости, много о себе воображала и вдруг обкакалась в штаны. Свиридов почувствовал смутные угрызения совести — опорочил несчастного ребенка, желавшего служить искусству, унизил его в угоду грубым провинциальным вкусам, — но Настя была уж очень омерзительна, да и «Маленькое чудо» в результате получило приз зрительских симпатий, обойдя даже немецкий шедевр «Тайна животноводческой фермы». О решении жюри Свиридову сообщила начальница пресс-центра, женщина из советских времен, чудом сохранившаяся в Крыму, где вообще умудряется уцелеть, зацепившись за обрыв берега, все реликтовое. Лагерь успел пройти через эпоху упадка в девяностые и теперь восстанавливался, но не набирал новую славу, а собирал по крупице старую, изрядно поблекшую еще до перестройки. Вся реставрация — что в России, что в Украине — осуществлялась по одному сценарию: попробовали жить иначе, не вышло, построим старое, — но строить собирались новые люди, проще и площе прежних, полузабывшие тогдашнюю жизнь или вовсе ее не знавшие. Результат получался соответствующий — совок, лишенный всего, что делало его переносимым. Начальница пресс-центра была наилучшим выражением этой тенденции.

— Ну, мы поздравляем вас, конечно, — сказала она, улыбаясь наклеенной улыбкой. — Мы, конечно, очень рады за вас и ваш замечательный фильм, добрый фильм.

— Спасибо, — кисло ответил Свиридов.

— Очень мудрый фильм, — говорила она, словно не решаясь приступить к главному. — Дети даже особо отметили в анкетах, что очень мудрый фильм.

Свиридов кивал.

— И мы приглашаем вас на торжественную церемонию закрытия, — продолжала начальница пресс-центра. — Но мы вам не рекомендуем на нее ходить.

Некоторое время Свиридов осмысливал услышанное.

— То есть? — спросил он наконец.

— Ну, — сказала она, улыбаясь все шире; выражение ее лица можно было бы счесть кокетливым, если бы такие женщины могли кокетничать вообще, — мы получили о вас определенную информацию.

Свиридов похолодел.

— Откуда? — спросил он, не уточняя, что за информация: все было ясно.

— Нас известили с таможни, — сказала начальница пресс-центра, явно гордясь связями с таможней. — Нам дали знать. И мы бы со своей стороны вам не рекомендовали. Вот ваше приглашение, я вам обязана отдать по долгу службы, — «по долгу службы» она выговорила с особым наслаждением; такие люди любят тщательно, красуясь, выговаривать всякие литературные реплики вроде «мы не считаем возможным» или «дорогой вы наш человек». — Но я вас просила бы, а где-то даже и советовала бы.

Она улыбнулась и тряхнула волосами, что должно было обозначать задор. Наверное, когда-то она была здесь вожатой. Теперь ей было сорок пять.

— И что? — спросил Свиридов. — Вы будете объявлять, награждать картину, а я сидеть в номере? Приз кто получит?

— Мы вам передадим дополнительно ваш призочек, — быстро заговорила пресс-секретарша. Она была готова к этому вопросу. — Вы завтра зайдете в управление, и мы передадим призочек и грамотку. Вы можете быть уверены, что никто здесь не заберет вашу заслуженную награду.

— Но почему я не могу присутствовать на собственном награждении? — прямо спросил Свиридов, чувствуя, что еще немного — и он наговорит ей таких слов, каких сценаристы доброй и мудрой картины не должны употреблять в принципе.

— Мы работаем в детском учреждении, — все еще улыбаясь, отвечала она. — Мы должны ограничивать, огораживать детей от эксцессов. Нам довели информацию, что ваше присутствие может быть нежелательно. Лучше перебдеть, чем недобдеть, не так ли? — Реплика «не так ли?» тоже казалась ей очень кинематографичной. — Я не буду вас больше задерживать, я ничего не могу вам запретить, но хочу предупредить. Мне было очень приятно поздравить вас с заслуженным успехом.

И, еще раз тряхнув крашеными волосами, она быстро пошла прочь; один раз оглянулась и помахала, как машет возлюбленная, уходя навсегда, в дурном шестидесятническом фильме про девушку, не знающую, чего она хочет. Свиридов плюнул ей вслед и решил во что бы то ни стало отправиться на закрытие.

Церемония не обманула его ожиданий. Она была по преимуществу украинской, трехчасовой и очень громкой.

Кое о чем Свиридов имел понятие, поскольку гостиница стояла недалеко от стадиона, на котором фестиваль закрывался, — последние три дня репетиции шли беспрерывно, с подъема до отбоя, отголоски долетали до пляжа, и даже заплывая на полкилометра в море, Свиридов слышал натужно-звонкие голоса, хором уверявшие, что ничего на свете лучше нету. Он успел выучить и хит про море бескрайнее, и вальс о невыносимости расставания с дружной сменой; впрочем, советских песен было мало — преобладали гопаки с их фирменным сочетанием роскошной лени и необъяснимой агрессии, столь узнаваемым во всем, что бы тут ни делалось, от Майдана до Рады. Свиридов понимал, что в гопаках нет ничего дурного и дети счастливы, изображая разнузданную казачью лихость, — но он был озлоблен, уязвлен, и мир представлялся ему царством гнета и лицемерия. Добрые, чистые слова о добром, чистом детстве произносил толстомясый представитель республики Крым, ему вторил третий замминистра культуры, поджарый, европейский донельзя — все портил суржик, на котором он говорил за незнанием мовы; начальство молодежного центра ловило его речь с подобострастием, много превышавшим советское. О свете и радости было сказано и спето столько, что детство начинало представляться Свиридову царством лжи и насилия — каким оно, собственно, и было; да и что вообще было в его жизни, кроме школьного ада, семейного полураспада, студенческой нищеты и последующей безработицы? Несчастье всему придает свой ракурс, а счастье — никогда, в этом главная несправедливость. Первый приз взяла лента «Байкер и Ангел», про страшного байкера, влюбившегося в шестнадцатилетнюю инвалидку-колясочницу. Он открыл ей новую жизнь, катал на мотоцикле, хитро привязав к седлу позади себя, и учил целоваться в рассветном березняке (Свиридов гнусно хихикнул, вспомнив анекдот про Ржевского и безножку — «Некоторые так на березе и оставляют»); другие байкеры насмехались, он дрался, но потом прислушался к голосу коллектива — «Что это? уж не обабился ли я?» — и на глазах хрупкой колясочницы аппетитно, жирно поцеловался с распутной девкой из соседнего класса. Потрясенный Ангел наелся таблеток и отлетел. Это заставило байкера глубоко задуматься и где-то даже пересмотреть свои ценности. Под свежим впечатлением он долго ехал по рассветной дороге под тяжелую инструментальную музыку, после чего являлся добровольным помощником в интернат для колясочников — и Свиридов не мог не вообразить, коря себя за цинизм, как он теперь, в порядке искупления вины, оприходует всех их по очереди. Эта туфта была значительно хуже «Маленького чуда» — хотя бы потому, что делалась на полном серьезе, с надрывом; за картину проголосовал весь лагерь, от мала до велика, немедленно опознав родную стилистику девичьих рассказов о любви и смерти. Режиссера Свиридов не знал — «Байкера» сочинил и поставил бывший рекламщик из Барнаула, длинноволосый, гориллоподобный, сам, кажется, из байкеров. Получив приз — золотые часы в виде солнышка на гранитной подставке, — он поставил его на эстраду и сделал обратное сальто. Стадион взревел.

Следующим должны были награждать Свиридова, и он уже прикидывал, что скажет, — что-нибудь о том, какие они все уже взрослые, так что и говорить с ними надо без сюсюканья и вранья, пока у него не очень получается, но он обещает, — но сразу после объявления «Маленького чуда» самым мудрым фильмом фестиваля на сцену выпорхнула руководительница пресс-центра, приняла солнышко из рук третьего зама и обворожительно улыбнулась залу, сообщая, что представители группы, к сожалению, на церемонию прибыть не смогли. Свиридов вскочил с места, замахал, заорал — но его крик был тотчас заглушен очередным гопаком, и по эстраде вприсядку заметались парубки в красном. На него оглядывались, он не желал больше слушать народную музыку и в бешенстве, нарочно наступая на ноги и толкаясь, устремился к выходу. Он долго еще блуждал по запущенной, заросшей территории лагеря, отыскивая спуск от стадиона к гостинице: сюда-то везли на автобусах, но ждать обратного автобуса он не желал. В гостиницу тоже не хотелось. Поплутав в кромешной крымской ночи, запутавшись в колючем кусте и порвав брюки, Свиридов вышел наконец на тропинку, петлявшую между пустых спальных корпусов: она должна была привести к гостинице, — но спать не хотелось. Он решил выкупаться.

На всем многокилометровом галечном пляже, разделенном бетонными бунами, не было ни души. Море слабо поплескивало. В последние три дня был шторм, но сегодня стихло. По всему берегу валялись клубки высыхающих темно-коричневых водорослей, он называл их перекати-море. От них пахло гнилью и свежестью, свежей гнилью — нигде больше Свиридов не встречал этого сочетания и не мог подобрать для него других слов. Луна то выплывала из облаков, превращая вид в итальянский пейзаж Щедрина, то исчезала, и море сливалось с небом в одно антрацитное пространство. Наконец она вышла надолго, золотистая дорожка протянулась от горизонта к ногам Свиридова, он разделся и, хлопая себя по плечам, вошел в неожиданно теплую воду. Холод начинался дальше — шторм поднял холодные донные слои, тепло оставалось у самой поверхности; но холод бодрил, и Свиридов несколько раз с наслаждением нырнул. С берега все еще доносились клятвы сохранить дружбу и память о кострах, странно сочетавшиеся с этим безлюдным берегом без единого фонаря, с золотой луной, полновластно сиявшей над горизонтом, с мелкими плоскими тучками вокруг нее, россыпью мелких звезд и бархатно-черными лесистыми скалами слева. Здесь «Маленькое чудо», байкеры, ангелы, гопаки и списки не имели никакого значения. Свиридов долго плыл, привыкнув к воде, ощущая ее не сильней, чем воздух при ходьбе, — но, оглядываясь, видел, что берег почти не удалился: все та же освещенная чаша стадиона высоко на горе, те же темные корпуса и еле белеющая пенная полоска у волнолома. Зря он вспомнил о списке — хотя бы и для того, чтобы подумать о всей незначительности этой истории; ерунда ерундой, но послезавтра в Москву, тоже мне радость. Небось опять задержат при отправке и уж точно на российской границе. Свиридов в тысячный раз принялся перебирать свои грехи. В том и дело, что сегодня уже не знаешь, в чем можешь быть виноват. Никаких правил: самое поганое время, когда все еще только сгущается. Что-то можешь определить сам, личные рамки дозволенного... но решать надо быстро, завтра все отвердеет. Это было хуже, чем прямая угроза: сейчас опасность смотрела отовсюду, никто не знал, как себя вести. Под удар с равной вероятностью могли попасть и те, кто нарывался, и те, кто потирал ручки, приговаривая «давно пора». Критерий был неясен и определялся по прецеденту. Самое досадное, что все развивалось давно уже не по логическим или даже сценарным законам, а по прихоти чистой статистики: нам надо выдавить вон столько-то народу, посадить столько-то, отнять работу у стольких-то. Дураками были все, кто спрашивал «За что?» и пытался отыскать закономерности. Закономерность была одна: количественная. Не туда шел, не там стоял. Все это Свиридов лихорадочно передумывал, чтобы сбежать от самого мерзкого ощущения, придавившего его жизнь задолго до треклятого списка: есть люди неправильные, изначально обреченные если не на заклание, то на пожизненный бег с препятствиями, лягушачье перепрыгиванье с листка на листок, как в древней компьютерной игре «Перестройка». Он был из таких, это было родовое проклятие, родимое пятно, его видели все, начиная с одноклассников, и зря он пытался себе внушить, что во всем виноват талант. Талант ничуть не реже осеняет здоровых, жизнерадостных, охочих до любой работы. Он был в списке с самого рождения, вот в чем беда; теперь это вышло наружу, только и всего. Гнусная мысль пришла одновременно с волной, Свиридову плеснуло в нос, он терпеть этого не мог — и только тут заметил, что море уже не так спокойно, как прежде.

Длинные черные волны в дробящемся блеске шли на него фронтом, он давно вышел из-под защиты левого скалистого мыса, теперь все море было в параллельных глубоких морщинах, они с каждой новой волной становились глубже, и Свиридову уже померещились вдали смутно мерцающие пузырчатые гребешки — дело серьезное. Он понимал, что пора разворачиваться к берегу, но плыл и плыл вперед, словно должен был достигнуть некоей точки; наконец ему стало по-настоящему страшно, он быстро развернулся — и только тут заметил, что отплыл на добрый километр. Музыка кончилась. По извилистым дорожкам молодежного центра ползли пятна фар — автобусы развозили детей, наверняка усталых и сонных; все это было очень далеко, он нипочем не докричался бы, да и кто ночью пойдет на берег? Правда, теперь волны подгоняли его в спину — но они же и перекатывались через голову, так что он стал задыхаться. Он знал по опыту — далеко заплывал с детства, — что ни в коем случае нельзя паниковать, что угодно, но не паника, в крайнем случае можно полежать на спине, передохнуть, переждать вспышку ужаса; но какое тут лежать — его накрыло первой же волной. Это началось, как только он подумал о списке, — надо о чем-то другом, о чем попало, и он стал представлять, как полетит в Москву, выйдет на работу, увидится с Алей, может быть, уговорит наконец съехаться... Из темного жидкого ужаса, облепившего его, как мокрая ткань, список представлялся уютным, почти спасительным, как всякое дело рук человеческих среди неразумной стихии.

Берег не приближался. Свиридов беспомощно бултыхался с волны на волну, — он все еще не позволял себе работать ногами в полную силу, боялся выдохнуться. Стоп. С чего, собственно, я взял, что шторм? Волна если и увеличилась, то самую малость. Вон автобусы, вон дети, только что пели про дружную смену. Ничего не может случиться, сроду тут никто не тонул. Ужас постепенно отпускал — вид берега успокаивает, не то что открытое море; я просто выплыл за мыс, нельзя этого делать ночью. Все о'кей; но тут волна тяжелой лапой шлепнула его по голове, на пару секунд он погрузился, а едва вынырнул — его тут же оглоушила следующая. Дело было худо. Свиридов повернул левей, лег на бок, плыть стало полегче, пару минут он не думал ни о чем, только работал руками и ногами — и когда снова позволил себе оглядеться, берег был уже близко. Метров за триста до него море утихло так же неожиданно, как разбушевалось, и Свиридов уже не поручился бы, что вообще попал в этот странный шторм, продолжавшийся от силы десять минут. Но вкус воды во рту, ощущение холодного тяжелого удара по темени... Он был теперь уязвим, вот в чем дело. Могло случиться что угодно. Выйдя на берег, он долго шатался на дрожащих ногах, искал одежду, спотыкался на гальке. Оделся, хотел закурить, с минуту добывал огонь из зажигалки, наконец добыл, затянулся, закашлялся.

«СВИРИДОВУ С. В. согласно распоряжения от 28.06.07 было доведено, что присутствие СВИРИДОВА С. В. на награждении СВИРИДОВА С. В. как сценариста самого доброго и мудрого фильма нежелательно. Вопреки рекомендациям руководства Международного молодежного центра СВИРИДОВ С. В. на награждении СВИРИДОВА С. В. присутствовал, но выход его на сцену как сценариста доброго и мудрого фильма был блокирован своевременными действиями МАНАЕНКО Е. Ф. При проведении мастер-классов с веселыми гостями Международного детского центра СВИРИДОВ С. В. ничего такого не говорил. В целом характеризуется положительно, в общении ровен, алкоголем злоупотреблял умеренно, попытки заплывания за буйки были единичны и недалеко».

Значит, шторм — все-таки не они. Похвально.

На обратном пути все сошло на удивление гладко: никто не тормознул — ни в Симферополе, ни в Москве; Свиридов приехал из Внукова в пыльную душную квартиру, распахнул все окна, полил цветы и сел названивать коллегам. Алю он набрал по мобильному еще в аэропорту, но она была временно недоступна.

— Коль, — сказал он режиссеру «Спецназа» Сазонову. — Фигня случилась. Я на границе, когда в Крым летал, узнал, что я в каком-то списке.

Сазонов молчал.

— Ты слышишь? — повторил Свиридов. — В списке я каком-то!

— Слышу, не глухой, — сказал Сазонов почужевшим голосом. Прежнего снисходительного дружелюбия простыл и след. — Ты Кафельникову говорил?

Кафельников отвечал на канале за производство сериалов. У него были таинственные связи на самом верху.

— Нет.

— Ну и не говори пока. Я разберусь.

— А что за список-то? — пересохшим ртом спросил Свиридов.

— Я откуда знаю? — неискренне удивился Сазонов. — Ты ж попал, не я.

Свиридов понял, что его сторона улицы попала под обстрел и скоро он на этой стороне останется в одиночестве.

— Но, может, ты слыхал...

— Ничего я не слыхал, я знаю только, что сейчас ни в какие списки лучше не попадать. Меньше светишься — крепче спишь.

— Коль, — зло сказал Свиридов. Его бесило, что приятель — не друг, конечно, но не один пуд дерьма съели, — так легко заподозрил его в нарушении неведомых конвенций. — Я ничего не делал, ты понял? Ничего сверх обычного.

— Ну, мало ли, — неохотно выговорил Коля. — Я ничего такого не хочу сказать, но ты, в общем, аккуратнее.

— А про списки вообще ты ничего не слышал?

— Да сейчас половина в каких-нибудь списках, — уклончиво сказал Сазонов.

— Типа?

— Ну несогласные какие-нибудь... или, наоборот, согласные... Ты ни в какую партию не вступал?

— С какого перепугу?

— Не знаю. Короче, я провентилирую, пока никому не говори.

Они обменялись незначащими новостями и распрощались.

— Никому не говори, — вслух сказал Свиридов. — Дубина. Пока ты там будешь вентилировать, я, может, еще в пять списков попаду...

Он набрал Бражникова, одноклассника-программиста.

— Брага, слышь какое дело. Я попал в хрен его знает какой список.

— Что за список? — Бражников мгновенно насторожился.

— Не знаю! — крикнул Свиридов. — На границе сказали, что я в списке. И потом, у меня картина приз взяла, — так на церемонии закрытия мне его не дали.

— В смысле?

— Не вручили. Сказали, им не рекомендовано, чтобы я показывался.

— Это хреново, — после паузы сказал Брага.

— Ты что-нибудь знаешь?

— Знаю. Но это не по телефону.

— Что значит — не по телефону? Кому ты нужен тебя слушать?

— Я-то никому, — сказал Брага, и Свиридов понял, что слушают теперь его. Брага был специалист по этой части, он еще в школе уверял, что если набрать 137 и будет занято — значит, слушают. Все набирали, и всех слушали: только потом Свиридов узнал, что эту линию отключили, переделали в 737, а Бражников всех элементарно накопил, хвастаясь секретной информацией. Он мало изменился с четвертого класса.

— Хорошо, ты можешь приехать?

— Лучше ты ко мне, — после паузы сказал Бражников. — Только не домой, давай через час в «Чашке».

Проклиная себя за доверчивость и почти не сомневаясь в полной бражниковской неосведомленности, Свиридов спустился во двор, завел «жигуль» и отправился на Ломоносовский. «Жигуль» после недельного простоя чихал, Свиридов думал, что надо в сервис и что все одно к одному.

Бражников появился, когда Свиридов уже заказал фраппе «Рай на Гавайях» (сливки, кокос, «Малибу»). Воображение продолжало работать, невзирая на все страхи: представим фраппе «Ад на Гавайях». Все то же самое, но с томатным соком.

— Здоров, — буркнул Бражников. От него, как и в школе, разило потом. Он был в красной ковбойке и бесформенных штанах.

— Так что за список-то? — без предисловий спросил Свиридов.

— Ты еще погромче орал бы, — нехорошим тихим голосом ответил Бражников.

— А что такое?

— Ничего, тише надо. Давай с самого начала, по возможности ничего не пропускай.

Свиридов пересказал историю с толстухой-пограничницей, майором в белой форме и газетой кроссвордов.

— Какая обстановка была в комнате? — прервал Брага. — Подробнее!

— Откуда я помню? Стол, стул, диван...

— Вентилятор был?

— Не было вентилятора, кондишен был.

— Ага, — загадочно сказал Брага и потер нос. — Вот видишь. Я же просил — подробности.

— Но вентилятор-то при чем?

— При том. Как он тебе сказал — «По нашей линии»?

— Да.

— Ну и с чего ты решил, что это ФСБ?

— Со всего. А кто еще это мог быть?

— Бойся скоропалительных выводов, — назидательно произнес Бражников. — Интеллигенция рехнулась — ФСБ, ФСБ... Они давно ничего не могут. Это транспортники.

— Какие транспортники?!

— Самые обыкновенные. Транспортный надзор. У них свои списки, никакого отношения к госбезопасности это не имеет. Вспомни: ты когда-нибудь буянил на транспорте?

— С какой стати?

— Ну мало ли. Я не знаю, как у вас там в богеме. Ехал куда-нибудь, напился в «Красной стреле», блевал, скандалил...

— Сроду ничего подобного.

— Штрафовали, может быть? В троллейбусе, за безбилетный проезд?

— Когда? Давно турникеты везде...

— Ну не знаю. Короче, точно транспортники.

— Да какие транспортники! — взбесился Свиридов. — Что это вообще такое?!

— Транспортная милиция Кутырева. — Бражников понизил голос и напустил на себя строгость. — Главный преемник, между прочим. Замминистра транспорта. Патриот, в очках такой. Пять языков знает. На крестном ходе с патриархом шел, разговаривал.

— Какой он преемник, ты опух?!

— Главный, — спокойно сказал Бражников. — Пока в тени, а потом выйдет. Очень православный человек, порядок любит. У меня парень в их ведомстве работает, — так там курить нельзя и мини запрещено. Вот он пока на транспорте свои порядки отрабатывает, в поездах и на самолетах. А скоро так везде будет. Так что попал ты, Серый, я тебе точно говорю. Если ты у них в списке, то когда Кутырев придет к власти, будешь добывать золото для страны.

Некоторое время Свиридов прикидывал, насколько это все всерьез. Бражников любил пугать и подкалывать, и многие ловились. Иногда он сам верил в то, что выдумывал на ходу. Выдумки его были однообразны — тайные бункеры в лесах, альтернативное метро, секретный спецотряд транспортной милиции, — но достоверны. Здесь все охотно верили в спецназы, засекреченные отряды и вообще в другую, настоящую страну, живущую где-то в глубине лесов: нельзя же было допустить, что вот это, видимое очами, и есть Россия.

— А за что я мог туда попасть?

— Откуда я знаю. Окурок не там бросил. А может, настучал кто-то. Но они люди серьезные.

— Слушай, Брага, кончай темнить. Я же вижу, когда ты хохмишь.

— А я, может, не хохмлю, — сказал Брага, но Свиридова отпустило. — В любом случае я тебе советую до зимы вести себя очень аккуратно. Сам видишь, они в панике. Устроили выборы и теперь бегают. Выборы-то, судя по всему, последние. У меня парень в Избиркоме...

— У тебя везде парни, — перебил Свиридов. — Ладно, забудь. Чего-то я перепугался, сам не знаю...

По пути домой он почти успокоился. Асфальт медленно отдавал тепло, в серой туче на западе открылась золотая промоина, и оттуда косо били расклешенные, расширяющиеся книзу лучи. Невыносимо грустно было смотреть на рябину, уже начавшую краснеть: лето в середине, в перезрелом расцвете, скоро все покатится под горку. Он опять набрал Алю и на этот раз дозвонился, но радовался рано: она не могла приехать сегодня и даже не особенно усердствовала с поиском оправданий.

— Я тебе завтра расскажу.

— Но я соскучился, Птича! — «Птича» была домашняя кличка, от Ястребовой.

— Я тоже, но тут много накопилось всякого. И с мамой надо побыть.

— А со мной не надо?

— Не ной, не ной. Завтра, ага?

Это «ага» он не любил, и многого в ней не любил, в телефонных разговорах это всплывало, но стоило ей появиться — Свиридов прощал все.

— Ну позвони завтра.

— Сама звони, — буркнул Свиридов. О списке он ей не рассказал — Аля не из тех, у кого стоит искать сочувствия.

Чужие проблемы ее, что называется, грузили, и вообще, у нее хватало своих, в которых Свиридов не разбирался, побаиваясь маркетинговой терминологии и сложных офисных интриг. Он, впрочем, подозревал, что жаловаться женщине — вообще последнее дело: по крайней мере девушке того типа, что нравился ему. Боже упаси от наседки, хлопотуньи, женщины-матери, только и ждущей, на кого бы излить нерастраченные запасы назойливой нежности. Опекает, опекает, потом рыпнешься — а уже повязан по рукам и ногам. Алина независимость была честнее, и сама она никогда не требовала сострадания — расплакалась при нем всего единожды, и тем драгоценней было это воспоминание.

На лавке у подъезда сидела Вечная Люба — так Свиридов называл про себя женщину из тех, кому свободно может быть и сорок, и семьдесят. Люба сидела тут каждый вечер, у нее был свой клуб — жирная блондинка жэковского типа, с крашеными волосами и слоновьими ногами; бабушка в платочке, ничего не понимавшая и всему поддакивавшая; нервная Матильда, худая, дерганая, климактерического темперамента, и всем им было нечего делать, и все они следили за порядком в доме, как его понимали. Еще когда жив был дед и Свиридов ездил к нему сюда, Люба, точно такая же, как сейчас, восседала на лавке, подложив под зад то же самое вчетверо сложенное байковое покрывалко. Она подкладывала его под себя в любую жару. Ей это казалось чистоплотным. После смерти деда Свиридов перестал снимать квартиру в Сокольниках и въехал сюда, на Профсоюзную, и успел хорошо изучить порядки этого женоклуба. Во-первых, они требовали, чтобы все с ними здоровались, а поскольку Свиридов поначалу не знал их даже по именам, они здоровались сами, со значением, давая понять, что старые люди унижаются перед ним, а он не удостаивает. Свиридов все равно не здоровался, они были ему противны. Несколько раз он спасал от них тихую молдаванку из первого подъезда, торговавшую соленьями на ближайшем рынке. Женоклуб третировал сына молдаванки, действительно противного десятилетнего оболтуса, но воспитывать оболтуса они боялись — он мог и послать, а молдаванка, у которой были вдобавок трудности с регистрацией, покорно выслушивала их нравоучения и просила прощенья.

На этот раз у подъезда торчала одна Люба. Сидя на покрывалке, она победоносно озирала свои владения.

— Сережа! — позвала она Свиридова.

— Что?

— Ты не штокай, а когда в следующий раз уезжаешь, меня предупреждай.

— Зачем? — поразился Свиридов.

— Ты не зачемкай, а слушай. Я тебя вот какого помню, тебя мама сюда к дедушке привозила. Твой дедушка был какой человек, а ты что? Ты уезжаешь, а почту носют, она не вмещается в ящик, нам неприятности.

— Какая почта, я ничего не выписываю!

— Выписываешь ты, не выписываешь, я не знаю. Они тебе носют, а ты не берешь. Уже выпадывает из ящика. Почтальон к кому идет? — к Любе. «Где из пятнадцатой квартиры?» А я знаю, где из пятнадцатой квартиры? Или ты скажи на почте, чтоб без тебя не носили, или скажи мне, я буду забирать. Оставь ключ, я буду. Я дедушку твоего знала. А ты уехал, и мы не знаем, где ты, что ты. Нам же надо знать, где что. Вот Сарычевы на даче — я знаю, что Сарычевы на даче. Вот из тридцать восьмой в Африке — я знаю, что в Африке. А тебе письма приносят, может, важное что. Это порядок, нет?

— Какие письма? — растерялся Свиридов.

— Ты не какай, а делай, как я говорю. Ты когда уезжаешь — подошел, сказал: так и так, тетя Люба, я уехал, пожалуйста, если вам не трудно, конечно, забирайте мою почту, вот ключ. Тете Любе не трудно, я по всему подъезду забираю, когда кто попросил. Попроси, не переломишься.

— Ни о чем просить я вас не буду, — зло сказал Свиридов, — и ничего мне тут не носили. Ящик пустой, я проверял.

— Пустой?! — заверещала Люба. Она заводилась с полоборота. — Он пустой, потому что все на почту отнесли!

Я сказала, ты в отъезде, он отнес! А там повестка тебе, между прочим! Ты по повестке не придешь, а кто виноват? Не получил, не расписался, ничего!

— Где повестка? — спросил Свиридов, чувствуя, как слабеют колени.

— Ты не гдекай, а в следующий раз предупреждай! Понятно? — торжествовала Люба. — Повестка на почте, завтра пойдешь распишешся. И что за вид у тебя, я не знаю? Я давно тебе сказать хочу: твой дедушка разве так ходил? Твой дедушка в любой жар бруки носил как человек...

Дальнейшего Свиридов слушать не стал и вошел в подъезд. Если бы старая дура сказала о повестке с утра, он бы успел ее забрать и не мучился подозрениями до завтра. Но тогда ее, как назло, на посту не было, а теперь почта закрылась. Какая повестка, разве что на сборы, — но сборы давно не проводятся, что он выдумал... Дома он поймал себя на старой, давно побежденной привычке по нескольку раз запирать за собой дверь. Это был отголосок старого синдрома, мучившего его в детстве, — отец тоже никогда не мог с первого раза поставить чашку на стол или выйти из комнаты, всегда делал вторую попытку. В отрочестве все прошло, Свиридов научился обходиться без ритуалов, сопровождавших в детстве каждое его действие и доставлявших массу неприятностей — он везде опаздывал, злился на себя, иногда плакал. В двенадцать лет вдруг понял, что может разорвать эту паутину, — или просто начал сочинять, и возвратные токи, мешавшие мозгу думать, нашли себе иное применение. Возвратными токами он называл бесчисленные побочные сюжеты, развертывавшиеся в голове из-за невыполнения того или иного ритуала. Он с удивлением узнал, что болезнь его, оказывается, никакая не болезнь, что так мучаются почти все дети, что даже религия имеет сходное происхождение, см. «Тотем и табу» (Фрейд все-таки был дурак и такую вещь, как благодарность, не учитывал вовсе). По вспышкам этих внезапных страхов, когда дверь не желала закрываться с первого раза, а надевание ботинок требовало как минимум трех танцевальных па, —

он замечал, что болен, простужен или переработал, и успевал принять меры до более явных симптомов. Иногда эти странности свидетельствовали о скрытой панике — он давно научился не признаваться себе в ее причинах, пропускать их мимо ума, но она она никуда не девалась, только стала беспричинной. Теперь, впрочем, все было слишком понятно. Он понимал даже, почему во всех его танцах наедине с собой такую роль играли двери — границы между ним и миром, который стал вдруг враждебен, как в детстве. Вся адаптация — чушь, нас очень легко перевести в детское состояние, когда каждый волен прочесть нам нотацию. Старая перечница. Свиридов включил телевизор, который всегда его успокаивал, но по телевизору шла реклама шампуня против перхоти: девушка, обнаружив за плечом у юноши бледного типа гомосексуального вида, оскорбленно хлопала дверью, и юноша смывал типа, жалобно цеплявшегося за борт ванны, неумолимой струей белопенного шампуня. Чтобы девушка ушла, обнаружив у возлюбленного перхоть, — как хотите, такого сюжета не выдумал бы и Джером, у которого герой бросил подругу, увидав ее обломанные ногти; Свиридов тут же машинально прикинул, как это покрутить. В девяти из десяти рекламных сюжетов речь шла о вещах, о которых приличные люди вслух не говорили: запах из подмышек, изо рта, из промежности. Все ревниво наблюдали друг за другом, выслеживая, не оступился ли сосед, не оговорился ли, не разит ли от него. Особо гнусные впечатления заносились в копилку на случай своевременного использования, а в том, что случай подвернется, никто не сомневался. Сегодня Сидоров взят, и сосед тут же вспоминает, что он редко мылся, а позавчера подозрительно долго гладил по голове соседскую девочку. Мир был теперь населен скрытыми педофилами, трясунами, в лучшем случае невинными онанистами, всякий прятал грязную подноготную и, возможно, скрывал шпионаж. Шакалят, шпионят, редко моются. Каждый собирал на другого досье и ждал только повода обнародовать. Впрочем, это наверняка казалось. Больно специфическое состояние. Иногда в сумерках, на болезненной границе тьмы и света, Свиридова охватывало такое же одиночество, и каждый встречный казался врагом, и довольно было ласкового слова или кивка дежурной в гостинице, чтобы мир вернулся к норме. Будь они прокляты со своими списками, почему все мы здесь виноваты и вечно доказываем свое право на существование людям, не имеющим права на существование? Он выключил телевизор и прибегнул к старинному средству: принял контрастный душ и навел идеальный порядок в берлоге. Квартира была однокомнатная, не развернешься, но за час в мусоропровод улетело пять пластиковых пакетов старых кассет, дисков и книг, стол был расчищен от хлама, пыль отправилась летать, и даже зеркальный плафон в комнате был отполирован старой газетой. Ну вот, сказал себе Свиридов, каких мне еще доказательств моей власти над миром? До полуночи он курил, сидя на подоконнике, сыграл пару раз в дурацкую «аркаду» и завалился спать на свежее белье почти умиротворенным.

«Говорила занеси ключи не занес говорила дедушка носил бруки не надел. Разговаривал без всякого уважения ой граждане дорогие уважаемые какой неприятный подозрительный тяжелый человек и вся жизнь моя была неприятная и тяжелая. Я написамши вам все по поручению о том как и что, но так же хочу довести что протекает стояк и это уже не первый год. Я вызываю слесарь а что слесарь. Он хочет придет не хочет не придет. Уж я обращалась всюду и никто ничего. Я убедительно прошу что то сделать. Прошу в моей просьбе не отказать».

4

С утра он предполагал бежать за таинственной повесткой, но в десять его разбудил звонок Кафельникова.

— Зайди в одиннадцать, — бросил он, и Свиридов, не заезжая на почту, помчался в «жигуле» на Трифоновскую. Там размещалась «Экстра Ф», производящая «Спецназ». Машина завелась с трудом, но с пятого раза зачихала — хоть кто-то был Свиридову верен и старался ради него. Люба была тут как тут — злорадно любовалась, как он заводился; заглохнуть у нее на глазах было бы окончательным позором.

Третье кольцо почти стояло. Прямо перед Свиридовым ехала баба на «субару», с задним стеклом, обильно оклеенным предупреждающими знаками: туфелька, «У», чайник — все, чтобы насторожиться. Свиридов никак не мог ее обойти, а когда наконец обошел — впереди замаячила «газель», которая на Беговой заглохла. Никто не пропускал, Свиридов вспотел, объезжая раскорячившийся грузовик, заметил, что машина греется, и молился, чтоб не вскипела. Машину пора было менять давно, но он копил на двухкомнатную для них с Алей. Деньги копились медленно, жизнь двигалась, как эта пробка. В пробке всегда приходили такие мысли. Разрулить ее — как и жизнь — не составило бы городу большого труда: пара очевидных и необременительных рационализаций, но это, наверное, входило в план — чтобы двигаться в час по чайной ложке; более высоких темпов страна могла и не выдержать. Позвонить на эту чертову почту, спросить, что за повестка? Но он не знал телефона.

Кафельников не торопился начинать разговор, хмуро копался в ящиках стола и тянул время. Наконец он поднял на Свиридова честные голубые глаза — глаза Мэла Гибсона, борца за добро и чистоту, тайного садиста и алкоголика.

— Ну чего? — сказал он со вздохом. — Как съездил-то?

— Ничего, приз дали.

— Поздравляю. Слушай, я это, — он сделал паузу и опять порылся в ящиках, но тут же решительно поднял взгляд. Он так и не предлагал Свиридову сесть, а сам Свиридов без приглашения стеснялся. — Я рассусоливать не буду, мужик ты взрослый. Мы с тобой расстаемся.

Свиридов бессознательно готовился к подобному обороту и не особенно удивился, но решил по крайней мере досконально выяснить, в чем дело.

— Что не так? — спросил он по возможности независимо.

— Все так. К тебе профессиональных претензий нет. Утрясется, я позвоню. Но какое-то время ты на «Спецназе» не работаешь.

— А причину-то я могу знать?

Кафельников не рассчитывал на долгий разговор. Он был честен и прям, с порога оглушил сотрудника и вправе был ждать благодарности, без этих, знаешь, бабских тудым-сюдым. Ударил обухом, а мог мучить пилочкой — опыт имелся. Он начинал в тележурнале «Служу Советскому Союзу» разъездным корреспондентом, несколько лет заведовал музыкальной программой «Дембельский альбом», сейчас входил в худсовет патриотического канала «Звезда» и предпочитал выражения лапидарные.

— Причину ты знать можешь и знаешь. Если думаешь, что мне очень приятно выставлять людей, так ты ошибаешься.

— Я ничего не знаю, — твердо сказал Свиридов.

Кафельников изобразил благородным лицом бесконечную усталость.

— Слушай, — сказал он, — что мы опять за рыбу деньги? «Спецназ» — сериал не просто так. Если на человека сигнал, я лучше ему передышку. Мы не можем абы кого. К тебе вопросов нет, за июль все получишь. Но пока такое дело, надо переждать. Черт знает, чего хотят. И так придираются к каждому слову, уже не знают, где крамолу искать. А тут ты со своим списком.

— Я не знаю, что это за список, — вознегодовал Свиридов. — Может, хоть вы в курсе?

— Кто надо, тот в курсе. Все, иди. Не держи зла, должен понимать.

Кажется, он с трудом удержался, чтобы не скомандовать «кругом». Свиридов повернулся и вышел, чувствуя себя оглушенным, оплеванным и ограбленным. Секретарша Кафельникова Марина смотрела на него с состраданием. Марину Кафельников таскал за собой по всем должностям, притащил и на «Экстру». Обычно она раздражала Свиридова постоянной улыбкой и маленькими короткопалыми ручками. Ей было за сорок и даже, пожалуй, под пятьдесят, но она, как и Вечная Люба, казалась женщиной без возраста — просто Любиным эликсиром юности были подъездные скандалы, а Марининым, надо полагать, подобострастие, с которым на нее смотрели посетители шефа.

Но на этот раз она смотрела на Свиридова без дежурной улыбки, и в ее прозрачных кукольных глазах — еще светлей и невинней, чем у Кафельникова, — читалось нечто вроде сочувствия. Должно быть, Свиридов выглядел хуже некуда.

— Сережа, — сказала она тихо, — все образуется.

— Что образуется, Марина Сергеевна? — бешеным шепотом спросил Свиридов. — Что должно образоваться? Я ни черта не понимаю, что происходит.

— Сережа, — еще тише сказала она, — происходит то, что здесь с утра был Сазонов. Ну Коля, вы знаете.

— Знаю, и что?

— Ничего, — совсем беззвучно продолжала Марина. — Вы только тише. Я вам что хочу сказать. Вам не надо дружить с этим человеком.

— Почему?

— Он плохой человек. Вы ему ничего не рассказывайте, хотя он и так поймет. Я про него кое-что знаю. — Марина многозначительно поджала губы. — Для него люди — пфу. Если у вас что раньше с ним было, разговоры или что, то больше не надо. Он вам сделает нехорошо.

— Слушайте, какое нехорошо? Надо ж хоть представлять, в чем вообще дело...

— Дело в том, что он сюда успел до вас, — сказала секретарша, показывая глазами на дверь кабинета. — Я к вам по-хорошему, давайте и вы по-хорошему. Я не знаю, как там и что, но вы с ним будьте осторожны. Я в людях понимаю, тут через меня всякие прошли. Поняли? Ну идите, все уладится.

Он кивнул и вышел. Кое-что начало вырисовываться.

— Сазонов у себя? — спросил он референтку.

— У себя.

Разговаривать с Сазоновым здесь не имело смысла — получилось бы, что Кафельников его выдал, а он не выдал, сука, спрятал доносчика. Идиот, обругал себя Свиридов, у кого искал сочувствия! «Коля, я в списке!» На ватных ногах он спустился вниз, завел «жигуля» и поехал на почту. В сторону Ленинского было посвободнее, хотя на Сущевке перед тоннелем снова встал минут на пять. Главное — никого не задеть. Теперь, когда он в списке, любая проблема вырастала в катастрофу, царапина оборачивалась трофической язвой, — надо контролировать себя очень тщательно. На беду, Свиридов этого не умел. Он привык, что первое побуждение — верное. Теперь надо было все время оглядываться: вести машину без риска, на улице не выделяться из толпы, а разговаривая, взвешивать каждое слово.

На почте выяснилось, что корреспонденцию ему не могут выдать без паспорта; он прыгнул в машину и понесся за документом. Люба уже заняла наблюдательный пост.

— Сереж! — окликнула она его. — Ты што не здороваешься!

— Здравствуйте, — сказал Свиридов, артикулируя каждую букву. Он достиг нужного градуса бешенства, в ушах шумело. — Как поживаете, как испражнение кишечника?

— Ты на почте был? — пропустив испражнение мимо ушей, спросила Люба. — Ты смотри, там повестка, надо забрать.

— Я как раз туда еду, — широко улыбнулся Свиридов. — Вам в магазине ничего не нужно? Я бы прикупил.

— Ты себе прикупи, — Люба поджала губы. — Ты так не разговаривай со мной. Я всяких тут повидала. — Свиридов порадовался совпадению ее лексики с Марининой. — Я тебя вот такого знаю, твой дед всегда со мной здоровался...

Свиридов вбежал в подъезд, хлопнул дверью и вызвал лифт. Паспорт лежал у него в верхнем ящике старого дедова стола. Как бы это выбежать из дома, чтобы миновать Любу? Но когда он выходил — буквально три минуты спустя, — Люба уже пересказывала разговор со Свиридовым климактерической Матильде. Свиридов промчался мимо как живая иллюстрация.

— Вон он, вон он! — закричала Люба. — Побежал! Ты знаешь с кем так разговаривать будешь? Ты с бабами своими так разговаривать будешь, которых водишь сюда!

Свиридов уже прыгнул в машину. Отвечать он считал неприличным. Почему она прицепилась именно сейчас, недоумевал он, нюх у нее, что ли? Прямо чувствует, когда можно травить...

На почте долго изучали паспорт, потребовали ИНН, — все документы, включая пенсионное свидетельство, хранились у Свиридова вместе, и он захватил их, будучи внутренне готов к такому обороту. Обошлось, по крайней мере, без детектора лжи.

— Что же вы не предупредили, что уезжаете! — укоризненно сказала ему потная сливочная блондинка лет двадцати двух.

— А что, я должен отчитываться?

— Отчитываться не отчитываться, а зайти предупредить можно. Мы должны на почте знать перемещения, нет?

— Еще чего, — сказал Свиридов. — Почему почта должна контролировать мои перемещения? Вам анализы мои не нужны?

— Анализы свои себе оставьте, — брезгливо сказала блондинка, словно он уже выставил перед ней майонезную баночку с желтой жидкостью. — Почтальон видит — вам письмо, а вы не забрали. Он вынужден был самостоятельно принимать решение. Хорошо, ему в подъезде сказали, что вы отъехали. Может, там что важное, откуда мы знаем.

— Ну так дайте мне его скорей, если там что важное.

— Мы дадим, — сказала блондинка. Ей нужно было потянуть время, она еще не закончила лекцию. — Мы дадим, но мы тоже имеем право, чтобы наш труд уважался. Вы же оказываете внимание вашей матери, дочери вашей. Вы и нам можете оказать внимание. Мы тоже не просто так.

— Знаете, — сказал Свиридов, начиная понимать, как это все смешно, — сейчас все везде не просто так. Я тоже не просто так. Я не могу каждому говорить, куда поехал. Понимаете?

— Все вы можете, — сказала она уже не так уверенно. Ей было душно, тяжело со своими пятьюдесятью лишними килограммами, кондиционер еле дул, она потела, шутки до нее не доходили.

— Я специальный человек и никому не могу говорить, куда еду. Дайте, пожалуйста, письмо.

— Да берите, — сказала она, вручила ему пачку рекламных листков и толстый плотный конверт. Передав Свиридову корреспонденцию, она тут же демонстративно отвернулась — он явно был неспособен оценить каждодневный незримый подвиг сотрудников почтовой службы. У всех был каждодневный подвиг, кроме него.

Почему-то нельзя было вскрывать письмо в помещении почты, так он чувствовал. Специальные люди контролируют себя, они в одиночестве вскрывают секретные пакеты. Юстас Алексу. На самом деле он уже знал, что ничего страшного. От письма не исходило ни малейшей опасности, даром что вместо обратного адреса был синий казенный оттиск. Это было официальное, но нестрашное письмо. Он разорвал бархатистый конверт: Союз ветеранов спецслужб приглашал его, автора патриотического сериала, на круглый стол «В едином строю. Роль ветеранов спецслужб в патриотическом воспитании молодых». Свиридов представил ветеранов спецслужб, коллективно воспитывающих молодого. Стало смешно. Что бы мы делали без конкретного мышления! Вот тебе твоя повестка, вечная Люба, старая сволочь. Я в списке, а меня зовут на круглый стол «В едином строю», киноцентр «Октябрь», девятый зал, двадцать девятое июля, форма одежды произвольная. Про форму одежды особенно трогательно, ветераны любят опрятность, помытость.

Ситуацию со «Спецназом», однако, следовало обдумать. С одной стороны — не пропадет он и без «Спецназа», гадостью меньше: если не хитрить с собой, он давно и люто ненавидел этот проект. «Спецназ» сочиняли вчетвером под руководством Кафельникова, спускавшего темы. Это были истории трех неразлучных друзей, отслуживших в страшно засекреченном — как иначе? — подразделении и теперь наводивших порядок в мирной повседневности. Повседневность для них была ни фига не мирной: она кишела агентами, шпионами, в последние полгода дважды появлялись вредители, но не брезговали герои и бытовыми ситуациями вроде супружеской измены. Им было не в падлу водворить беглого мужа в семью, разоблачить взяточника, изловить насильника. Ситуации иссякали, приходилось прибегать к флэшбекам, щедро освещая боевое прошлое героев. Гурьев шутил, что скоро троица будет переводить стариков через улицу — все прочее уже переделали. Чип и Дейл от спецназа — был и свой Рокфор, полковой священник Батя, — почти каждую серию завершали в бане, где пели русские народные песни. Когда не хватало народных, переходили на армейские. «Спецназ» ненавидели все, кто его сочинял, снимал и играл, но он был единственным рейтинговым проектом на оборонном телеканале «Орден». Сегодня в России успешным могло быть только то, что вызывало у автора стойкое отвращение. Видимо, тут действовал общий закон мироздания, и у Бога те же проблемы: самые рейтинговые его создания, то есть комары и мухи, вряд ли внушали ему что-нибудь, кроме омерзения, а популяция человека, созданного по авторскому подобию, ничтожна на фоне их роящихся полчищ. Платили по две с половиной за серию, Свиридов сочинял две в месяц, писал их левой ногой и сдавал с чувством угрюмого омерзения к себе. Если удавалось вписать в серию приличный диалог или точную мысль, рейтинг немедленно падал. Аля не уставала измываться над репликами типа «Батя, я тыл прикрою!» и над растяжкой поперек Тверской «Спецназ. Бывших не бывает», однако свиридовскими заработками пользовалась охотно. «Спецназ» давно надо было бросить, он сушил мозги и сбивал руку, но помимо денег давал социализацию: его смотрели нужные люди, и «Экстра», в конце концов, обещала через год спродюсировать Свиридову «Крышу», написанную еще на четвертом курсе.

После изгнания у него оставался всего один долгоиграющий проект, настолько постыдный, что он работал там на условии полной анонимности: ток-шоу Василия Орликова «Родненькие», где Свиридов сочинял бесконечные семейные истории, разыгрываемые мосфильмовской массовкой за медные деньги. Конечно, Кафельников обещал вернуть его в проект — но службисты черта с два вернут человека, хоть раз попавшего на карандаш. Он-то думал, что статус его защищает, что сценарист «Спецназа» — это звучит; какое! Первым попал под раздачу, как Киршон. Начинают всегда со своих, чтоб чужие порадовались, — потом их можно брать голыми руками. Помилуйте, вы же сами одобряли! Он мечтал соскочить со «Спецназа» уже полгода, чтобы написать наконец давно придуманную «Провокацию», с Бурцевым и Азефом, но одно дело — с удовольствием планировать добровольный уход, намеченный на неизвестно когда, и совсем другое — увольняться пинком, по доносу собственного режиссера. Соавторам — сорокалетнему неудачнику Шептулину, тридцатилетним ремесленникам Гурьеву и Яблочкину, — он решил пока ничего не говорить: их злорадное сочувствие будет невыносимо. Главное — немедленно оборвать всякие контакты с Сазоновым. Ни словом, ни жестом не выдать осведомленности. Не унижаться до выяснений. «Мы очень рады, что больше не участвуем в твоем безобразии». Еще не хватало припирать к стене стукача. Свиридов позвонил Але и договорился подхватить ее в шесть на Тверской, около «Маков».

Они не виделись неделю, и он извелся, представляя, что и как было тут без него. Не то чтобы Аля изменяла при первой возможности — это, как ни странно, было бы еще терпимо. Значит, тоскует, раз пытается заменить его кем-то. Но она, кажется, обходилась без него легко и в заменах не нуждалась. Эта независимость и бесила, и притягивала. Ужасно было не то, что она любила таскать его по магазинам и тратить его деньги на тряпки, а то, что могла без этого: сколько бы Свиридов на нее ни потратил, он никогда не был уверен, что она вообще это заметила. Привязать ее было нереально: любые жертвы с его стороны оказывались в порядке вещей. Почему-то Свиридов был уверен, что к ней стоит очередь из таких же готовых на все идиотов, как он. Его и здесь можно было в любую секунду уволить без выходного пособия, и она напоминала ему об этом массой трудноуловимых, но хорошо продуманных способов. Отношения вписывались в стилистику победившего не пойми чего, сейчас так было везде — километровые очереди желающих, ошеломляющая легкость избавления от балласта: не хотите? — не надо, завтра сотня приползет. Раньше — он застал — можно было хлопнуть дверью и ждать, что за тобой побегут: вернитесь, мы передумали! Теперь незаменимых не осталось, как в легендарные времена, — потому, вероятно, что не осталось областей, где были нужны эти незаменимые. Он сам был свидетелем того, как в самом тонком ремесле все стало на конвейер, — что же говорить о конвейерных по определению? С Алей, как ни странно, все шло по этому сценарию: должность человека, состоящего при ней, была престижная, увлекательная и хорошо оплачиваемая в смысле некоторых ощущений. Но Свиридов ни секунды не чувствовал себя на месте. Так он думал, злясь, что она опаздывает. Но она возникла рядом — и он все забыл, включая список.

Рассказывать ей об этом не имело смысла: она не терпела жалоб. Он просто сообщил, что уходит со «Спецназа».

— Ну и правильно. Дрянь такая. А что будешь делать?

— Найду. Мастерство не пропьешь. Меня на «Смуту» звали, — соврал он.

— Что за «Смута»? — Этими его делами она интересовалась, ей нравилось ввернуть на работе что-нибудь инсайдерское.

— Да Рома запустил после «Команды». Ему теперь все дадут.

— Ты чего, знаком с ним?

— Хорошо знаком, — сказал Свиридов со значением, слегка презирая себя за это, — но тут он не лукавил, Рома Гаранин почему-то его выделял. Вероятно, потому, что однажды Свиридов вдумчиво и с пониманием выслушал его пьяную исповедь, а может, в понравившейся ему свиридовской «Попутчице», даже испорченной мучительными потугами Безбородова доказать, что он не только клипмейкер, действительно было что-то живое, — но Гаранин при встречах с ним целовался и в интервью упоминал как перспективного. После того, как трехчасовая «Команда» — о похождениях свердловской гопоты, частично выбитой в Афгане и добитой в последующих братковских разборках, — первой из всех российских картин триумфально отбилась в прокате, Роме было можно все. Продюсеров заваливали заявками «Рота», «Контора», «Лига», «Туса», «Состав» и даже «Компания» — ее Свиридов читал лично, зайдя однажды в «Партнершип». Компания саратовских друзей синхронно призывалась в Афган, где тусовался уже неограниченный контингент позднесоветской молодежи, потом создавала с нуля собственную компанию по производству мебели и в конце концов гибла поодиночке в мэрской избирательной кампании, которую автор писал тоже через «о». Кажется, только эта грамматическая нестыковка удержала «Партнершип» от запуска. Во всех этих варках, парках и терках, по канону «Команды», выживал один — самый безбашенный, и потому ни одна не повторила Роминого успеха, потому что у него выжил самый убогий, как всегда и бывает. «Команду» показали во дворце, и теперь Рома был туда вхож. В общественной палате он курировал работу с детьми. Первым призом в программе «Смоги!» для детей-инвалидов было участие в его новом проекте — сказке с немыслимым бюджетом, на которую Рома сейчас мучительно искал соавтора. Команда «Команды» не подходила — страшно представить, в каких выражениях описанная ими добрая фея предлагала бы больному мальчику новые ножки.

— А чего за «Смута»?

— Он продюсером там, Грищенков снимает. Весь состав «Команды» в семнадцатом веке. Жизнь за царя. Белоруков — Минин, Гужев — Пожарский, а шатия из КГБ, которая их прессует, — реакционные бояре.

— А Катя кто? Жена Минина и Пожарского?

— Берите выше. Марина Мнишек.

Катей-сестренкой звали главную звезду «Команды», в миру Олю Щукину, железную женщину из Уфы, ныне ведущую «Звезд за рулем» — шоу об актерских гонках на выживание, известного в кулуарах под названием «Мы с ралли». По ходу «Команды» ее героиня, выросшая с коммандосами в одном дворе, спала со всеми, но никогда с посторонними, ненавязчиво утверждая высшую форму лояльности: у себя блядуем как хотим, но чужим не даем. Особенно эффектна была сцена, в которой Сестра сперва отказывала наркодельцу-кавказцу, а потом бестрепетно расстреливала его, непонятливого. Это дало бы повод обвинить Рому в ксенофобии, если бы он заблаговременно не ввел в команду умного еврея Яшу, считавшего для корешей все бизнес-комбинации. Яша, как водится, был хилый очкарик, но именно он в решительный момент прицелился в зловещего гебешника Ханина, крышевавшего конкурентов, и случайно попал. Команду крышевал другой гебешник, хороший. Именно он в финале ненавязчиво советовал выжившему гопнику Бурому (его жирно сыграл придворный ювелир Полянецкий) пожертвовать совокупный капитал выбитой Команды, доставшийся ему одному, на восстановление Камска после наводнения 2005 года. Рома твердо решил задействовать в новом проекте всех звезд предыдущего и назначил доброго советчика Сусаниным, хотя тот просил Жигимонта. Отрицательные роли ему теперь не полагались.

— И чего ты там будешь делать?

— Ему нужен человек, чтоб историю знал, — соврал Свиридов. — А я в теме.

— Но ведь это будет лажа?

— А «Спецназ» что — не лажа? Тут хоть материал приличный и денег больше. — Он уже сам почти верил, что его позвали на «Смуту», хотя там как раз создатели «Команды» стояли плотным строем: перепереть диалоги коммандос с братковского на псевдославянский, и вся недолга. Брате, пошто разводишь мене? Не грузи, боярин! Им не требовалось даже идеологического апгрейда: блатные всегда были большие патриоты.

Он вспомнил, как они с Алей смотрели «Команду» на премьере в «Пушкинском». Показ был полузакрытый, в продажу ушло всего двести билетов, за которые убивались быки, видевшие в саге памятник себе, и старлетки, мечтавшие потрогать коммандосов. Коммандосы — Савин, Тютяев, Решетов, Большов — затравленно лыбились под блицами. Прочие пятьсот мест заняли випы разной степени випости, во главе с вице-премьером, глядевшим в преемники. Перекупщики охамели, входной билет стоил четыре штуки, на входе воздвиглись две дополнительные рамки, у всех спрашивали паспорта и чуть ли не переписывали фамилии. На десятой минуте Свиридов с Алей начали неудержимо хихикать, обмениваясь догадками о следующей реплике и почти никогда не ошибаясь. С Алей хорошо было смотреть всякую чушь, а впрочем, что с ней было плохо?

Аля ела и рассказывала новости, и Свиридову легчало. Он забывал сазоновское предательство и дурацкий список. Надо, в самом деле, позвонить Роме. Я его еще никогда ничем не напрягал.

— Ну, ко мне? — спросил он по возможности небрежно, когда они вышли из «Маков» в гулкое сумеречное ущелье Козицкого переулка. Жара не спадала, короткий ливень ее не смягчил, от берез во дворе шел густой банный запах.

— Не, я не могу сегодня. Мать приехала с дачи, надо с ней побыть.

— Ну завтра побудешь. Поехали, Аль, меня неделю не было.

— Не занудствуй. Я сейчас поеду к себе, выйду на балкончик... — У Свиридова в дедовой квартире не было балкона, Алю это всерьез раздражало. — Выпью чаю с мятой...

— Мята и у меня есть. — Он уговаривал машинально — Аля никогда не передумывала.

— Ну и славно. Зачем тебе я, когда есть мята?

— Слушай, мы долго еще так будем... по-студенчески? У тебя, у меня, обедики в «Маках»?

— Ой, не начинай.

Выражение «ой, не начинай» он ненавидел особенно.

— Слушай! — Он взял ее за плечи. — По-моему, ты на меня зла.

— А по-моему, ты параноик.

— Ну, это моя профессия.

— Вот в профессии и выдумывай. А со мной не надо. Я поэтому и боюсь с тобой съезжаться. Ты же за мной слежку установишь, нет? За каждые полчаса будешь отчета требовать.

С ней что-то было не так — даже сейчас, с ним, она думала о каких-то своих делах: то ли о работе, где ее вечно караулили непонятные ему неприятности, то ли, чем черт не шутит, действительно кто-то появился... но он немедленно запретил себе развивать хотя бы этот сюжет. Уж если ты разлюбишь, так теперь: только разбежаться не хватало. Уговаривать Алю на поездку к нему было всегда унизительно, он сразу чувствовал себя похотливым псом, жалко скулящим у хозяйской ноги, и привык ни на чем не настаивать, всецело зависеть от ее прихотей — она могла нагрянуть среди ночи, могла не появляться неделю, ссылаясь то на занятость, то на депрессию, из которой, конечно, он ее вытащить не мог, — но Свиридов не умел на нее сердиться, а подозрительность свою ненавидел с детства, хотя и впрямь был обязан ей несколькими славными заявками. Беда в том, что раньше эти сюжеты не подтверждались — и, сочинив ужасное, он с облегчением плюхался в реальность; это был способ сделать себя счастливым от минуса — вообразить худшее и ошибиться. Теперь, как ни странно, он все чаще замечал, что подозрения сбываются — то ли стал лучше придумывать, то ли реальность развивалась по худшему сценарию. А может, просто каждый родится с желточным мешком удачи — как у малька, на первую неделю жизни, — а к двадцати восьми она иссякает, и реальность подступает вплотную. В двадцать восемь умерли Моррисон и Джоплин, и Лермонтов доигрался, и вообще это первый кризис; кажется, я до него дожил.

— Ну, звони, — сказала она.

Он постоял у ее подъезда и направился к себе, но таксист попался такой потный и разговорчивый, что в Свиридове закипела злость. Мысль о новой одинокой ночи под пластырем липкой жары, с тоскливым рваным сном, была невыносима. Свиридов не любил спать один. Он вылез на Ленинском и отправился в ближайший бар, но пить в жару нельзя. Вместо веселья пришла тупая злость, и он не выдержал — позвонил-таки Сазонову. Время было детское, одиннадцать.

— Коля, — сказал Свиридов, выйдя из бара на ночной Ленинский. Мимо оглушительно прозудела кавалькада сволочей-байкеров. — Что ж ты, Коля?

— Ты на улице, что ли? — спокойно спросил Сазонов.

— Какая разница? Ну, на улице.

— То-то я слышу.

— Ты чего делаешь, Коля? — сказал Свиридов. — Ты чего Кафельникову намутил?

— Слушай, ты другого времени не нашел?

— Не нашел! — рявкнул Свиридов.

— Еще поищи. Завтра приезжай, поговорим.

— Не завтра! Ты мне сейчас все скажешь!

— Я тебе по телефону ничего не скажу, а будешь орать, вообще обидеться могу, — сказал Сазонов ровным голосом. Он мог обидеться, да. Он был в своем праве. — Завтра позвони с утра и подъезжай. А сейчас спать ложись.

— Я к тебе с утра приеду, — пообещал Свиридов.

— Хорошо, хорошо. Пойду шею помою.

И Сазонов отключился. Свиридов хотел швырнуть телефон об асфальт, но подумал, что неприятностей на сегодня хватит. Он знал, что лучшее сейчас — пойти домой: сегодня он, видимо, отрицательно заряжен и может вносить в свою жизнь только разруху. За ночь пройдет. Он пешком, через дворы, пошел на Профсоюзную, распугивая парочки, и долго качался на скрипучих качелях в ночном дворе. Постепенно в него вползало рабское, кроткое умиротворение. Как хорош этот ночной сквер в середине лета, мелкие прыщики городских звезд, черные кроны на темно-синем, черные краны на ближней стройке, гитара в соседнем квартале. Все эти скверы скоро позастраивают к чертям, а как хочется. Точечную застройку понатыкали уже везде, в каждый метр свободного пространства, и головы у всех так же точечно застроены — живого места не осталось, всюду повбивали свои сваи, куцые, корявые вертикали, и от этого непрерывного вбивания дрожали и шатались все окрестные постройки, кирпичные малоэтажные шестидесятые, блочные семидесятые с подувающими в щели сквозняками из холодного будущего, — тогда строили плохо, криво, но хоть оставляли свободные места вроде этих скверов, где можно было вздохнуть; теперь не оставят. Точечная застройка головы: неважно чем, лишь бы занять место. В «Вечном сиянии страсти» Керри прятал Уинслет, стираемую из памяти, в самых постыдных детских воспоминаниях — именно после «Сияния» Свиридов забросил историю о городе. Город размещался у героя в голове, и там постепенно отключали свет. Начиналось с того, что вдруг разрушили дом возлюбленной: он пришел, а там уже бульдозер роет котлован. Это они поссорились, и он уничтожает следы ее пребывания. С окраин подступает тьма, туда уже страшно соваться. В конце концов он спасается в детском саду — единственном освещенном месте; там еще сохранялось последнее убогое тепло. В конце он просто сидел на крыльце пустого детсада и ждал, кто его заберет: мать, Бог, милиция? Следовало бы ввести туда тему точечной застройки, от которой дрожат все прежние иллюзии, возведенные методом долгостроя на соплях. Если сам я нахожусь у кого-то в голове, этой голове не позавидуешь. Автору все труднее прятать меня и скоро надоест. Эти мысли вызывали уже не злобу, а элегическую грусть. Во двор вышла старуха с палочкой и медленно — поставит одну ножку, подтянет другую, — направилась к Свиридову. Сейчас скажет, чтобы я и отсюда убирался. Скриплю, жить мешаю. На ее месте я ненавидел бы всех, кому не восемьдесят. Нет, мне точно не остается места: все пространство заняли старики и дети, и ни те, ни другие не знают жалости. Но качаться и скрипеть не переставал.

— Молодой человек, — жалобно сказала старуха, — помоги бабушке.

Свиридов в первый момент не понял, в чем может ей помочь: взобраться на качели?

— Чем, бабушка?

— А чем можешь, молодой человек, — сказала она дружелюбно. — Никого у меня нету.

Свиридов поспешно соскочил с качелей и выгреб из кошелька три сотенные.

— Спасибо, — сказала старуха и побрела прочь. Свиридову неловко было запрыгивать обратно на качели. Он пошел к себе, а когда обернулся, старухи в скверике не было. То ли слилась с пейзажем, то ли померещилась. По всей вероятности, добрая фея. Проверила меня на милосердие, и все теперь будет хорошо. Завтра проснусь счастливым, с утра переедет Аля, позвонит Сазонов и скажет, что я вычеркнут из списка. Он заснул легко и проснулся поздно. Был четверг, присутственный день на «Родненьких»: в два Орликов собирал сценаристов и раскидывал темы. Свиридов постоял под холодным душем, созвонился с матерью и пообещал заехать, но тут затренькал мобильный. Свиридов поймал себя на гаденьком чувстве востребованности: он теперь все время ждал звонка, только не признавался себе в этом. Раньше мобильник его бесил, теперь доказывал, что не все его забыли. Отобразился номер Сазонова.

— Выйди, я внизу, — сказал он коротко.

Свиридов сбежал по лестнице. Фея начинала действовать: сейчас попросит прощения, вернет в проект. Прости, был неправ, перестраховался. Лично заехал, смотри какая честь.

Сазонов сидел в своем сером «фокусе», на котором несколько раз подбрасывал Свиридова до дому. Сам он жил на Юго-Западе, в квартале, где снималась «Ирония судьбы». Свиридов решил, что будет вести себя жестко, и руки не протягивал; Сазонов, впрочем, тоже.

— Значит слушай, Свиридов, чего я тебе скажу, — произнес Сазонов, глядя прямо перед собой. — Ты не колготись, мой тебе совет, и лишних движений не делай. Попал ты сильно, и надо теперь подумать, как обтекать.

Свиридов похолодел. Все поплыло.

— Как — попал? — спросил он пересохшими губами.

— Это ты должен знать, как попал. — Сазонов разговаривал враз почужевшим, раздраженным голосом, словно Свиридов еще и был перед ним виноват. — Что ты такого натворил — я не знаю, но дело твое швах. Я по своим каналам прокачал — кого-то ты на самом верху задел.

— Да чем задел? Я не делал ничего...

— Это ты не мне рассказывай. Ты сейчас к себе пойди, покури спокойненько и подумай, чего ты там не так делал. — У Сазонова была такая манера — «покури спокойненько», «покушай плотненько», «поспи крепенько». Свиридов готов был его удавить прямо тут, в «фокусе». — Может, покаешься, поговоришь с кем, скажешь — был неправ.

— Да я не знаю, в чем вообще дело!

— Ну а кто знает? — спросил Сазонов, поворачиваясь к Свиридову и глядя прямо на него. Он был крепкий, плотный, черноволосый мужик лет пятидесяти, начинавший в восьмидесятые годы с фильмов про благодетельных ментов, воспитателей малолетних преступников, и разговаривал сейчас со Свиридовым, как добрый, но оскорбленный в лучших чувствах следователь отчитывает воренка, вставшего было на путь исправления, но не удержавшегося от копеечной трамвайной кражи. — Кто за тебя будет знать? Ты попал, ты и расхлебывай. Других-то чего путать?

— Я тебя не путаю, — не выдержал Свиридов. — Хорошо, я попал, я разберусь. Но стучать-то зачем?

— Чего? — тихим грозным голосом переспросил Сазонов.

— Я говорю, стучать зачем?! — не купился Свиридов на эту тихую грозность. Он ее хорошо знал, она действовала только на пацанов. — Я тебе сам же рассказал про список, так? На хрена ты пошел докладывать по начальству?

— Ты чего, в претензии?! — изумился Сазонов. — Ты претензии мне выкатываешь, Свиридов? Ты мне картину чуть не порушил, и ты мне претензии?!

— Где я тебе порушил картину?!

— А что у меня будет с картиной, если сядет сценарист? Я не знаю, чего ты натворил, но чем ты думал?! Ты знаешь, что такое «Спецназ», в каких кабинетах его смотрят?! Ты один весь проект сгубить можешь, ты понимаешь, нет? Из-за тебя все может прикрыться, ты двести человек без работы оставляешь, понял? Ты что-то кому-то ляпнул по пьяни, а из-за тебя мои дети голодными будут сидеть? Ты всех подвел под монастырь, это понятно тебе или нет?

Свиридов окончательно перестал что-либо понимать.

— Под какой монастырь, чего ты выдумал? — попытался он утихомирить эту блатную истерику, но Сазонов заводился надолго — его разносы меньше часу не длились.

— Он будет с кем попало пить и трындеть, а мне проект будут закрывать! Ты понимаешь, чей это список? Откуда вообще этот список? Это конторы список, ты понял? И он мне вчера ночью звонит и угрожает! Ты понимаешь, кто ты теперь вообще? Тебя хорошо если полы мыть теперь возьмут! И он мне претензиии, что я пошел и довел! Да я не пошел, я побежал! Я в ту же минуту побежал! Я немедленно, я раньше должен был расчухать! А я всегда знал, Свиридов, что ты с улыбочками своими попадешь. Я всегда видел, как ты работаешь, и я, дурак старый, раньше должен был! Тебе это всегда как халтурка, через губу! Я теперь к тебе приезжаю с риском сказать, чтоб ты не рыпался, и ты мне претензии выкатываешь! Я рискую, может быть, что вообще к тебе приехал, а ты мне претензии свои! Что я пошел! А как бы я не пошел?! У тебя был бы коллектив в двести человек — ты бы не пошел?!

— Не пошел бы, — твердо сказал Свиридов. Ему уже было не страшно, а смешно.

— Вот я посмотрел бы на тебя! — орал Сазонов. Сзади гудели — он своим «фокусом» перегородил двор, но и не думал трогаться с места.

— Машину подвинь, проехать надо, — сказал Свиридов.

— А ты не учи! — огрызнулся Сазонов, завелся и перепарковался.

Мимо тяжело проехал черный джип. Хвост за Сазоновым, подумал Свиридов и усмехнулся, — явно хвост. Приехал, утешил, теперь тоже в списке.

— В общем, так, — сказал Сазонов, внезапно успокоившись. — Свои дела как хочешь разруливай, но пока чтобы я тебя не видел, не слышал. Близко к «Спецназу» не подпущу.

— Да я сам к твоему «Спецназу» близко не подойду.

— Вот и правильно, — обиделся Сазонов. — И звонить мне по ночам нечего.

— Стучать нечего, тогда и звонить не будут.

— Ладно, ладно. Мне пора.

— Ну конечно, ты занятой у нас. Езжай, Коля.

— Давай, давай.

— Только знаешь чего? — сказал Свиридов, уже вылезая из «фокуса». — Как меня начнут на допросы тягать, я им обязательно расскажу, как ты министра обороны называл. У Кафеля на юбилее. Еще Гутин был, слышал. Так что жди.

— Сука! — прохрипел Сазонов. — Вон пошел, мразь!

— Так и скажу, — ликуя, произнес Свиридов и хлопнул дверцей. Сазонов резко взял с места и понесся со двора.

Дома Свиридов уселся на подоконник и стал приходить в себя. Он понимал, что Сазонов обозлился на себя самого, что заботой о коллективе оправдывает собственное свинство, что свиридовская зачумленность возвращает ему чувство благополучия и безопасности, — но уязвляло его не это. Что-то было не так. Дело было даже не в том, что Сазонов оказался такой дрянью, — в конце концов, Свиридов никогда его не любил, — а в том, что он оказался ею так быстро. Он будто готовился, прикидывал этот вариант, избавлялся от Свиридова при первой возможности — а стало быть, давно мечтал его выкинуть. Мир только и ждал, чтоб наброситься, мерзость искала щель, чтобы в нее хлынуть, — и список дал отмашку на все худшее. Теперь надо было изо всех сил делать вид, что ничего не произошло, — и мир мог еще вернуться в прежний вид. С утра Свиридов собирался ехать к матери, вот и надо поехать к матери.

5

Отец Свиридова пропал без вести в девяносто пятом году. Таких историй было тогда много. Весь девяносто пятый год выпал из жизни Свиридова, он и теперь, одиннадцать лет спустя, старался его не вспоминать. В реальности появились дыры, и люди проваливались в них сплошь и рядом. У свиридовской однокурсницы в девяносто восьмом так же необъяснимо исчез жених, а до того, в девяносто третьем, у одноклассницы пропал старший брат, но он хоть штурмовал «Останкино» в ополчении Макашова, а жених однокурсницы разругался с партнером по бизнесу: у всех были причины исчезнуть, а у отца никаких. И самое страшное, что Свиридов весь год ждал чего-то подобного — обостренная ли интуиция была виновата, сам ли он себе задним числом внушил, что к тому давно шло, но отец исчезал постепенно, становясь все прозрачней, все необязательней. В институте его сократили за год до исчезновения, бомбить на «москвиче» он не отваживался — водителей тогда грабили за здорово живешь, да и водил он так себе. Сокращение, а до того безденежье капитально выбили его из колеи. Из доброжелательного интеллигента, каких много, он превратился в дерганого, пуганого, хрупкого старика, стал путаться в словах, не мог изложить элементарную жалобу на здоровье, даже заикался временами; тогда Свиридову казалось, что это был стресс, но потом задним числом он понял, что так начиналась болезнь. Никто в семье не предположил, что с отцом может случиться такое, и вдобавок все были заняты собой: старшая сестра Людмила давно жила с мужем, заезжала по праздникам и без особой охоты, потому что дома было плохо, бедно, тревожно, и Свиридов на нее не сердился. Сердилась мать, вечно упрекавшая всех в эгоизме, — у нее и отец был эгоист, хотя весь последний год он только и делал, что неумело хлопотал по хозяйству, повязывая идиотский фартук, стыдясь вынужденного бездействия. Ничего, кроме своего мостостроительства, он не умел, вписаться в новые времена не мог, а от тогдашних авантюр вроде шуб-туров в Грецию или челночничества в Польшу его удерживал чересчур наглядный опыт калугинского разорения: сосед по съемной даче Калугин лишился на российской границе всех шуб, а потом на Черкизовском сгорел ларек его работодательницы, и за двухмесячное челночничество ему тоже никто не заплатил. Выживать и барахтаться стоило не ради денег, которых все равно было не сколотить, — а ради занятости, состояния при деле: барахтаемся, сбиваем масло... Свиридов с самого начала знал, что приспосабливаться бессмысленно: зарабатывать в бизнесе, как он сложился тут, могут только люди особого склада, другим лучше не соваться и работать по профессии, пока дают. А вытеснят — ждать нового шанса, не торгуя дачными огурцами, не покупая место на вещевом рынке в Лужниках и не пытаясь перепродать с автолавки китайский ширпотреб. Отец тоже это понимал, и Свиридов радовался, что он не суетится. Впрочем, суетиться он и не мог — его сил едва хватало подмести и что-то сготовить. На сына он смотрел виновато, стыдясь бесполезности, время от времени заводя разговор о том, что не может обеспечить семью, и морщась, когда Свиридов с неуклюжей горячностью его утешал. На жизнь им хватало — мать отрабатывала две ставки, специалисты ее класса ценились, родная поликлиника МПС, прежде закрытая для посторонних, завела платное отделение, — но дело было не в деньгах, и отец сникал, ветшал, истончался. Один раз он вышел за сигаретами и вдруг забыл, в какой стороне дом: стоял посреди проспекта и стеснялся попросить помощи, потом так же внезапно вспомнил. С исчезновением его до сих пор все было непонятно. Свиридов знал, что его нельзя выпускать одного, и мать наверняка чувствовала, что все эти провалы в памяти не просто так, но, как многие врачи, суеверно боялась лечить своих, да и сама никогда не обследовалась. Может, врачам видней, что несерьезное пройдет само, а серьезное лечить бесполезно. У всех словно опустились руки. Свиридов боялся сказать себе, что отцу позволили исчезнуть. Хотел ли этого он сам — тоже не разберешь: самое странное, что в тот день, шестого сентября, его видели двое, знакомый и незнакомый, и оба позвонили по объявлению, но эти показания лишь окончательно все запутали. Давний приятель, вместе ездили когда-то на машинах в Прибалтику, заметил его в пивной на проспекте Мира — далеко от дома (они жили на Вернадского), днем, в компании тихих алкашей. Отец узнал приятеля, рассеянно кивнул, перебросились незначащими вопросами. Он сроду не пил в незнакомых компаниях, тем более днем. Другой свидетель, вполне посторонний, узнал отца по фотографии — он видел его в электричке Савеловского направления. (С какой стати его понесло на эту электричку? Своей дачи не было, у единственных друзей дома Еремеевых, пять лет назад уехавших к сыну в Испанию, был участок по Курской.) Разве что шел по проспекту Мира, свернул на Сущевку, дошел до Савеловского — не понимая, где он и что с ним? Был, впрочем, крошечный шанс, что он просто сбежал от семьи, ушел туда, где жена и сын не отягощали его совесть вечным напоминанием о бедности и неустроенности, и живет теперь у провинциальной медсестры, колет дрова, воспитывает ее сына от первого брака, — но в эту жалкую идиллию Свиридов не верил ни секунды. Он все-таки знал отца.

Менты ничего не делали, да у Свиридова с матерью и не было рычагов, чтобы заставить их шевелиться. Тут молодые, здоровые исчезали каждый день, чтобы обнаружиться по весне в лесополосе, — кому было дело до явно рехнувшегося старика? «Альцгеймер», сказала тогда мать, я должна была давно понять по этой эмоциональной глухоте, по желанию свернуться калачиком, забиться в темноту, но пойми, я боялась даже допускать эту возможность; Свиридов понимал. Они обзванивали больницы, расклеивали объявления по Савеловской ветке — все напрасно, и Свиридов с особенным вниманием изучал истории внезапной амнезии, когда житель Владивостока вдруг обнаруживался в Таганроге, раздетый, обобранный, ничего не помнящий. Из таких историй у него получилась потом «Крыша»: их было удивительно много, больше полусотни, и во всех жертвами оказывались мужчины средних лет, отцы семейств, внезапно исхищенные из обыденности и лишенные памяти.

Ужасней всего было представлять, что отец и теперь бродит по Подмосковью, а то и по стране, ночует где придется, просит милостыни, сидит в провинциальной психушке, работает на страшной плантации — и все морщится, все ловит за хвост ускользающую мысль. Хотя, конечно, его давно сбросили с какого-нибудь ночного поезда, или убили на вокзале, или обобрали безжалостные беспризорники, или сам он замерз в ноябре, когда ударили внезапные бесснежные холода. Куда срывались вдруг эти сорокалетние отцы семейств, потрясенные внезапным озарением вроде того, что все напрасно? Отцу, правда, было под шестьдесят. Мать с того сентября год не спала по ночам, не выпускала Свиридова из дома после девяти вечера, изводила его и себя упреками — Свиридов потому и не съезжал из дома до двадцати пяти лет, что боялся оставить ее одну, и теперь навещал по два раза в неделю, благо близко.

Если бы отец умер от болезни или несчастного случая, Свиридов вспоминал бы о нем только с тоской и любовью, но он исчез так необъяснимо, что всякая мысль о нем сопровождалась ужасом, до сих пор не притупившимся. Этот ужас был острей любви, резче тоски, неизлечимей скорби: отца проглотило подпочвенное, вечно роящееся внизу и вдруг вырвавшееся наружу. Шел, шел и заблудился в измерениях, провалился в щель, выпал из жизни и не смог вернуться; и то, что выпадали многие, было еще страшней. Объявления о пропавших стариках и детях обновлялись в их районе ежедневно. Пытка надеждой не прекращалась — мать все еще ждала, хотя все понимала. Иногда их собака, двенадцатилетняя колли Бэла, давно ставшая Белкой, принималась стучать хвостом и отчаянно выть, и мать всякий раз белела, стоило собаке задрать морду и завести вой, даром что отец был, скорей всего, ни при чем — должна же и собака оплакать свою старость, слабость и надвигающуюся слепоту.

Мать не то чтобы успокоилась, но купила душевное равновесие ценой отказа от воспоминаний, от сильных чувств, от сложности, всегда так умилявшей Свиридова на фоне его безнадежно плоских, в каждом слове предсказуемых ровесниц. Со страной вышло так же: за нынешний вялый покой, похожий на сон в июльской предгрозовой, лиловой духоте, она отдала способность думать и чувствовать, помнить и сравнивать, и любой, кто ее будил, в полусне представлялся ей злодеем. Мать радовалась, когда Свиридов появлялся, но уже не слушала, когда рассказывал о себе. Жаловаться ей было тем более безнадежно: чужие драмы ее только раздражали. Если дело касалось соседки или бывшей коллеги, то есть не требовало сочувствия, — она выслушивала сетования с живейшим интересом, но если предполагалась хоть капля сопереживания — не чувствовала ничего, кроме злости. Свиридов понимал, что для нее это единственный способ сохранить рассудок, и не роптал.

Он не стал ничего рассказывать про список. Мать, как всегда, пожаловалась на Людмилиного мужа, похвалила ее ребенка, который при таком отце умудрялся расти начитанным и вежливым, и машинально расспросила про Крым. Свиридов так же машинально ответил, что Крым без изменений. У него была смутная надежда, что мать разглядит его тревогу, присмотрится, начнет расспрашивать — и тогда он с блаженным детским облегчением расскажет ей все, и она скажет, что у них в подъезде уже двое в списке, и ничего страшного, это список на увеличение жилплощади, а на таможню он попал случайно, потому что перепутали список бесквартирных со списком невыездных. Это было бы невероятным, недостоверным счастьем — но это счастье осталось во временах, когда мать еще могла успокаивать его, отца и Людмилу, вечно страдавшую то из-за любви, то из-за фигуры. Теперь ее едва хватало на то, чтобы оградить от тревог себя. Свиридов взял Белку и отправился по старой памяти выгуливать ее в парк.

В сущности, ничего не случилось. Шестой сезон «Спецназа» и так заканчивается, и нет уверенности, что будет седьмой. Рома непременно что-нибудь предложит, он всегда говорил — звони. Шура Семин просил помочь с новеллизацией «Подворья», поскольку сам писал кое-как и вообще перекатал всю историю с житийной литературы; это штуки три по нынешним ценам. Можно было позвонить Григорьеву и попроситься в «Глафиру» — неудобно, сам отказался, но к чертям неудобство. В «Глафиру»-то его должны были взять беспрепятственно — чай, не канал «Орден». Да и потом, что за вечный страх остаться без места? Сам все жаловался — нет времени, нет времени. Теперь у тебя есть время, сядь и напиши наконец, что хотел, и не отговаривайся обстоятельствами. Жара кончилась, Москва посвежела, по асфальту металась светотень, блестели листья, матери катили коляски, и хотя липы отцвели, слабый медовый запах еще путался в кронах. Свиридов спустил Белку с поводка — пусть бегает, в конце концов, а то совсем скисла. Она, впрочем, никуда не убегала и степенно трусила рядом, всем видом говоря: да, я без поводка, ибо не нуждаюсь в контроле, но у меня хватает самодисциплины. Только дураки ищут счастья в каждой луже или подворотне — я уже знаю, что счастье в стабильности.

Свиридов купил матери творогу и сосисок — собака терпеливо ждала у магазина — и собрался было домой, но на углу Кравченко, у конечной остановки тридцать четвертого троллейбуса, Белка дико залаяла на проходящую мимо таксу: старость старостью, воспитание воспитанием, а такс она ненавидела люто и ни одной не пропускала без оглушительных проклятий. В них было что-то, оскорблявшее в ее глазах саму собачью природу, предательски-приземистое, отвратительно-бесхвостое, сосисочное. Такса ответила старушечьим тявканьем, хозяин быстро утянул ее на поводке в ближайшую арку, а Белка, ленясь бежать за уродиной, облаивала ее вслед, — Свиридов не мешал ей, зная, что это бесполезно, но тут до него донесся стариковский вопль:

— Ну ты, ты! Убери ее, ты! Я пройти не могу!

— Сейчас, сейчас, — заторопился Свиридов. Он только теперь разглядел высокого тощего старика, беспомощно прижавшегося к стене. У старика были длинные седые космы, защитная рубашка и брюки с бахромой.

— Ты что без поводка ее пускаешь, ты! Людям ходить не даешь!

— Сейчас уведу. А что вы так орете-то? — обозлился Свиридов. Белка сроду ни на кого не напала. — Она не кусается.

— Я откуда знаю, кто кусается, кто нет! Убери ее, я тебе сказал! Пристрелить надо твою собаку! — Старик был из тех неистребимых моченкиных, что еле держатся на ногах и всего до смерти боятся, и Свиридову, безусловно, не надо было заедаться с ним, — но после вчерашних склок с Вечной Любой он был зол на всю эту подъездную шушеру, за отсутствием собственной жизни раздувающую скандал из всего.

— Как вы сказали? — ласково переспросил Свиридов. — Кого пристрелить?

— Собаку твою! — отчаянно заблажил старик. — Собаку твою и тебя надо пристрелить! Напишу, вызову, будешь наказан, не волнуйся! Не волнуйся, будешь наказан!

Видимо, старец совсем выжил из ума. Его словарного запаса не хватало даже на внятную угрозу. Он выглядел необычайно хилым и дряхлым, его шатало ветром, но самая эта хилость почему-то выглядела устойчивой, непобедимой: он пережил все, и пережить Свиридова для него было плевым делом.

— Если ты еще раз откроешь рот, — сказал Свиридов, — я сам тебе санитаров вызову. Слышал, развалина?

Он сразу понял, что сказал это зря. На лице старика появилось блаженство жреца, наконец вызвавшего дождь.

— А, ты угрожать! — задребезжал он. — Ты оскорблять! Я тебя знаю, откуда ты! Я тебя знаю, твою мать знаю, твою собаку знаю! Она ходит тут со своей собакой гадит! Вы все, все будете вот тут!

— Мать не трогай! — рявкнул Свиридов, но старик не утихал. Он дождался счастья, ему открылось широкое поле деятельности. Он грозил Свиридову палкой и колотил ею в асфальт, призывая милицию. Свиридов взял Белку на поводок, плюнул в сторону старика и отправился домой, слыша за собой проклятья и дивясь их неиссякаемости. Положительно, список перевел его в разряд жертв: теперь от него пахло затравленностью, он испускал ее флюиды, и каждый норовил добавить. Свиридов не знал, что с этим делать, и купил для успокоения «Отвертку». Настроение было испорчено бесповоротно.

— Мать, — спросил он дома, — что это за старец у нас во дворе, косматый?

— Это ужас что такое, — сказала мать. — Синюхин. Год назад сюда переехал. Ты его не видел раньше?

— Нет, Бог миловал.

— Весь район терроризирует. Пишет на всех в милицию. А они приезжают, потому что иначе он пишет на них. Можно тут человека убить, и никто не приедет. А к Синюхину ездят, даже когда у него сосед сверху музыку включает. Ты не знаешь, что это за человек. Он нас теперь замучает, мне будет на улицу не выйти. И что ты только вздумал с ней гулять? Почему из любой твоей помощи получается вот такое?

У матери сделалось испуганное и злое, заячье выражение лица. Такое бывало в детстве, когда Свиридов заболевал. Понятно было, что она злится не на него, а на его болезнь — свинку, краснуху, — теперь он заболел синюхиным, но уже исключительно по своей вине. Главное же, что он рисковал заразить синюхиным ее и Белку.

— И почему ты никогда не можешь с людьми по-человечески? Почему ты обязательно должен со всеми ругаться?

— Да ничего не будет. Что он может сделать?

— Он пойдет сейчас писать заявление, что ты без повода выгуливаешь собаку. Или позвонит и вызовет наряд. Господи, и за что все это? Я как знала, не хотела ее с тобой отпускать...

Если такая ерунда, как скандал со стариком Синюхиным, выбивала ее из колеи — можно было представить себе, во что вылился бы разговор о списке; но очень скоро Свиридов убедился, что мать, как и десять лет назад, понимает в жизни больше, чем он. Он едва успел распрощаться и спуститься вниз, как заметил во дворе милицейский «форд». Поначалу Свиридов посчитал это совпадением, но около машины, ликуя, топтался Синюхин. К подъезду уже направлялся мент с черной папкой — толстый, одышливый, белоглазый. Чем-то он неуловимо напоминал сливочную блондинку с почты, тоже вынужденную причинять людям неприятности, не нужные ни ей, ни им, а только непостижимому божеству, чьи потртеты следовало бы вывесить во всех присутственных местах России, если бы кто-нибудь знал, как оно выглядит.

Быстро, однако, подумал Свиридов.

— Вон он, вон! — дрожащим голосом орал Синюхин. — Угрожал, угрожал мне, старику, бессильному человеку, больному! Больному мне угрожал!

Для типичности ему не хватало только потрясать грудой обтерханных справок.

— Проедемте, — вяло сказал толстый мент, глядя в сторону.

— Куда?

— Проедемте, там вам скажут, куда, — повторил он равнодушно.

— Я никуда ехать не могу, у меня работа, — сказал Свиридов, понимая, что сопротивление бесполезно.

— У всех суббота, у него работа! — орал Синюхин. Со слухом у него все было отлично, дай бог каждому в его годы.

— Заткните его, а? — сказал Свиридов. — Чего он лезет? Он угрожал мою собаку убить.

Синюхин обалдел от такой наглости и замолк.

— Там разберутся, чего кто угрожал, — все так же вяло сказал толстый. — Проедемте, и разберутся.

— Да не поеду я никуда! — крикнул Свиридов, понадеявшись, что наглость сработает и против мента. — Кто вы такой, где у вас ордер?

Мент не стал ему ничего отвечать, а просто бросил свою черную папку и заломал ему руку — быстро, больно и совершенно равнодушно. Он втолкнул его в машину, где ждал, ни на что не реагируя, мент-водитель с длинным костистым лицом, потом вернулся за своей папкой и, кивнув на прощанье старику Синюхину, плюхнулся рядом со Свиридовым. Старик порывался ехать с ними, желая в отделении лично рассказать, как именно Свиридов угрожал его жизни и здоровью, — но толстяк повторил, что там разберутся.

— Учтите, я вам сопротивления не оказывал, — сказал Свиридов. Злость в нем все еще была сильнее страха. — Вы ответите.

Мент отвернулся к окну и не удостоил его ответом.

Очень все быстро, снова подумал Свиридов. Скоренько, сказал бы Сазонов. Три дня как прилетел — работы нет, в подъезде скандал, теперь взяли. А мы надеялись, что ничего нельзя вернуть. Идиоты, ничего и не надо возвращать. Оно не уходило.

Отделение располагалось в трех кварталах от дома, он пару раз бывал тут в паспортном столе, на первом этаже двухэтажного милицейского здания. Против ожиданий, в обезьянник его не бросили, а провели прямо на второй этаж, к начальнику отделения, которого Свиридов знал. Это давало хлипкую надежду: Свиридов учился с его сыном и даже был пару раз у них дома. Фамилия начальника была Горбунов, он был усат, добродушен и вечно утомлен. Толстяк ввел Свиридова в кабинет и вышел. Кабинет был похож на все милицейские и жэковские помещения, наличествовал даже графин с желтой водой, и облупленный зеленый сейф, и несчастный амариллис на подоконнике.

Майор Горбунов посмотрел на Свиридова безо всякого выражения.

— Я не понимаю, — сказал Свиридов. — Ваш подчиненный на меня набросился, руку мне заломал, я заявление сейчас напишу...

— Это да, это извините, — сказал Горбунов. — Писать не надо ничего, я поговорю.

— А что вообще такое? Вы же меня знаете, я был у вас, я с Игорем в школе учился... Набрасываются, тащат... Старик какой-то сумасшедший... Мало ли что скажет старик? Ему знаете что может в голову взбрести?

— Да старик что? Старик ничего, — сказал Горбунов, глядя на него все так же — без осуждения и сострадания, а словно чего-то ожидая. Свиридов явно должен был сам признаться, потому что Горбунов его щадил — не забирал, не запирал, — и надо было оценить его деликатность, то есть все рассказать самому. Еще немного, и он ласково спросит: «Говорить будем?».

— А что я должен, если не старик? — перенимая одышливо-отрывистый стиль, сказал Свиридов. Весь этот Кафка начинал ему надоедать — главным образом буквальными совпадениями с литературой.

— Да я бы, сами понимаете, ничего, — после паузы сказал Горбунов, побарабанив пальцами по столу. — Но тут такое дело.

Он опять надолго замолчал. Диалог выходил на диво содержательным.

— Такое дело, — повторил он, глядя в стол.

— Список? — прямо спросил Свиридов.

Горбунов поднял на него сенбернарские глаза с оттянутыми книзу веками.

— В курсе? — ответил он вопросом на вопрос.

— Не в курсе, — зло сказал Свиридов. — Знаю, что есть список, а что за список — понятия не имею.

— Ну а кто должен иметь понятие? — задал ему Горбунов все тот же гнусный вопрос, который он выслушивал в третий раз за сутки. — Кто знать-то должен?

— Вы, наверное, — сказал Свиридов. — Если вам довели.

— Нам довели, да. Но в списке-то вы.

— В списке я, да. Но довели-то вам. — Свиридов понял, что надо жестко придерживаться правил игры и во всем имитировать стиль собеседника. Это был балет, танец. Наступил — отступил, выпад — отпад.

— А тут приходит сигнал, — выждав еще одну паузу, во время которой родился еще один вялый милиционер, сказал Горбунов. — Так бы я не реагировал. Мне что этот Синюхин? У меня сумасшедших стариков в каждом дворе по одному. Делать нечего, они строчат. Они же не переводятся. Я состарюсь, такой же буду.

Это была уже вполне человеческая фраза, вне абсурда, который тут происходил. Свиридову показалось, что в душный горбуновский кабинет вползла струйка живого прохладного воздуха.

— Если всех тягать, на кого он стучит, мне узбеков некуда девать будет, — сказал Горбунов. — Вон на стройке узбеки без регистрации. А он пишет: врач ему был невнимателен, дворник ему был неаккуратен. Он сам-то кто? Стоматолог. Людей мучил. Двадцать лет на пенсии. Привык сверлить, вот и сверлит. Но вы должны понять: мне доведен список, я что могу?

Подтверждалось свиридовское подозрение: теперь, после попадания в список, любая житейская дрязга будет протекать тяжелей и заживать дольше, как царапина при диабете.

— А кто довел-то? — спросил Свиридов и тут же пожалел об этом. Список довела инстанция, о которой не полагалось спрашивать и не принято было отвечать.

— Кто надо, — сказал Горбунов. — А то сами не знаете, кто у нас доводит.

Неясно было, гордится он тем, что у нас все так обстоит, или стыдится, подобная смесь стыда и гордости с неявным превалированием последней была в основе новой идентичности; какой-то Задорнов.

— Догадываюсь, — стараясь вернуть его к союзническому, заговорщическому тону, ответил Свиридов. — Но это же может быть список на награждение, так? На что-нибудь хорошее, нет?

Горбунов усмехнулся.

— На хорошее они списков не дают, — сказал он. — Не та контора. Это вы даже оставьте, как говорится, надежду.

— Ну а что тогда? Если брать, то берите, только не мурыжьте попусту. Вы ждете, что я вам все скажу, а я сам не знаю.

— Да это-то понятно, — протянул Горбунов. Он явно искал, к чему прикопаться, и не находил. Свиридов был чист. Он даже нигде, кроме военкомата, не состоял на учете. Его не задерживали в нетрезвом состоянии, не доставляли приводом, не привлекали в качестве понятого. — Просто сами видите — теперь если сигнал, то повышенное внимание.

— Но я же не сделал ничего! Это он сделал, он обещал застрелить меня и мою собаку!

— Да по собаке вопросов нет, — отмахнулся Горбунов. — По старику нет, по собаке нет... Я маму вашу знаю, — сказал он внезапно, — хорошая мама.

По контексту следовало ожидать, что он добавит: «И вон что выросло», — но он молчал, томился, вытирал пот, и так же томился Свиридов. Майор, кажется, в самом деле еще не знал, как к нему относиться. Никаких человеческих чувств к Свиридову он, конечно, не испытывал, но испытывал, так сказать, имущественные. Перед ним сидел человек из списка, особый, обративший на себя внимание самой высокой здешней инстанции, он сидел у него в отделении и жил у него на участке, и непонятно было, как им распорядиться. Из этого могло получиться повышение по службе, а мог большой геморрой; его можно было взять сразу, а можно понаблюдать, вытащить сообщников, накопать целый заговор. Он надеялся, что Свиридов ему что-нибудь подскажет, но он то ли не знал, то ли хитрил. Приходилось решать самому, и надежней всего было тянуть время — вдруг сорвется и проговорится.

— Мне на работу надо.

— Нет, на работу вы погодите, — сказал Горбунов, и Свиридов понял, что на совещание по «Родненьким» опоздает безнадежно. — Вы посидите, подумайте — может быть, что-нибудь... Это нельзя вот так сразу. Если б он не просигналил, я все равно обязан. По месту прописки. Вы тут не проживаете, нет?

— Я у деда на квартире живу, — сказал Свиридов. — А что?

— Да вот видите, прописаны тут, живете там. Уже нехорошо. Путаницу создает, и, может быть, кто-то недоволен. Может, вас надо вызвать срочно, а вас нет. И тогда это, допустим, список людей, которые живут там, а прописаны тут. Я же не знаю, меня не вводят. У меня на все отделение вы один по списку, и я про других не знаю.

— Слушайте, — не выдержал Свиридов. — А показать мне этот список вы можете?

— Нет, как же? — развел руками майор Горбунов. — Если бы вам надо было, так вам бы довели. Я вообще не имею права вам сообщать, это я по дружбе.

— А о чем бы вы меня тогда спрашивали, если бы не сообщили? — не понял Свиридов. — Что, мы так друг на друга бы и смотрели?

— Не знаю, — вздохнул майор. — Нам не доведено, какие мероприятия. Нам только список.

Свиридов отчетливо понимал, что сейчас решается если не сама его участь, то общий ее вектор: в воздухе сгущались и плавали трудноопределимые сущности, и надо было что-то изменить сейчас, пока они не отвердели. То есть конец был один, раз уж он попал на карандаш, но еще можно было выговорить послабление, расчистить люфт. Так в основу приговора чаще всего ложатся первые показания, когда жертва еще не знает, как себя вести. Надо было сказать что-то правильное, свойское, но Свиридов, даром что сценарист, никак не мог придумать такой пароль. Он чувствовал себя как в регулярно повторяющемся сне: он сидит зимой, ночью, во дворе своего дома, и знает, что для облегчения участи — прижизненной или посмертной, во сне не уточняется, — ему надо куда-то пойти и что-то сделать, может быть, просто повидаться. Он идет к себе домой, там все в сборе, собираются пить чай, очень удивляются его возвращению: «Ты же уехал!» — «А куда я уехал?» — «Ты что, не помнишь?!» И от страха снова услышать материнское — ты всегда все забываешь, в прошлом году забыл зонт, всегда забывал в школе сменку, не помнишь, куда идешь, за что мне все это! — он кивает: а, да-да, конечно, ну, я пошел. Значит, не домой. Тогда к Володьке? Но Володьки нет дома, ему так и говорят, и почему-то со страшным раздражением. Ладно, тогда, наверное, на Киевский вокзал. Я должен куда-то уехать. Но на Киевском вокзале закрыты все кассы, и метель заметает пути. То есть совсем, совсем мимо. И тогда он возвращается в сквер и понимает, что ничего в своей участи изменить не может — участь на то и участь, чтобы ее нельзя было изменить. Значит, надо просто сидеть там и ждать. И как только он это понимает — сквер чудесно преображается, принимается падать легкий танцующий снег, даже что-то вроде «Вальса цветов» звучит из окон. Чтобы изменить участь, оказалось достаточно с ней примириться. Это был правильный сон — о том, что не надо дергаться. Он и теперь перестал подыскивать пароль и задал вопрос, который его интересовал.

— А сколько нас в списке? — спросил он.

Это и было парольное слово. Достаточно было сказать о людях из списка «мы» — и тем окончательно отделить себя от нормальных, никуда не попавших.

— Сто восемьдесят, — со вздохом сказал Горбунов. — Ну идите, работайте.

— А вы не можете сделать так, чтобы старик не орал? — осмелел Свиридов. Прокаженному можно.

— Я ему скажу, — пообещал майор.

6

Свиридов успел на совещание по «Родненьким», где ничего не знали о его увольнении из «Экстры» и спокойно отдали в разработку две новых темы — инцест и похищение. Но история с Синюхиным получила неожиданное продолжение, которое и сделало Свиридова героем среди списочных или списанных, как сами они называли себя впоследствии. В понедельник «Наш день» напечатал сенсационный репортаж о том, что один из создателей культового телешоу собаками травил одинокого старика — из числа тех, для кого это шоу делается.

Воскресенье Свиридов провел с Алей, они с утра завалились в Парк культуры, потратили кучу денег, перекатались на всех горках и качелях Луна-парка, и сиюминутный радостный страх рухнуть с огромной лодки, летавшей над Москва-рекой, вытеснил все остальные. Стреляли в тире, Свиридов близоруко мазал, Аля выиграла зеленого слона. Ели шашлык — как всегда, сырой и напоминавший о детстве, об эстраде зеленого театра, на которой читал еще не сваливший Молоток, герой только народившегося слэма; странно, что они с Алей оба бегали сюда и друг друга не знали. Вот уже вторую неделю подряд во второй половине дня проливался стремительный теплый дождь, над красными песчаными дорожками поднялся пар, малышня радостно визжала в детских вагончиках, и Свиридов впервые за неделю поймал себя на том, что не чувствует вражды к обычным людям, не внесенным покамест в скорбные листы. Прежде он их ненавидел, а рядом с Алей это как-то отступало — то ли потому, что ее близость искупала пребывание в любых списках, то ли она, здоровая и счастливая, предстательствовала за всех здоровых и счастливых. Ладно, живите. Вдобавок она осталась у него. Расчувствовавшись, он чуть не выложил ей всю историю про список и мента, но рядом с ней все казалось такой ерундой, а жалобы — такой пошлостью, что Свиридов смолчал. Можно было когда-нибудь со временем рассказать ей эту историю в третьем лице, как собственный замысел: представь себе, любимая, человека, который попал в таинственный список и сразу выпал из всех остальных... но она снова сказала бы что-нибудь про паранойю и про неумение замечать хорошее, а ему совсем не хотелось ругаться. Она была тихой и нежной, редко он видел ее такой, — рассказывала про детство, он не перебивал.

Утром она убежала на работу, пока он спал. Свиридова разбудил звонок Бражникова.

— Ты «День» читал? — поинтересовался он. У Бражникова была страсть к мерзостям, поэтому он читал «День» от корки до корки и помнил все про всех, хотя не верил ни одному слову ни в одной газете.

— Я «День» не читаю. А что?

— А напрасно! — протянул Бражников. — Там про вас!

Свиридов опять похолодел, как в машине у Сазонова. Переход оказался резковат.

— Что про нас?

— Как ты пенсионера травил собакой!

Была еще надежда, что он шутит, — но Свиридов не рассказывал ему про старика, и взять эту сплетню Бражникову было неоткуда.

— Влип, влип, — торжествовал Бражников. — Натворил. Попал под лошадь.

— Что написано-то?!

— Сейчас прочитаю. — Бражников зашуршал газетой. Свиридову казалось, что он облизывается. — «Властители дум травят свой народ собаками». Это название. Поздаголовок читать?

Бражников садически растягивал удовольствие. Этот садизм тихих программистов был Свиридову давно знаком — видимо, долгое общение с машиной отбивало всякие человеческие ограничители вроде сострадания или стыда, а звериное оставалось в неприкосновенности. Неслышный Бражников еще в школе любил отрывать крылья бабочкам и с любопытством наблюдал, как они ползали.

— Читай, — спокойно сказал Свиридов.

Главное было — не вестись.

— «Сценарист патриотического сериала "Спецназ" и трогательного детского фильма "Девочка-танцовщица"...»

— «Маленькое чудо», — поправил Свиридов.

— Чего ты от них хочешь, им же в конторе запретили польтзоваться инетом. Я знаю, у меня там мужик работает. Главный им сказал — ловите сенсации не из сети, а в жизни. Ловят в основном по милицейским участкам. Ну читать?

— Да, давай.

— «Сценарист... бла-бла-бла... Сергей Свиридов в свободное от патриотизма время любит выгуливать своего огромного дога без поводка. Когда пенсионер Владимир Николаевич Синюхин, заслуженный медицинский работник с более чем тридцатилетним стажем, спасший жизнь тысячам людей, позволил себе сделать Свиридову тактичное замечание, разгневанный сценарист, крикнув "Фас!", направил своего монстра прямо на испуганного старика. Многочисленные свидетели кинулись защищать старого врача и встали на пути у разъяренного страшилища. Создатель "Танцующей девочки" наблюдал за этой чудовищной сценой, засунув руки в карманы. Адвокат "Дня" предложил Владимиру Синюхину свои услуги. Такие, как Свиридов, должны быть наказаны жестко. Именно такие, как он, зазнавшиеся звезды регулярно избивают нашего фотографа Радия Николаева за любую попытку честно рассказать зрителю об их оргиях. Напоминаем, что месяц назад другая звезда "Спецназа" Михаил Побережный оторвал Николаеву пуговицу, и газета продолжает расследование этого эпизода». Дальше комментарии коллег. Читать?

— Это особенно интересно, — сказал Свиридов.

— Станислав Говорухин, народный режиссер: «Некоторые режиссеры и артисты считают, что имеют право пасти народы, а сами глубоко презирают свой народ и не знают его. Я понятия не имею, кто такой господин Свиридов, но, конечно, теперь ни одна собака не позовет этого собаковода в свой проект. У меня самого есть собака, но я считаю, что моя свобода заканчивается там, где начинается свобода соседа. На Западе никто не посмеет выгуливать свою собаку без поводка, и все владельцы обязаны подбирать за питомцами их, так сказать, изделия». Александр Новиков, народный певец: «Надо еще проверить, что за детскую порнографию он там навалял. Лично я как советник народного депутата Крушеванова непримиримо борюсь с детской порнографией и своими руками готов удавить любого, кто бла-бла-бла». Это он рассказывает свои подвиги, неинтересно. Владимир Кафельников, главный редактор студии «Экстра»: «Я рад сообщить читателям вашей газеты, с просмотра которой всегда начинаю мой день, что Сергей Свиридов больше не участвует в производстве сериала "Спецназ". Я уже неоднократно делал ему замечания за внешний вид. Свиридов давно включен в список деятелей культуры, чье появление на телевидении не рекомендовано». Ты знаешь, Свиря, по-моему, для полного счастья они должны обозвать тебя бешеной лисой и провести митинг с требованием расстрела.

— Я этого и жду, — Свиридову все еще удавалось попадать в тон.

— Ну, ты в голову-то не бери. Они судятся каждый день и всегда проигрывают, но у них какой-то колумнист-чеченец, личный друг Кадырова, так что в лучшем случае печатают опровержение. Про тебя завтра все забудут, они вчера уже написали, что Гальцев жену побил. Ты же не круче Гальцева?

— Не круче. Я только думаю, как это от матери спрятать.

— Скупи тираж, — хохотнул Бражников. — Ну ты понял теперь, что это за список? Ты просто не рекомендован к телевидению.

— Список появился раньше. Ты ни хрена не понимаешь, Брага, а разговариваешь как умный. В любом случае — спасибо, что предупредил. Я учту.

Свиридов сел на подоконник, закурил и некоторое время существовал растительно. Нельзя дать катастрофе сразу проникать в себя, надо задерживать дыхание, как после удара под дых. Этому его учил инструктор рукопашного боя, с которым Свиридову приходилось беседовать ради очередной драки в «Спецназе».

Свиридов не считал себя трусом — хоть и отдавал себе отчет, что жизнь пока, слава богу, не подбрасывала ему особо жестоких проверок. Но он пасовал при встрече с непрошибаемым, монолитным хамством: всегда понятно, как вести себя с человеком, допускающим хоть тень сомнения в собственной правоте. Сам Свиридов всегда немного сомневался в своем праве тут быть, но предпочел бы не быть, чем родиться с непрошибаемой уверенностью в себе. Вероятно, люди только по этому принципу и делятся, все прочие разделения — лишь следствие: одни с рождения уверены, что им тут самое место, а другие всю жизнь оправдываются, тщатся доказать, что им сюда можно. Вторые ради самооправдания все время работают, а первые присваивают их труд, потому что им можно. Откуда взялись эти две расы — надо подумать на досуге, досуга будет много. Теперь он сделал что-то не так или просто обнаружил себя, и прирожденные владельцы всего сущего занимаются им прицельно. Их не устроят никакие извинения и покаяния, никакие отъемы имущества. Свиридова надо съесть целиком, без остатка, чтоб запаха не осталось. Что они перешли в наступление — заметно было давно; но кто их будет кормить? Ведь они ничего не умеют делать сами. Наверное, случился качественный прорыв, они научились худо-бедно обеспечивать себя или приспособили наконец свои желудки к той топорной, шершавой, с примесью жмыха продукции, которую только и умели производить. Все остальное им больше не нужно, и от нас можно избавиться.

Катастрофа, никаких самоутешений. Человек, про которого такое написано, выпадает из реальности навсегда. Из профессии точно. Теперь Грега Стилсона не выберут даже в команду живодеров. Господи, что я такого сделал?! Выгуливал собаку без поводка. Нас убьют за то, что мы гуляли по трамвайным рельсам. Все предсказуемо. Конечно, можно судиться. Даже нужно судиться. Но каждый отчет о судебном процессе они будут сопровождать статьями о том, как я выплюнул жвачку перед входом в суд и тем оскорбил труд дворника, как посмел явиться в джинсах и тем оскорбить вкус народного заседателя...

Одно преимущество у всего этого есть: голый человек на голой земле. «Родненькие» теперь, конечно, побоку, причем навеки. Сценарист, травящий собаками свой народ, не имеет морального права делать народную программу. Возможно, этой теме будет посвящена очередная народная программа, на которой тихий очкарик попытается меня защитить, а толпа его затопчет. И очкарик, и толпа будут из мосфильмовской массовки. Еще неделю назад Свиридов побежал бы в редакцию, к адвокату, к черту, дьяволу, принялся бы требовать опровержений — успешный профессионал в своем праве; но теперь все его начинания были обречены. Надо было не рыпаться, а достойно принять крах. Это очень трудно. Но кто сказал, что должно быть легко? Да и что возражать: сама тяжесть навалившегося на него монолита была главным аргументом. Правда, в последнее время так давили всех, это было приметой стиля: что ж, оно даже и милосердней — не бросают догнивать, а размазывают сразу. Никаких иллюзий. Надо как-то подготовить мать, чтобы хоть не обухом по голове. Но готовить мать ему не пришлось — зазвонил мобильный.

— Сережа, — сказала мать страшным хриплым голосом. — Ты видел?

— Мама, я видел и ничего другого не ждал. Это их нормальная практика.

— Откуда они знают, Сережа?!

— Ну, Господи, они же мне не докладывают. Они даже не связались со мной. Может, этот старик им настучал. Им же нечем заполнять газету, а выдавать какую-то дрянь надо ежедневно. Артисты закончились, они взялись за сценаристов.

— Но ты же теперь не сценарист! — закричала мать. — Они выгонят тебя! Ты читал?!

— Мама, это все брехня. Ты прекрасно знаешь. Никто бы не выгнал меня за такую ерунду. Я уже звонил на «Экстру», там все знают и готовят иск. — Он врал спокойно, уверенно и в процессе вранья успокаивался сам.

— Но я не могу теперь выйти из дому! Мне принесла соседка, теперь знает весь подъезд...

— Мама, что я могу сделать? — устало сказал Свиридов. Мать почувствовала слабину и тут же воспламенилась:

— Я не знаю, что ты можешь сделать! Чем ты думал, когда выпускал собаку без поводка?! Господи, почему это все с нами?!

А в общем, спокойно подумал Свиридов, эта уверенность, что весь мир против нас, ничем не хуже моей. Что унаследовал, так это затравленность. Понять бы еще, кто это нас так затравил.

— В любом случае они дадут опровержение, — вставил он в первую же паузу.

— Да что мне их опровержение! Я в подъезде его вывешу? Ты понимаешь, что на нас теперь все будут показывать пальцами?! Они отравят Белку!

— Мама, я могу тебе предложить только переехать сюда. Извини, я сейчас буду разруливать как-то эту ситуацию, а обвинить меня во всех своих несчастьях ты сможешь в другой раз, ладно?

Это было жестоко, но вариантов у него не было. Конечно, он не собирался ничего разруливать, но предоставлять свежую рану для поливания уксусом тоже не хотел.

Он собрался было вернуться на подоконник, но затрезвонил городской.

— Серега! — Звонил Шептулин, былой соавтор по «Спецназу». — Серег, не бери в голову! Ты читал «День»?

Это было очень по-шептулински — сперва посоветовать не брать в голову, а потом поинтересоваться, в курсе ли собеседник.

— Да ты плюнь! — долдонил Шептулин, не слушая ответа. Он был то, что называется «хороший мужик», таких всегда все считают хорошими мужиками безо всяких оснований: рохля, неумеха, трепач, пьяница, когда-то подавал надежды (причем то, что ставилось ему в заслугу, тот первый сценарий или дурацкая первая постановка, было ниже плинтуса, просто на этом лежал отпечаток безопасной и безобидной шептулинской личности, и это сходило за человечность). Шептулинская доброта была глупой, халявной добротой алкоголика, и любили его именно за то, что он никому и ни в чем не был конкурентом. Писать он не умел ничего, кроме скупых мужских диалогов. Еще он любил авторскую песню и много времени проводил на слетах. Борода предполагалась сама собой.

— Плюнь! — повторял Шептулин. — Чего список, фигня все списки! У меня шурин в списке, и что? Они пишут, что это закрывает доступ на телевидение, а какое телевидение, когда он сантехник? Эта газета — тьфу, подтереться стыдно! Брось, Серег, не переживай.

— Стоп, — сказал Свиридов. — Погоди, Толя. Я не переживаю, но ты погоди. Чего ты сказал про список?

— Я говорю, у меня шурин тоже в списке каком-то! К нему участковый приходил, сказал — спустили список, а чего делать, не сказали. Ну и ничего не делают, может, это список ударников труда. Плюнь, Серег, я точно тебе говорю, это все хрень... Я к Кафелю сегодня пойду, вот веришь, нет, я точно к Кафелю пойду сегодня и скажу — брось, Кафель, ты что? Что ты за мужик, Кафель? У тебя такой парень работает, а ты его после первого окрика на улицу?! Не бери в голову, Серег, я сегодня пойду...

Конечно, он никуда не пойдет и ничего не скажет. От другого человека сочувствие было бы даже приятно, оно развеяло бы этот морок и доказало Свиридову, что хоть в чьих-то глазах его жизнь оправдана. Но Шептулин с его халявной добротой, мягкой седеющей бородой, идиотской улыбкой во всю широкую рожу, многодетной семьей, подпевающей под гитару женой и полной неспособностью ни к одному делу был явно не тем персонажем, чьи соболезнования сегодня добавили бы Свиридову сил. Если он уже черпает силы в состраданиях Шептулина — это может означать только, что он окончательно перешел в разряд таких же лузеров, а с этого дна подъемов не бывает.

— Подожди, Толя. Мне важно про шурина. Как он в списке, откуда?

— Да я не знаю, тебе лучше с Ленкой поговорить. Котён! Сейчас все скажет.

И, не спрашивая, хочет ли Свиридов разговаривать с Ленкой, он сунул ей трубку.

Ленка была еще хуже Шептулина — она понимала причины народной любви к нему, отлично знала ей цену и умела пользоваться. Разговаривала она жалким, причитающим голосом, но стоило собеседнику расслабиться и пожалеть семью, она вворачивала что-нибудь едкое, недвусмысленно намекающее, что именно благодаря таким, как некоторые, талантливый человек и его дети прозябают в нищете. Шептулин тут же подмигивал собеседнику и осаживал жену, но осаживал так — ладно, Котён, не бери в голову, что мы, плохо живем? — что полностью подтверждал ее слова. Всякий немедленно начинал чувствовать себя должником Шептулиных, у них это было отлично поставлено. Слово «Котён» Свиридов ненавидел отдельно.

— Да, Сережа, — сказала Лена.

— Лен, извини, там Толя говорил про шурина...

— Да, я слышала. Ты что, тоже в списке?

— Вроде да.

— Не парься. Это знаешь что, я думаю? Это что-то налоговое. У Юрки приработок, он от «Аманды» унитазы ставит. Думал, они задекларировали, а они думали, что он. Он сейчас доплатил, ему в налоговой сказали, что претензий нет, потому что сам пришел.

— А с чего ты взяла, что я не доплачиваю? — спросил Свиридов. Чем такое сочувствие, лучше было полное одиночество.

— Ну откуда я знаю, я предположила просто... Что злиться-то сразу?

— Я не злюсь, Лена, извини, пожалуйста, если я был резок. — Свиридова понесло, он не мог остановиться. — Ради бога, прости. Я приношу тебе глубочайшие извинения. Пожалуйста, извини меня, если можешь...

— Сереж, что случилось-то? — спросила она уже сочувственно.

— Случилось то, что газета с полумиллионным тиражом написала, что я травлю людей собаками и попал под запрет на профессию. Больше ничего не случилось.

— Да какой запрет, брось, все выяснится...

— Все уже выяснилось. Ты мне дай просто его телефон...

— Да пиши, — и она продиктовала домашний номер, откуда-то из Чертанова. — Может, правда тебе с ним поговорить, вместе вы как-то...

Тут у Свиридова зазвонил мобильник, он суетливо попрощался и глянул на монитор. Звонил Рома Гаранин, создатель «Команды».

— Здоров, Свиридов, — сказал он хмурым басом. — Ты это... резких движений не делай, ага?

— Чего случилось, Ром?

— У меня с этим «Днем» своя история, — сурово продолжал Рома. — Они у меня живы не будут, это я тебе говорю. Ничего пока не делай, до завтра подожди. Вот увидишь.

— А тебе-то что они сделали?

— Неважно. Замучаются опровержения давать. Я прямо к ним сейчас еду. Ничего не делай.

— Ладно, это хрен с ним. Я сам тебе хотел звонить — со «Спецназа»-то я действительно слетел.

— Ну слетел и слетел, давно пора. Что, ты работу не найдешь?

— Найду, но если мимо тебя вдруг чего поплывет... — Свиридов с отвращением почувствовал, что заискивает.

— Ладно, — буркнул Рома и отключился.

Шептулинскому шурину Свиридов позвонил сразу. Тот оказался дома и выразил готовность с ним встретиться, но только в своем районе.

— Я отъезжать не могу. Напарник в отпуске, если срочный вызов — все на мне.

— Хорошо, я подъеду. Куда?

— Метро «Южная», — начал диктовать сантехник. Голос у него был ровный, манера сдержанная, и Свиридов тоже подобрался: слушают их теперь наверняка. Черт бы драл Лену с ее налоговыми догадками. Доходы с «Родненьких» он действительно не декларировал.

Ехать до Юры оказалось недалеко — интересно, в список попал только Юго-Запад или еще кто-нибудь? Худой серый Юра ждал его во дворе, домой не пригласил.

— Лучше тут, — сказал он, не входя в объяснения.

— Я так понял, у нас с вами общая проблема.

— Можно и так сказать, — уклончиво согласился Юра.

— А как еще сказать? Вы тоже допускаете, что это список на поощрение?

— А кто так говорит?

— Муж сестры вашей, я не знаю, как это называется.

— Деверь, — сказал Юра. — Ну, он вообще блаженный.

— Не такой уж блаженный, но ладно. Сами-то вы как думаете — действительно налоговая?

— Да ну, налоговая, — сказал он. — Будут они из-за двух рублей...

— Именно из-за двух рублей и будут. Из-за миллиона им стремно.

— Да нет. Я думаю, это список не за что-то, а для чего-то, — сказал сантехник и посмотрел на Свиридова с хищным интересом.

Вот такие-то, серые и стертые, всегда и сходят с ума. Не какие-нибудь творцы, богема и пьяницы, а такие тихие. Приходит однажды на работу со сковородкой, надетой на голову — от инопланетных волн, внушающих ему, что он должен сейчас, немедленно, купить двенадцать плавленых сырков «Дружба».

— Почему вы так думаете? — ровно спросил Свиридов.

— А иначе они не стали бы в интернете размещать, — с готовностью пояснил Юра. — Там же абы кто не может разместить, правильно?

— Как раз может абы кто. А что там в интернете?

— А вы что, не были? Вэ-вэ-вэ список сто восемьдесят народ ру. Как же вы не знаете?

— А вы откуда знаете?

— Парень мой нарыл, — с гордостью признался Юра. — Рубит в этом деле, как я не знаю. В поисковик какой-то запостил — «список», и просмотрел все новости. Вторая новость как раз и оказалась. Там про нас целая история. Приглашают записываться.

— Почему приглашают? — опешил Свиридов.

— Ну, это завели кто попал. Чтобы собрать остальных.

— И что сделать?

— Это я не знаю, что сделать, — посуровел Юра. — Но уж не просто так, это точно.

— И как, вы записались?

— А то, — сказал Юра. — Как иначе? Надо же вместе держаться.

— Но почему им тогда сразу всех не собрать?

— О! — Юра поднял палец. — То-то и оно! Почему всех не собрать? Потому что соберутся только те, кто сами откликнутся. Это отбор.

— Но ведь я, например, узнал от вас...

— Но ведь вы меня нашли, так? Это значит — уже какая-то оперативность.

— И что, мне теперь записываться там... на сайте?

— Это ваше дело, — сдержанно сказал Юра. Но ясно было, что любой, кто отклонится от записи, будет им рассматриваться как дезертир.

— Ладно. Спасибо.

Они пожали друг другу руки, и Свиридов уселся в «жигуль». Он уже выезжал на Симферопольский, когда затрезвонил мобильник.

— Сергей Владимирович! — приветствовал его суетливый секретутский голосок. — Вас беспокоит газета «Наш день». Мы вас очень просим, примите, пожалуйста, наши извинения, мы завтра же опровергнем и, если вы не возражаете, очень-очень хотели бы сделать с вами большое интервью, чтобы все расставить по местам. Пожалуйста. Мы очень-очень хотим, просим вас не отказать...

— Я не хочу с вами встречаться, — мрачно сказал Свиридов. — Напечатаете опровержение — поговорим.

— Да-да, завтра-завтра, — она говорила с интонациями сорокалетней пресс-секретарши, не пустившей Свиридова получать приз за «Чудо». — Обязательно-обязательно, мы сразу-сразу вам позвоним...

Свиридов отключился. Чудеса не прекращались. Каких кар наобещал им Гаранин? Дома он взлетел на свой пятый этаж, вошел в сеть и, всеми силами стараясь бог весть перед кем выглядеть спокойным и неторопливым, набрал www.spisok180.narod.ru.

ЧАСТЬ ВТОРАЯ
ОПИСЬ ИМУЩЕСТВА

1

«Дорогие друзья!

Все мы попали в список. Его цель и происхождение нам неизвестны. Чтобы выжить в этой ситуации, нам лучше держаться вместе. Просим откликнуться всех, кому уже сообщили о занесении. Убедительная просьба к посторонним: не записываться. Нам очень важно восстановить список целиком, что позволит догадаться о его настоящей цели. Оставьте ниже свои ФИО и контакты. Можете указать возраст, это существенно. Первая встреча списка планируется в последней декаде июля. Новости смотрите в разделе "Новости".

С уважением,

Бодрова Светлана Викторовна, контактный телефон...»

СПИСОК

Карнаухов Игорь Владимирович, 1967 г. р.

Семенова Надежда Григорьевна, 1958

Саломатин Николай Михайлович, 1941

Голышев Кирилл, 1990

Бурцева Елена Даниловна, 1972

Матвеева Ирина, 16 лет

Сергей Шевченко, 23

Святослав Владимирович Мирский, 1955

Лурье Григорий Наумович, 1959

Кротов Константин Михайлович, 1948

Носкевич Галина, 19...

Тенденция не просматривалась.

Свиридов глубоко вздохнул и добил в белый прямоугольник внизу: «Свиридов Сергей Владимирович, 1979».

Из пятидесяти семи записавшихся нашелся один ровесник — Парамонова Елена Максимовна. Хорошо, что девушка. Вероятно, список составлен с целью подобрать для всех идеальные пары. Скрестить сорокавосьмилетнего семита Лурье — вероятно, лысина, усы, трубка, скепсис, — с белокурой белоруской Носкевич, 19. С виду робкая, в постели неожиданно страстная, готовит, стирает, ревнует. У Лурье московская прописка, у Носкевич неутомимая детородность, потомство лысое, страстное, скептическое, стирает. А мне ровесницу Парамонову, всегда любил ровесниц. Он помедлил, подведя курсор к слову «Добавить» справа от белого прямоугольника. Заносить себя в список, даже на бронь в кинотеатре, всегда страшновато: клик — и на тебя начали распространяться чужие закономерности. Бодровский список больше всего напоминал жуткие расстрельные перечни, публиковавшиеся в «Вечерке» обществом «Мемориал» в начале девяностых, или отчеты о немецких карательных операциях, — но в любом списке есть обреченность: узнан, вычислен, учтен. Если перечень товаров в интернет-магазине так и дышит сытостью и благостью — кого хочешь выбирай, все счастливы себя предложить в реализацию, — любой человеческий перечень, даже список принятых абитуриентов, отдает хлоркой. Ужасна одушевленность. Но ничего не поделаешь, все в списках от рождения. Он кликнул и добавился пятьдесят восьмым.

2

Бодрова Светлана Викторовна предусмотрела на сайте три раздела: главный, новости и форум. На форуме обсуждались версии. Их разброс поразил Свиридова.

При первом веянии свободы — на форуме не обязательно было выступать под собственным именем, допускался ник, — все радостно попрятались за псевдонимы. Хлебом человека не корми, дай сбежать от себя. Он все надеется, что Карнаухов Игорь Владимирович умрет, а Pesik останется. Впрочем, под Песиком наверняка скрывался кто-нибудь помоложе. Под собственными именами выступали только те, кто придавал своим мнениям особое значение: это сказал именно Галантер, именно Стариков, никто иной. Форум был создан недавно, меньше недели назад, и высказаться успели немногие; завелись свои завсегдатаи, особо активные персонажи, неустанно извлекавшие из реальности новые подтверждения своих догадок. Было бы естественно предположить, что Лурье объявит все происками кровавой гебни, но эта концепция активней всего отстаивалась девушкой под ником Whiterat. Белая Крыса была убеждена, что каждый в списке как-нибудь досадил властям, только не признается. За собой она знала немало прегрешений — например, добровольное участие в первом марше несогласных. Она, по ее свидетельству, просто шла и вручала ОМОНу цветы. Здесь же размещалась фотография — невысокая Крыса в бежевом плаще, снятая со спины, раздает хризантемы типа «дубки». Неудивительно, что ее сразу поментили. В автобусе с другими задержанными распевала «От улыбки хмурый день светлей». Никто, правда, не подпевал. В том, что Белая Крыса выбрала такой ник, отразилась вся ее натура: ей нравилось любить то, чего все боятся, и всячески это демонстрировать. Кровавая гебня ей была необходима, как воздух. Она не мыслила жизни без кровавой гебни. Ей убедительно возражал Пахарь, он же Пахарев, 1969 года выпуска: Пахарь упрекал Крысу в трусости и поиске происков, в то время как список, думалось ему, не репрессивная мера, а попытка отобрать достойнейших, дабы в скором времени всех обеспечить деликатным заданием. Его идея была отчасти сродни заморочке шурина Юры, свято уверенного, что его не назначили в изгои, а избрали в спасители. «Мы здесь для того, чтобы действовать сообща», — уверял Пахарь. Цыганка Аза была почему-то уверена, что все участники списка виновны в сокрытии доходов, хотя лично за собой не знала такого греха; ее дискурс был наиболее показателен — она точно знала, что попала в список по ошибке, но знала и причину этой ошибки. Дело в том, что она позже, чем надо, подала налоговую декларацию, надо было до 30 апреля, а она из-за праздников подала только 10 мая; но, видимо, список неплательщиков был сформирован до праздников, и его не успели исправить, хотя теперь исправят обязательно. Ей советовали сходить в налоговую и проверить догадку, и она обещала в ближайший четверг — налоговая в их районе работала по сложному графику, да и сама она, малый предприниматель, была занята по суткам. Старый Мельник предположил, что главная цель списка — коль скоро большинство обнаружило себя в нем при пересечении границы, — заключалась в принудительном удержании дома наиболее талантливых людей, представляющих ценность для отечественной науки; объяснить пребывание в списке шестнадцатилетней балбески Матвеевой он не мог, но, может, она хорошо училась? Сама Бодрова, 1951, организатор и вдохновитель всех наших побед, предполагала, что в список внесены наиболее очевидные кандидаты на льготы, и теперь за ними наблюдают на предмет соответствия параметрам: действительно ли они так бедны или могут потерпеть? Бодровой было пятьдесят шесть, она страдала гипертонией и диабетом, работала бухгалтером, жила с дочерью и при ее помощи оборудовала сайт; непонятно было, почему она выбрала говенно-морковный фон, тревожный, как ноябрьская заря. Ей аргументированно возражали прочие списанты (кроме этого самоназвания, были еще «списанные», «списочники», «листеры» и один раз «контингент»): никто из них не нуждался в государственной помощи. Обеспеченные люди, ты что.

Свиридов листал форум и возвращался к списку на главной странице, ловя себя на стыдноватой радости: он не один, те же проблемы как минимум у пятидесяти семи сограждан, и число их росло ежедневно, ибо до ста восьмидесяти оставалось еще много. Правда, к радости примешивалась легкая брезгливость, будто высморкался в чужой платок или посидел в сортире, хранящем чужие газы. Свиридов был с детства болезненно щепетилен во всем, что касалось гигиены. Это не у листеров были его проблемы, это у него оказался их микроб, общая инфекция — и разделять с двумя сотнями сограждан их ужас и любопытство было так же противно, как соприкасаться с их шубами в метро. В его жизнь властно влезли сто восемьдесят человек, пятьдесят семь из которых уже обрели лица и имена. Свиридов был теперь уже не сам по себе, но один из них, — и это было самое противное; если ты умираешь в чумном бараке, под стоны сотни себе подобных, — ты не так прожил жизнь. Чем отдельнее от всех становишься, тем правильней вектор; лучшая смерть — та, которой вообще никто не увидел. Где-нибудь в горах, на леднике, среди снежной пустыни. Он с детства, с книг об освоении планеты представлял это так и завидовал. В некотором смысле и отцу повезло — его никто не видел мертвым, взял и избавил всех от себя, чего лучше?

— Мать, — сказал он, позвонив домой. — Оказывается, нас тут в списке сто восемьдесят человек, и уже есть свой сайт в интернете.

— Ну и что пишут? — кисло спросила мать.

— Пишут, что никто ничего не знает. Люди приличные, не зэки, не бомжи. Средний класс, типа меня.

— Очень утешительно. Ты связывался с этими из «Дня»?

— Они обещали перезвонить, очень извинялись.

— Я из их извинений шубу не сошью.

— Ладно, ладно. Я их разорю и не потерплю.

Из «Дня» никто не перезвонил, но во вторник вышло опровержение на четверть полосы: после проверки фактов наличие списка персон, не допущенных к работе на телевидении, не подтвердилось. Корреспондент Евгений Соломин наказан. Редакция приносит свои извинения Владимиру Кафельникову, традиционно начинающему свой день с просмотра газеты «День», и Сергею Свиридову, уволившемуся из компании «Экстра» по собственному желанию в связи с переходом в новый проект.

Ни о каком новом проекте Свиридов не слышал, но на сотрудничестве с «Родненькими» история с поводком никак не сказалась. Разработку по инцесту приняли благосклонно. Вечером во вторник позвонил Рома.

— Ну? — спросил он триумфально. — Читал?!

Рома был пьян, но еще вменяем.

— Читал, спасибо. Что ты с ними сделал?

— Я? Я ничего. Буду я делать со всякими. — Рома был в той стадии, когда эйфория переходит в злобу. Он их сделал, но они не стоили того, чтобы он их делал. — Они кто такие? Они говно. Роман Гаранин будет с ними разбираться? Шутишь! — Он свистнул. — Я сделал один звонок. И еще один человек сделал один звонок. И тот мент, который на тебя настучал, будет искать другую работу. А человек, который это поставил в номер, будет два месяца пахать бесплатно, на штрафы. Вот и все, и ничего не надо было делать.

— Рома, — вставил Свиридов. — Но список-то есть.

— Список? Какой список?

— Я не знаю, какой.

— Ну не знаешь — и сиди. Я сам, знаешь, в таком списке, что мало не покажется. Меня Бурмин терпеть не может. — Бурмин, генеральный продюсер Центрального, действительно в нескольких интервью указал на опасность «блокбастеров гангстерского жанра, ориентирующих молодежь на сомнительные идеалы девяностых». Говорили, что этот выпад против Гаранина, друга детства, с которым они вместе росли на Николиной Горе и еще там чего-то не поделили, стоил Бурмину серьезного кремлевского разноса: на самом верху «Команда» понравилась. — Я должен был вести «Звезд в деревне», а ведет Газаров. Это что, тоже список? Все в списках, забудь.

— Ром, спасибо, — прочувствованно сказал Свиридов. — Если б ты еще, прости за наглость, подхарчиться помог — а то «Спецназ»...

— Позвоню, — буркнул Рома и отрубился. Свиридов допустил непростительную оплошность: не дал Роме насладиться победой, рассказать об одном решающем звонке, о чародеях, готовых отстроить прессу по первой его жалобе, — но Рома спьяну все забудет. Да и еще не хватало пресмыкаться.

В четверг с утра ему позвонила Бодрова. Голос оказался бодрый. Полезная вещь гипертония, особенно когда служит не препятствием, а главным содержанием жизни.

— Сергей Владимирович! Здравствуйте. Из списка беспокоят.

— Слушаю вас, — насторожился Свиридов. Он ничего не мог с собой поделать — любая новость относительно списка заставляла его трепетать.

— Хотим предупредить, чтоб не забывали нас. Это Бодрова Светлана Викторовна. — Свиридов ненавидел, когда так представлялись. В документах пиши фамилию первой, но в жизни изволь начинать с имени. — Вы в субботу в Москве?

— В Москве.

— Первая встреча списка намечена на перроне Ярославского вокзала в девять ноль-ноль утра, пятая платформа, девятый путь. Не опаздывайте!

В голосе Бодровой звенело организационное счастье.

— Хорошо, буду, — сказал Свиридов. Он сам не знал, обрадовало или напугало его это сообщение, но лучше внести хоть какую-то ясность. Ему казалось, что при первом взгляде на списантов он определит цель всей затеи, — но на это, как оказалось, надеялись все.

На сайте к субботе отметились уже семьдесят восемь человек.

3

Пришли, конечно, не все — всех вряд ли вместил бы один вагон. Народ толпами ломился на природу, благо воздух посвежел и дикая жара, сонным чудовищем лежавшая на Москве, сползла на восток. Бодрову Свиридов опознал немедленно: это была разновидность кафельниковской секретарши Марины, не испорченная близостью к начальству. Женщина с огоньком, туда-сюда, организовать помники, порубить салат, всплакнуть, спеть, скинуться на сироток, сходить в поход в тренировочных штанах, собрать выпускников, всем ужас — смотреть друг на друга через тридцать лет, а ей радость — послужила коллективу. Бодрова была в зеленых брезентовых брюках и розовой майке с коротким рукавом. В руках у нее был список, в котором она проставляла галочки. Свиридов подошел и отметился.

— Та-ак, — ласково пропела Бодрова, окидывая Свиридова оценивающим взглядом. Для каких-то тайных целей он подошел — молодой, рослый. В баскетбол поиграть на пляже, дров порубить для костерка. — Это у нас Сергей Владимирович. Спасибо за сознательность. Погодите пока, мы отъезжаем в девять сорок на Алтырино.

Вот я и не просто Сергей Владимирович, а Сергей Владимирович у нас. Все-таки надо было уговорить Альку. Накануне Свиридов — по возможности небрежно — рассказал ей все о списке, начиная с задержки в аэропорту, и о первых последствиях.

— Что из «Спецназа» ты полетел, это очень хорошо, — сказала она задумчиво, — я еще тогда обрадовалась. А что вписался — это зря.

— А что такого?

— То, что вы сами себя и записываете. А никакого списка нет.

— Да, да, — кивнул Свиридов. Он узнал ее логику. — Что мне не нравится, того не бывает.

— Если хочешь.

— А тебе самой не интересно посмотреть, что там за люди?

— Я представляю.

Это высокомерие он ненавидел — почти так же сильно, как любил в ней все остальное.

— И что ты представляешь?

— Перепуганную кучу беспомощных людей, не умеющих ничего переживать в одиночку.

Он еле сдержался, чтобы не наговорить ей всякого. Трудно было представить, как она станет переносить его неудачи или болезни, если все-таки согласится.

— Слушай, а прикинь — я попал под машину. Ты мне тоже предоставишь подыхать в одиночку, чтобы не грузил?

— Ой, не начинай!

— Что не начинать?

— Передергивать. Если ты попадешь под машину и будешь после этого общаться только с калеками — я точно уйду.

И ведь уважала себя за честность, черт бы ее драл! Красивая, здоровая, победительная — таким легко презирать ундерменшей; таких и любят — а не робких, милосердных, сострадательных, шатаемых ветром, самих бы кто спас... Помочь может только сильный, и она вытащила бы его, если бы захотела; а предлагают свою помощь только слабые, покупающие себе любовь, — кто бы их иначе заметил? Он не стал ее уговаривать и, против обыкновения, не позвал к себе. А она бы, кажется, пошла, — по некоторым признакам замечалось расположение; нечего, нечего. Дом инвалидов закрыт, все ушли в поход.

...Списанты переглядывались с застенчивой радостью. Так в больнице, в палате обреченных, где все двадцать раз друг другу надоели храпом, жалобами, стонами, родней с баночками и судками (причем эта родня вечно не знает, о чем говорить с обреченными, а сразу уйти ей неловко) — с гадкой радостью смотрят на каждого нового человека: нашего полку прибыло, теперь и на тебе клеймо! В отношении к новичку тонко сочетаются злорадство, сочувствие и даже стыдливая благодарность: присоединился, не побрезговал. Так все и смотрели друг на друга, хоть и не поняли до конца, в позорный список попали или в почетный; но у нас ведь разница невелика — как между лепрозорием и вендиспансером. Первое, конечно, трагичней, второе неприличней, но ощущения сходные.

— Ну что, коллеги? — неловко улыбаясь, сказал Свиридов. Обращение «коллеги», введенное в моду президентом, оказалось универсальным, как все безликое: так можно было обратиться хоть к студентам, хоть к сокамерникам, ибо в смысле главной профессии — проживания здесь — коллегами были все.

Ему поулыбались.

— Мы куда едем-то? — спросил он, оглядывая собравшихся и не замечая среди них, увы, симпатичных девушек: никакой страх не отбивал основного инстинкта.

— Не бойся, пока не в тундру, — откликнулся мужичок-балагур лет сорока.

— В Морозовскую, на дачу ко мне, — виновато сказал его ровесник, наглядный, хоть в учебник. По наблюдениям Свиридова, большинство сорокалетних мужчин с клинической четкостью делились на эти два типа — если, конечно, не достигали финансовых или карьерных высот, кардинально меняющих всю антропологию. Первые становились неунывающими крепышами, назойливыми остряками, из тех, что в купе немедленно организуют выпивку; вторые превращались в вечно печальных рабов семьи, кротких обреченных работяг с редкими внезапными вспышками пьяной злобы. Других выходов из кризиса среднего возраста он не наблюдал. — От Алтырина двадцать минут пешком. У меня машина вообще, но не влезем же, — добавил он поспешно. Ему обязательно надо было сказать, что есть машина. — На машине супруга поедет, приготовит там все... — Теперь надо было сказать, что есть супруга. Это не список заставил его вечно оправдываться — это сам он всегда был таким, изначально готовым попасть в список, под чужой нелюбящий взгляд, придирчиво спрашивающий: машина есть? супруга? ну, годен...

Удивительно, до чего типичные представители собрались на платформе. Свиридов не мог отделаться от поганого чувства, что всех этих людей когда-то видел, и даже недавно, и даже вместе. Вероятно, список подбирался именно по этому принципу: выраженный, законченный, без проблеска своячины тип от каждого социального слоя. Так могли подбирать инопланетяне, составляющие из человеческих особей грядущий зоопарк. Человек только тем и интересен, чем отклоняется от страты, — но здесь не отклонялся никто: классическая профсоюзница командовала, классический остряк острил, типичный дачник катил перед собой, как тачку, типичную участь дачника, которому давно не нужны ни свежий воздух, ни свежие ягоды, но деваться от участка некуда; участок, участь... Поодаль двое образцовых инженеров длили образцовое пикейное гадание на газетной гуще, архетип матери-одиночки сжимал ручку архетипической бледной девочки с крысиными хвостиками косичек, и совершенный в своем роде представитель творческой профессии, напрягая пугливое воображение, с омерзением и любопытством разглядывал товарищей по участи, ощущая себя не то первым, не то последним среди них. Кто бы ни был составитель этого списка, у него получилось неинтересно.

Среди идеальных экземпляров Свиридов разглядел мужчину лет пятидесяти, не сразу поддававшегося классификации; к нему он и подошел, заискивающе улыбаясь. Несмотря на раннюю жару, его поколачивал легкий озноб, надо было немедленно с кем-то поговорить о происходящем — носить в себе одинокую тревогу было невыносимо. Тот, кого он выделил, — высокий, рассеянный, смуглый, с залысинами, одетый в красную ковбойку и брезентовые дачные штаны, — посмотрел на него дружелюбно, и Свиридов, стремительно реагирующий на любую мелочь, тут же успокоился.

— Ну что, — спросил смуглый, — какие предположения?

— Никаких, — пожал плечами Свиридов. — Допускаются же два — на отстрел и на повышение.

— Не скажите, не скажите, — усмехнулся новый знакомец и протянул ему пачку «Кэмела». Свиридов взял сигарету. — Меня зовут Клементьев Игорь Петрович.

Свиридов представился в ответ.

— Отстрел и повышение — слишком бы просто, — неспешно продолжал Клементьев. — Вы как узнали?

— На таможне задержали, в Крым летел.

— А мне на работу спустили — я в НИИ транспорта работаю, на Алексеевской, слышали?

— Слышал, — соврал Свиридов.

— Вот. Завотделом. И начальство стало проверять — интересно же. Дошли до министра, наш директор с ним учился когда-то. Так и он не знает.

— Он же преемник, говорят, — щегольнул осведомленностью Свиридов.

— Говорят, — кивнул Клементьев. — Но и он не в курсе. Так что это совсем, совсем не на отстрел... Это гораздо интересней.

— И?

— Погодите, надо посмотреть. Это ж у нас первая встреча... Вы за собой ничего такого не знаете?

— Ничего.

— Вот и все так.

— Но с работы уже поперли. Я сценарист, с картины слетел.

— Ну? — удивился Клементьев. — Очень странно. Хотя, если вдуматься...

— Что-то вы темните.

— Ничего не темню. Приедем к Вулыху на дачу — это Вулыха дача, вы в курсе? — там за шашлычком поделюсь соображениями.

Подошла электричка, и списанты, толкаясь, набились в нее. Последним, пыхтя, примчался к перрону шурин Юра. По случаю субботы народу было полно — все валили за город спасаться от бессмысленных и затратных городских удовольствий. Как в любом замкнутом сообществе, хоть и собравшемся на полчаса, каждый старался доказать соседу хоть копеечное, а преимущество, словно всех везли в концлагерь, и от того, кто и как поставит себя в вагоне, зависела будущая барачная иерархия. Свиридов приметил тройку особо гоготливых субчиков, одетых вызывающе не по-дачному, — он худо разбирался в лейблах, но отличал фирму от китайпрома. Троица гоготала, материлась, глотала пиво, приставала к девчонкам, задирала толстяков, пропихивавшихся к выходу. Обычно такая публика выезжала на загородные увеселения не иначе как джипами — Свиридов затруднялся понять, что они делают в электричке. Он не мог допустить, что сломались сразу три джипа. На секунду он поймал на себе скользящий взгляд одного из тройки, самого злобного, — взгляд был неуверенный, обрывающийся, как вытертая изнанка шикарной шубы; он глянул на злобного в ответ — тот сразу потупился. Господи, с ужасом подумал Свиридов, хоть бы эти не из наших; принадлежать к сообществу заведомых лузеров было все же легче, чем воображать перспективу такого соседства. Но когда через сорок минут списанные вывалились на алтыринский перрон, сомнений не осталось: трое в пляжных рубашках с пальмами были из нашего лепрозория. Впрочем, с типичностью и у них все обстояло на ять.

Долго шли по выбитой глинистой тропе через деревеньку, потом через золотое поле — наши дамы заахали; между инженерами вспыхнул спор о том, как отличать пшеницу от ржи. Свиридов взмок. Перелесок повеял недолгой прохладой, уксусным запахом пней, тройка пляжных с хохотом пинала чернильные грибы-зонтики. За лесом потянулись участки, на которых, задрав линялые задницы, копошилось последнее поколение дачников: молодежь на участках в лучшем случае валялась по гамакам или жарила пресловутый шашлычок, в худшем отсутствовала вовсе.

— Далеко к тебе, дядя. Не мог поближе построиться, как люди? — сказал Вулыху злобный и надвинул ему на нос полотняную кепку.

Вулых виновато улыбнулся. Свиридов твердо решил осадить тройку, когда она залупится в следующий раз: все только отвердевало, и дать им слишком много воли означало конституировать такое положение на все время существования списка. Бог его знает, сколько нам оставаться вместе. Он переглянулся с Клементьевым, тот пожал плечами. Скоро они свернули с асфальта на гравий и обнаружили двухэтажный кирпичный дом, слишком, пожалуй, приличный для потертого Вулыха. В открытом гараже просматривалась синяя «мазда». Начиналось нетипичное.

Крупная тетеха в холщовом белорусском сарафане шла отпирать высокие решетчатые ворота.

— Принимай, мать, — приветствовал ее Вулых.

— Очень рада, добро пожаловать, — пропела тетеха. — Галина Михайловна, очень рада.

Участок был ухоженный, сплошной газон с беседкой и качелями, так что прямой необходимости тащить пятьдесят человек на садовые работы не было. Выезд явно задумывался ради знакомства. Свиридову досталась электрокоса, посредством которой он должен был превратить газон из ворсистого в щетинистый, но трава и так плохо росла из-за жары. Он вяло описывал полукружья оббитым стальным диском, от которого в стороны разлеталась травяная пыль. Прочие собирали сучья для костра, двоим выпало красить свежевозведенный сарай, инженеры занялись проводкой (Вулых жаловался, что барахлит), женская часть списка расселась в беседке или собирала смородину вдоль забора. Шурин Юра выстрагивал лук для девочки с крысиными косичками, других детей в компании не оказалось. Бородач с гитарой мечтательно настраивал обшарпанный инструмент.

— Ты не писатель будешь? — спросил его один из тройки, весь приплюснутый — низкорослый, с плоским лицом и вдавленной переносицей. Почему-то подобная публика сразу идентифицировала Свиридова как писателя.

— А что? — спросил Свиридов. Сказать «да» или «нет» значило принять тон.

— То, что руки не под то заточены, — сказал приплюснутый. — Кто так косит? Ты косилку в руках держал вообще?

Свиридов молча выключил косу и протянул приплюснутому.

— Покажи класс, брат, — сказал он прочувствованно. — Давно хотел у профи поучиться.

Приплюснутый сплюнул и отошел.

— Нет, ну ты покажи! — крикнул Свиридов вслед. — Покажи, всю жизнь мечтал!

— Щас достану и покажу, — огрызнулся приплюснутый.

Свиридов не стал его догонять, включил косилку и продолжал бессмысленно брить газон. В драке он наверняка проиграл бы, но из-за роста выглядел менее уязвимым, чем ощущал себя в действительности. Впрочем, он давно не дрался — в последнее время так злобился на себя и судьбу, что мог и заломать противника, чем черт не шутит.

Общественные работы продолжались часа два. Свиридов краем глаза заметил, что Клементьев окапывал яблоню, но проносившиеся через участок списанты — кто в сарай за суперфосфатом, кто к костру с ветками — тут же затаптывали вскопанное. Все преувеличенно толкались, смеялись и шумно восхищались шашлыком, загодя замаринованным самкой Вулыха. Свиридов чувствовал себя идиотом — он и в дописочное время ненавидел дачные выезды и загородные компании, к шашлыку не чувствовал ни малейшего влечения, а от авторского пения под гитару сатанел с детства. Тут ложью было все — романтика, дружество, пленэр, — эрзац-шашлык на эрзац-природе под эрзац-песню, с той же примерно искренностью взаимного притяжения, с паленой водкой из пластиковых стаканчиков, и каждый в глубине души чувствовал всю второсортность такого отдыха, но старательно имитировал эйфорию, непонятно только зачем. Впрочем, тоже бином — это ведь были, как правило, выезды коллег, в последнее время называющиеся тимбилдингом. Надо было продемонстрировать компанейский нрав, кооперативность, локоть — как еще у них там называется эта теплая сплоченность ненавидящих друг друга особей, которые с визгом подхватывают босса, спиной падающего с сосны? Выезд лепрозория на природу, не хватает только персонала, заказывающего бегать слишком быстро: голеностоп отвалится, у нас, прокаженных, это запросто.

Галина певуче позвала всех к костру, поблизости Вулых колдовал над мангалом, бородач перебирал струны, а единственная симпатичная особа лет тридцати — вероятно, Елена Бурмина, — яростно кромсала зелень. По бумажным тарелкам раскладывались неровные бутерброды с сыром и ветчиной. Человек, похожий на Карнаухова, — в его клочковатой седине так и чувствовалась карнаухость, как привык представлять ее Свиридов, — извлекал из ведра с ледяной водой многочисленные бутылки «Русского стандарта». Надо было подойти к Бодровой, узнать, по сколько сбрасывались, — со Свиридова никто не взял денег, а угощаться на халяву он не привык.

В три пополудни началось скромное пиршество. Первый тост произнес предполагаемый Карнаухов, оказавшийся, впрочем, Смирненковым. Свиридов нащупал новый возможный принцип объединения: фамилии у всех были на редкость нейтральные, вообразить по ним можно было кого угодно. Набоков месяц корпел над списком Лолитиных однокашников по рамздэльской гимназии, если не врал и не перекатал его из местной телефонной книги, но за Виолой Мирандой или Кеннетом Найком мерещатся такие ассоциативные бездны, что обозначается хоть мерцающий силуэт, — а из всего своего списка Свиридов мог вообразить лишь Григория Наумовича Лурье, да и то не имел возможности сверить его с реальностью, ибо Лурье собранием манкировал. Что мы видим при слове «Смирненков»? Честно говоря, маленькую бутыль смирновской. Смирненкову было за сорок, он обладал широкими сутулыми плечами, бугристой головой и деревянным голосом, каким в старых мультах разговаривали мудрые пни, наставляя не в меру резвых зайцев.

— Дорогие товарищи! — сказал он и переждал волну неизбежных выкриков «Товарищей давно нету». — Нет, есть. Я хочу, понимаете, этому, так сказать, слову «товарищи» вернуть его, так сказать, смысл. Мы очень в последнее время увлеклись словом «товар», но происходит-то не от этого слова! Нет, мы товарищи потому, что мы одного поля и как бы одной крови, вот так я позволю себе сказать, хотя мы видим тут все друг друга впервые. Я предложил бы, товарищи, посмотреть, так сказать, с другой стороны. У нас всех, конечно, в связи с этим нашим статусом небольшие проблемы и так дальше, и так дальше. Но я хочу сказать, что даже если мы имеем список на что-то плохое, есть, так сказать, и хорошая сторона. Мы, можно выразиться, расширили круг общения, вот появились у нас новые друзья, а так мы вряд ли собрались бы в субботу, всё на диване и на диване. И лично я так предполагаю, хотя меня, так сказать, и прорабатывали всегда друзья за неуместный, как говорится, оптимизм, но есть мысль, что вовсе и ничего страшного. Что это, может быть, простите за фантазию, так? — что это, может быть, просто чтобы люди начали общаться. Вот так их разбить по спискам, по компаниям, и чтобы началось наконец нормальное общение, а то все чрезвычайно разобщены. Я сам военный, так, в отставке, так? — и должен сказать, что коллектив все-таки не самое последнее дело. А сами бы никогда не организовались, потому что мы так живем, ждем, когда нам подскажут. И я поэтому хочу поднять, так сказать, бокал, стакан — за то, чтобы мы даже из плохого сделали хорошее, а может, и не будет плохого. В общем, как говорится, за почин! — и залпом выпил.

— А он дело говорит, — тихо сказал Клементьев.

— Какое дело?

— Насчет посмотреть с другой стороны, — хитро ответил Клементьев, склонив голову набок и оценивающе глядя на Свиридова.

— Оптимистами все стали, сил нет, — буркнул Свиридов.

— А вы сами подумайте — нельзя же так сужать спектр! Я понимаю, конечно, что история давит. Но в этой истории всякое бывало, не только расстрельные списки. Почему бы вам не предположить, — Клементьев оглянулся на внимательно слушавшую кореянку лет двадцати пяти и поощрительным кивком вовлек в беседу, — что весь этот список единственной задачей имеет структурирование?

— Структурирование чего? — не понял Свиридов, в ожидании доспевающего шашлыка обманывая голод сырным бутербродом.

— Вот хотя бы общества. Его главная беда сегодня — бесструктурность. Нарушение горизонтальных связей. А без них вертикальные не действуют, я вам как конструктор скажу. Можно надавить сверху, но давление будет точечное. Что-то проваливается глубже, что-то не поддается вообще. А когда общество прошито на горизонтальном уровне, — он начертил в воздухе решетку, — тогда можно эффективно управлять. Мы знаем один список, но их наверняка больше. Может быть, десятки.

— И где они все? — спросила кореянка. Ей начинала нравиться эта гипотеза.

— Со временем объявятся. Сама идея элегантная, почему я и думаю, что это не единичный случай. Объединить людей не по изначальному признаку, а по тем, которые выявятся в процессе. Скажем, мог быть список блондинов, или кавказцев, или евреев. — К их разговору прислушивалось все больше народу, и это было отвратительно — Свиридов не умел откровенничать прилюдно, а Клементьев говорил интересно, жаль прерывать. — А можно так: выявим тех, кто готов подключаться к списку в интернете. Как себя поведут? Это же выявление нескольких вещей сразу: инициативность, готовность к сотрудничеству, выезд вроде нашего, способность к коллективному труду, я не знаю, еще какие-то признаки — это уже к социологам, если есть социологи. Есть социологи? — крикнул он погромче.

— Менеджер по персоналу есть! — отозвался один из тройки.

— Ну вот, хоть так, — продолжал Клементьев. — А дальше другие списки, другие структуры, с новыми задачами. С этого всегда начинают, когда надо создать управляемое общество: творческие союзы, профессиональные объединения, профсоюзные ячейки — это все искусственные горизонтальные связи. Но это оказалось неэффективно и в конце концов погубило советскую власть — потому что у каждой касты свои ценности и свои привилегии. А здесь не профессиональный, и не национальный, и не другой признак — а живое творчество в действии. И все зависит от нас.

— По-моему, — негромко сказал Свиридов, стараясь отсечь от разговора максимум посторонних, — вы приписываете им слишком сложные мотивации. Все гораздо проще.

— Например?

— Например, люди, чья профессия признана неэффективной. Эффективных осталось две — те, кто сидят на трубе, и те, кто чешет им пятки. А вы с вашими новыми вагонами и я с моими сценариями можем идти лесом.

— Но ведь им надо в чем-то ездить? — спросил Клементьев. — Что-то смотреть?

— Будут ездить в чешском и смотреть американское.

— Ну нет, это вы себя недооцениваете. Наоборот, им нужно только свое. И вы зря все ограничиваете нефтью. Если посмотреть данные за последний квартал, то по перерабатывающим рост уже опережает добывающие...

Свиридов не был готов спорить на этом уровне. Он ничего не понимал в статистике и доверял интуиции, а интуиция говорила, что все неконкурентно, кроме нефти. Подоспел шашлык, и Вулых принялся радостно раздавать шампуры. На другом конце лужайки, под березой, разгорелась дискуссия о преимуществах «лексуса» перед «брабусом». Это было еще непонятней, и Свиридов лишний раз выругал себя за некомпетентность во всех делах, составляющих истинную жизнь. Он получил порцию сырого шашлыка и выпил второй стакан — под тост такого же сырого толстяка за гостеприимных хозяев.

— И какова перспектива? — спросил он прилежно жующего Клементьева.

— Ну, это я не знаю. Но предположить, что вся отечественная социология только замеряет данные к будущим выборам, — никак невозможно. С выборами все понятно, а должны же они и еще что-то делать. Допустим, есть случайная выборка людей, занятых на коллективном производстве: обратите внимание, даже у вас коллективное. Хотя вы сценарист. Но в сериале это общее дело, без кабинетного творчества.

— Ну допустим, — согласился Свиридов.

— И они смотрят, как эти люди сорганизуются. Образуется ячейка, завязываются связи, преодолевается изоляция, из-за которой каждый за себя. Возникает социальная солидарность, которой сейчас нет — а она нужна, потому что без нее не будет работать никакое государство. Взаимопомощь, информационный обмен, — в общем, все работает. Это их кто-то надоумил, или сами они дошли, что у нас достаточно составить список — и мгновенно образуется плотная структура. А представьте себе несколько пересекающихся списков, с общими членами. Это уже модель общества, разве нет? Вы заметили, какая сейчас мода на одноклассников?

— Ой, точно! — вступила бледная девица с черными прямыми волосами. — Это эпидемия какая-то. Ввсе ищут одноклассников. Мне сколько хочешь заплати — я не пойду на эти рожи смотреть. А они добровольно рыщут.

— И земляков, — добавил кроткий очкарик лет двадцати, высокий и анемичный. — Прямо помешались все. А у тех, кто из Грозного и Припяти, два таких сообщества — мама дорогая. Тоже все встречаются. Городов нет давно, так они виртуально восстанавливают, кто с какой улицы. Недавно из Грозного двое нашлись, так друг друга ненавидели, всю школу дрались. А теперь неразлейвода.

— На том свете так и будет, — сказал Свиридов. — «Вы из Рязани? А с какой улицы?» Здесь — всю бы жизнь друг друга не видать, а там будут как братья. Кстати, с Профсоюзной есть кто?

Никто не откликнулся.

— Так у нас тот свет раз в тридцать лет и наступает, — объяснил красный толстяк, лежавший у костра. — Бац — новая страна. Все отобрали, половину посажали, они там встречаются — здорово, Коля! Здорово, Вася! Ты со Страстного, а я с Тверского!

— Встретились два друга на вокзале, видимо, не виделись давно, — процитировал усатый балагур. — Долго обнимались, целовались, хер пока не встал у одного.

Девица с прямыми волосами расхохоталась.

Бегло обсудили, кому какие неприятности принес список. Как ни странно, неприятностей почти не было — а случившиеся были слишком разнообразны, чтобы выглядеть частью генерального плана. Хмурого Корягина развернули в ОВИРе, сказав, чтоб приходил за загранпаспортом через два месяца, когда ситуация определится; что определится — не сказали. Горчакову с сыном вызвали в поликлинику на флюорографию. Ломовой задержали приватизацию жилплощади, сказали, что должны исследовать все обстоятельства. Колесникова, менеджера по продажам в крупной сотовой компании, отправили в принудительный отпуск. Коркину, крупье из казино (никогда бы не подумал, интеллигентный мальчик), ничего не было, начальство даже выписало премию, чтоб не волновался. Симонов получил разнос от директора своего FM-радио: директор сказал, что сотрудник «Столичной службы новостей» должен быть безупречен, но чем именно Симонов провинился — директор не знал. Похоже, всех хотели как-то наказать за попадание в список, но еще не знали, как именно, и выжидали, как списанты проявят себя. Время прощать тех, кто привлек внимание, уже прошло, но время сажать без причины, просто за то, что попался под руку, еще не настало; все существовали в промежутке. Кажется, меры по списку принимались на местах самодеятельно, в меру личной инициативы: на таможне пристальней досматривали, в ОВИРе задерживали паспорт, а в казино поощряли, поскольку в перевернутом мире порока уважают за преступление. Чего бы ни сделал Коркин, чтобы попасть в список, — это заслуживало поощрения, как мелкие пакости в школе для чертенят. Подложил маме гвоздик — садись, пять.

— Пять процентов отпустят, остальных — кых, — сказал Корягин, турист-экстремал с висячими усами, чиркнув себя по горлу.

— Почему пять процентов? — заинтересовался Свиридов, подивившись совпадению чужой реплики со своей мыслью. Вероятно, теперь весь список тайно резонировал.

— Закономерность такая. В любом здешнем списке пять процентов пролетают мимо цели. Для отмазки. Когда скажут, что все по списку, — вот же, пожалуйста, у нас исключение! Евреев не берут на госдолжности — но вот у нас еврей. В институт берут только блатных — вот неблатной. Расстреливают всех умных — вот, пожалуйста, умный, побили и выпустили, теперь гербарий собирает и Бога за нас молит.

— Это хорошее соображение, — похвалил Свиридов.

— Товарищи, а есть Свиридов? — робко спросила веселая толстая девушка в очках. — Я читала в «Дне».

— Я, — буркнул Свиридов.

— Ой, я вас поздравляю. Я вам жутко благодарна.

— За что? — Он ожидал подколки, ничего не поделаешь, такая профессия: знаешь сам, что гонишь лажу, и думаешь, что догадываются все.

— Благодаря вам это попало в прессу. Я Наташа Корзинкина, кстати. Ну, правда, они извинились сразу, что нет никакого списка...

— Этот репортаж даже из сети пропал, — подтвердил анемичный очкарик. — Им, видно, по шапке дали.

— Но все уже знают. Это, конечно, список не для телевидения, тут они слажали, но главное, что уже напечатано. То есть секретность порушилась, понимаете? Вы привлекли внимание, спасибо.

— Да уж, — сказал Смирненков. — За такое внимание...

— Ничего, ничего. Это же все вранье, наверное? — сочувственно спросила Корзинкина.

— Почти, — признался Свиридов. — Никого я не травил.

— Товарищи, качать Свиридова! — закричал очкарик.

— Свиридов? Свиридов здесь? — спрашивали со всех сторон.

— Не переживайте, они вас вернут на работу...

— Сволочи какие, наврали все...

— Они про всех врут. Папарачечная, их так и называют.

— Свиридов! Если вас выгонят, мы скинемся!

Сочувствие, хоть и от прокаженных, было приятно: все-таки не Шептулин, приличные люди, хоть и попавшие в список, но ни в чем не виноватые. Кажется, первый этап пройден: Свиридов разрушился настолько, что радовался всякому доброму слову от полузнакомых людей, попавших в то же идиотское положение. Остановись, сказал он себе, радоваться тут нечему, — но безотчетно расплылся в улыбке.

— Спасибо, спасибо.

— Вы Свиридов? — новым жестким голосом спросил его приплюснутый.

— Ну! — ответил он с вызовом, сразу подобравшись.

— «Спецназ»?

— «Спецназ».

— Хороший сериал, — со значением сказал приплюснутый, подошел, пожал Свиридову руку и вернулся под березу.

— Слава России! — закричал вдруг злобный, и вся его тройка подхватила:

— Слава России!

— Слава, слава, — миролюбиво сказал толстяк. — Что это вы вдруг?

— А мы не вдруг! — крикнул злобный. — Это был тост.

— За Россию, что ли? — спросил Вулых. — За Россию можно...

— А с какой стати вдруг? — не поняла маленькая толстая девушка, небось Whiterat, судя по боевитости. — Она сегодня сделала что-то хорошее?

— Она много чего сделала, — ответил третий, до сих пор молчавший, свинообразный, с белесыми ресницами и длинными волнистыми локонами. — Не спрашивай, что сделала Россия, спрашивай, что сделал ты.

Непонятно было, издевается он или серьезничает: улыбочка была самая глумливая.

— Золотые слова! — сказала Галя Вулых и опрокинула стаканчик.

— А чего сидим? — с деланным непониманием спросил приплюснутый. — Не, я не понял, список, чего сидим? Мы за Россию пьем, вашу мать!

Никто не знал, как реагировать. Очкарик стал нерешительно подниматься. Скоро стояла уже половина списантов.

— Бодрей, бодрей! — командовал свинообразный, сам с кряхтеньем поднимаясь на четвереньки. — А девушки что, я не понял, не в России живут? Девушки, это не ваша страна?

— Женщины не пьют стоя, — попытался урезонить его толстяк у костра. Он уже вскочил и теперь стряхивал травинки с пуза.

— Женщины тоже люди и тоже россияне, — назидательно сказал злобный. Он уже скользнул по Свиридову своим косым, обрывающимся взглядом, и Свиридов, решив не заедаться, тоже встал. Чувствовал он себя отвратительно.

— Ну, слава России! — крикнул свинообразный и картинно осушил стакан.

Все молча выпили. Тройка синхронно крякнула и завалилась назад под березу. Остальные неловко уселись вокруг костра и молчали.

— А что ж, дельный тост, — сказал Клементьев. — Если бы не Россия, кто бы нас тут собрал?

— Если бы не Россия, — агрессивно начал приплюснутый, — если бы не Россия... Вы знаете, где вы были бы, если бы не Россия? Вас никого бы не было, ясно? Вот вас конкретно. Уже хватит вот хихиканий этих! Уже хихикаем, хихикаем!

— А зачем вы хихикаете? — спросил Свиридов.

— А мы не хихикаем! — развернулся к нему приплюснутый. — Сейчас вообще не об этом речь, ясно?

— Да ясно, ясно, — миролюбиво сказал Клементьев. — Вы очень любите Россию, все счастливы. Кстати, вы не представитесь? А то мы все тут знакомимся постепенно, для того и встреча...

— Меня зовут Бобров Игорь, — представился приплюснутый, — я специалист по продвижению брендов.

— Вячеслав Гусев, издатель, — сказал свинообразный в пространство, ни на кого не глядя.

— Панкратов Максим, координатор, — с вызовом рявкнул злобный, не уточнив, что такого координирует.

— Ну и отлично. А какие у вас, молодые люди, есть версии насчет списка? — поинтересовался Клементьев.

— Версии — не наше дело, — вальяжно ответил Гусев. — Внесли в список — значит, надо. Я считаю, кто вносит, тот знает. А то рассуждаем очень много, а дело делать некому.

— «День опричника», — тихо сказал очкарик.

— Нет, это не «День опричника», — так же тихо отозвался Свиридов. — Это Кафка в провинциальном исполнении.

— В общем, надо каждому на своем месте просто делать дело, — подытожил Гусев.

— Ой, бля, как надоело, — тихо сказала девица с прямыми волосами. — Почему все одно и то же? Везде, куда ни придешь. Обязательно такой есть и командует.

— В общем, как здорово, что все мы здесь сегодня собрались! — примирительно воскликнул бородач и запел одноименную песню. Со второго куплета все дружно подхватывали припев. Свиридова едва не вырвало. Он решил напиться, чтобы заглушить омерзение, и почти выполнил задуманное. Скоро ему было плевать и на тройку, и на список. Прямоволосая уже стала казаться ему симпатичной. Она подсела к нему и предложила выпить за знакомство.

— Я Марина, — сказала она.

— А я Сережа, — признался Свиридов.

— У тебя отец есть? — спросила Марина.

— Был, погиб. — Вдаваться в подробности Свиридов не хотел.

— А у меня не было. То есть был, но мать не говорила ничего. Знаешь, тут все без отцов.

— С чего ты взяла?! — такая версия Свиридову в голову не приходила.

— Ну, я поспрашивала. У Игоря давно умер, это понятно. Эдик вот, — она кивнула на очкастого, сомнамбулически подпевавшего «Городу золотому», — тоже без отца, развелись. Я думаю, это как-то связано.

— Да на кой им безотцовщина?

— Исследование такое. В одном списке будут без отцов, а в другом с отцами. И будут сравнивать, кто эффективней.

— Да ну тебя. Эти трое что — тоже без отцов?

— Точно, — сказала Марина. — Отсюда вижу.

— И как ты это видишь?

— Очень Россию любят. Она им за отца.

— Блин, — удивился Свиридов. — Тебе бы сочинять. Ты не сочиняешь ничего?

— Нет, я шью. В ателье.

— А я сочиняю, — гордо сказал Свиридов. — Сценарии.

— Ой! — обрадовалась она. — Хабеныча знаешь?

— Знаю. Что вы все на Хабеныче с ума сошли?

— Ой, он клевый! — Она сама захихикала над собственной глупостью. — Чего, родили они кого-нибудь?

— Не знаю, я у них не крестил. — Свиридов сердился, когда его начинали расспрашивать о звездах. Получалось, что сам он никому не интересен.

— Он клевый, — повторила Марина. — А ты что написал?

— Я много написал, неважно, — сказал Свиридов и неожиданно для себя начал ее тискать. Она не сопротивлялась и поощрительно повизгивала. Вскоре они уже целовались за домом.

— Мне нельзя сегодня, — деловито сказала она после особо затяжного поцелуя.

— Да я не рвусь, — успокоил Свиридов. — Знакомство.

— Знакомство можно.

Несколько стихийно образовавшихся пар уже укрывались в смородине и за гаражом. Запахло росой, скошенной травой, смородинными листьями. Контингент постарше перешел на советские песни.

— Светит незнакомая звезда-а-а! — неслось от костра. — Снова мы оторваны от до-о-ома...

Свиридов, чья злоба прошла, а страх притух, почувствовал вдруг невыносимую жалость к этим людям. У них все время что-нибудь отнимали, а они все умудрялись любить жизнь и то, что им предлагали вместо нее. Кому они что сделали, в конце концов, перед кем провинились, что их занесли в идиотский список? Теперь небось в Анталью не выехать. Сидят на садовом участке, умудряются быть довольными. «Светит незнакомая звезда»... Ехали, куда прикажут, срывались с места, были счастливы. Еще и пели. «Надежда, мой компас земной». Какой ужас, что они умудряются надеяться. Пойти и сказать им, чтоб не надеялись ни на что. Надежда — худший компас, обязательно заведет в бездну, и, падая в бездну, все еще будут надеяться. Марина в нетерпении тянула его к себе, но ему не хотелось ничего делать с Мариной. Опьянение вошло в элегическую фазу, он всех жалел.

— Эх, Маринка, Маринка, — сказал он. — Хорошие же люди.

— Я из Краснодара сама, — сказала она, не понимая, о чем речь. Она-таки крепко набралась. Он и сам крепко набрался, но ясности ума не утратил. Подойти к костру, сказать им всем, что они прелестные люди, что он рад разделить с ними список... «Ты ж мене пидманула», — грянули они. Хорошие советские люди, которым ничего не сделалось, вот они, все тут как тут. Маринка стала рассказывать про Краснодар, как она там училась в балетном. Когда они со Свиридовым вернулись к костру, список уже частично разбрелся — кто-то ушел на станцию к вечерней электричке, кто-то храпел на веранде.

— Сергей! — окликнул его кто-то.

— Ау! — дурашливо отозвался он.

— Здравствуйте, я Борисов. Лева Борисов. Вы небось не помните меня?

— Нет, не помню. А откуда?

— А я у вас однажды на «Родненьких» юридическую помощь оказывал. Я адвокат, цивилист. Вам не надо?

У списка были свои преимущества, хорошо, если найдется стоматолог или водопроводчик.

— Пока без надобности, — сказал Свиридов. — Хотя скоро, наверное, вы нам всем понадобитесь.

Борисов одобрительно усмехнулся.

— А ничего тут у нас, а?

— Да отлично, — сказал Свиридов. — Разве б иначе собралось столько хороших людей?

— Ездить будем, выпивать, — продолжал адвокат. Он был хитрый, но доброжелательный, словно предлагал свою хитрость как орудие в борьбе против темных, но неизменно тупых сил. Зло всегда тупо, потому-то мы и живы.

— А у вас какое мнение — почему нас всех это... сюда?

— Почему вы думаете, что я знаю? — трезво спросил Борисов. Он подошел к перилам веранды, и Свиридов разглядел его по-настоящему: толстый, но сильный, он знал этот тип. Круглая, наголо бритая, но не лысеющая голова. Что ж он, бреется, чтобы братки за своего держали? Но вроде цивилист...

— Мало ли, адвокаты всегда все знают...

— Адвокаты много болтают, это да, — прежним дурашливым голосом подтвердил Борисов. — А знают не больше вашего. Но знаете — думаю, ничего страшного. Мне кажется, лучше попасть в этот список, чем в другой.

— А будут и другие?

— Обязательно, — кивнул Борисов. — Только те уже будут знать, за что. А эти — кто попался. Всегда бывает такой период, хватают, кто попался. И ничего особенного не делают. Насколько я знаю, этот список — первый. А при терроре очень важно успеть в первый список. — Он назидательно поднял палец. — Еще есть ограничения, понимаете? Еще им не все можно. И я всегда клиентам говорю: лучше раньше.

— Что раньше?

— Все раньше. Вы мой телефон запишите, если понадоблюсь. Я адвокат вообще хороший, дорого беру, но своим бесплатно.

Это он явно сказал не спьяну, оценивая себя трезво. Свиридов внес прямой номер Борисова в мобильник, обменялся с адвокатом вялым рукопожатием и отпустил досыпать в темную, с настоем древних дачных запахов глубь веранды.

— А как бы нам уехать? — спросил он хозяина.

— Есть автобус на Москву в девять, — сказал Вулых, одобрительно глядя на них с Мариной. — От Алтырина.

— Ну, пойдем на автобус, — сказал Свиридов.

— А че, ты остаться не хочешь? — спросила Маринка. — Можно же.

— Нет, мне домой.

— Ну щас, еще выпьем и пойдем.

— Тебе хватит.

— Не командуй.

Хор грянул «Ой, да не вечер, да не вечер». Гусев присоединился и визгливым поросячьим фальцетом подтягивал за второй голос: «Мало спало-о-ось»... Свиридов терпеть не мог эту песню, неизбежную в любом застолье, и решительно встал.

— Пойдем, Мариш, хватит.

— Ой, ну ты нудный, — сказала она. — Ты нудный жутко. Как тебя Хабеныч терпит, я вообще не пойму.

— Ну и сиди, — обозлился Свиридов и пошел к воротам.

— Ладно, — она вскочила и догнала его. — Поехали. Будешь по дороге рассказывать про Хабеныча.

Но рассказывать про Хабеныча он не стал. Сгущался красно-синий ветреный вечер. По всему окоему вольготно разлеглись сиреневые облака. За лесом начиналась тоскливая звенящая даль, через дальнее поле шагали вышки ЛЭП, пахло нагретой травой — вокруг было все, что Свиридов давно запретил себе видеть. Он не мог этого выразить, а в невыразимом виде все это было слишком грустно, потому что обманывало, говорило о том, чего нет. Вся красота мира прикрывала в лучшем случае пустоту, в худшем — зловонную пасть, и отсюда была невыносимая детская тоска, с которой он смотрел на зеленые летние закаты, сырые леса, вечерние спальные районы. Он смотрел, а все это его пожирало и никаких других целей не имело. Но сейчас он был пьян и не видел изнанки всего, а видел только дивную просторную тоску, красный восток и синий запад, и след самолета через все небо, медленно расплывавшийся в широкую розовую колею. Надо было ловить момент — он знал, что скоро наступит безразличие, а сейчас можно было кое-что сформулировать.

— Это все-таки не Кафка, — говорил Свиридов, не особенно заботясь о том, слушает ли Марина. — Особый жанр, чисто местный. Научились уютно существовать внутри Кафки, вот в чем дело. Все пытаются понять, а ведь очень просто. Вся так называемая особость заключается в уютном существовании внутри того, в чем жить нельзя. Человек этого вынести не может, но особый отдельный тип может — и счастлив. Им спустили список, вырвали из жизни, выставили на позор, подвергли непонятной репрессии неизвестно за что. Им — Божия роса. Они поехали на дачу, нажарили шашлыков, ужасно счастливы. Это как, знаешь, бывают выезды инвалидов на природу. Я читал. Их ничто не объединяет, кроме того, что больны. Ходить в походы с нормальными людьми они не могут, им тяжело, они отстают, задыхаются, с чужими стыдно. А тут все свои, крестовый поход инвалидов, тоже наверняка с гитарой, сидят у костра, едят инвалидный шашлык, поют инвалидные песни. Умение сделать жизнь из всего, вот так бы я сформулировал. Всякое сообщество структурируется как лагерь, и во всяком лагере уют. Нарастает субкультура, фольклор... Если б это было где напечатать, я бы написал. Вот ноу-хау, двухступенчатое! — Он даже остановился, так ему понравилась эта конструкция. — Сначала делаем невыносимым, потом выносимым. Сперва научиться из всего делать барак, потом этот барак обустраивать, вешать занавесочки, поливать цветочки. Песня была — мы рождены, чтоб Кафку сделать былью; нет, мы рождены, чтоб Кафку сделать дачным поселочком, цветочком, палисадничком. И все наши песенки, все наши ремесла — роспись стен в бараке, плетение из колючей проволоки...

— Это точно, — сказала Марина, как если бы все понимала, хотя не понимала ничего. — Вот у меня тетка в Таганроге, у нее первый муж. Алексей. Водитель. Он пил, но выпиливал, а второй не пил, но и не выпиливал...

Такие люди, как Марина, всегда рассказывали исключительно о своей родне — то ли потому, что их мир ограничивался ближним кругом, то ли потому, что эта родня была так огромна и разнообразна (простые люди учитывают всю родню, вплоть до самой дальней, ибо дальше базовых идентификаций не идут), что в самом деле могла заменить собою мир: все, что может случиться, уже случилось с теткой Настей, шурином Юрой и девером Колей. Свиридов не слушал историю про тетку в Таганроге, он восхищался собственной формулой про способность сначала построить ад, а потом сделать его уютным, привязать к себе кучей сентиментальных обстоятельств, чтоб и переезжать жалко. Он еще не знал за Мариной удивительной способности рассказывать истории со сдвигом — не к случаю, а под углом к случаю, так что слушатель, взявшийся проследить ее прихотливую логику, понял бы что-то необыкновенное, но такого слушателя, как назло, не находилось, и у Марины была репутация блаженной, хотя она всего-то мыслила ходом коня. Правда, Свиридов уже вошел в такое состояние, в котором развитие собственной мысли интересней любого резонанса с чужой.

— Дурной прием, — говорил он, не особенно заботясь, слушает Марина или нет. На вечерней автобусной остановке, кроме них, сидели две старухи с корзинами грибов да печальный длинноволосый старик с прозрачными глазами Божьего странника. За шоссе растекался закат, и земля под ногами вздрагивала от тяжелых фур, грохотавших в сторону Москвы. — Двойка по профессии. Замкнутое сообщество. Не умеем выстраивать нормальный линейный сюжет — собираем компанию в замкнутом пространстве, искусственная невротизация, истерика. Захват заложников или двенадцать разгневанных идиотов.

— «Теремок», — подсказала Марина.

— А... ну да. Вашему терему крышка. Нас этому учили на втором курсе. Я тебе заранее расскажу все, что будет с этим списком. Потому что нет ничего более предсказуемого, Господи, ничего более идиотского, чем все эти сюжеты в замкнутом пространстве со списком типичных представителей. Ты никогда не думала, почему они сейчас все эти сюжеты выстраивают в закрытом пространстве? «Команда», блин. Десять, двадцать, сто двадцать человек. Все расписаны по нишам, только в одном случае это ниша на одного, а в другом на десять. Дальше все понятно. Сначала краткая эйфория от того, что все нашли друг друга, никто больше не одинок, никто уже не наедине со своей болячкой. Можно вытащить на люди свой позор, ужас, не стыдиться его больше. У вас трофическая язва? Подумайте, какое совпадение, у меня тоже трофическая!

Марина хотела было встрять с историей про бабушку, належавшую себе трофическую язву в боку, но прикладывание отварного лука сделало чудеса. Свиридов терпеливо переждал первые три фразы, взял ее за плечи и слегка встряхнул.

— Марина, — сказал он. — Я тебя обожаю.

Она захихикала.

— Я тебя обожаю, Марина, — повторил он. — Я ужасно опасный маньяк, вампир, сейчас темно, лес кругом, эти несчастные тебя не спасут, до автобуса еще долго. Если ты мне расскажешь еще хоть одну историю про своего родственника, я съем твою печень всю, всю. Целиком. Ты поняла, Марина?

— Все, все, молчу, — сказала она, пьяно смеясь. Он не напугал ее ничуточки, вообще был прикольный.

— Ну вот, — продолжал Свиридов. — Я сейчас легко могу потерять нить, а тут ты со своими бедными родственниками, с Хабенычем... Ненавижу, блядь, бедных родственников, вообще любых родственников, что вы лезете с вашими имманентностями! Все зло в мире от имманентностей: кровь, почва, родня. Все списки составляются по этому признаку. Родственники. Куда тебе на хер столько родственников, ты с собой разобраться не можешь... Идем далее: эйфория кончилась начисто. Больному нужен врач, а не другой больной. С другим больным можно в лучшем случае успокоиться, перекурить, а болезнь прогрессирует! Она не может не прогрессировать, вирус вброшен, одних уже выгоняют с работы, за другими устанавливается слежка. Что мы имеем внутри замкнутого сообщества? Элементарное драматургическое правило: имеем рост взаимной ненависти, раздражение, раскол по группам. Что распространяется не только на списки, не только на камеру, но на закрытую страну, в которой все меньше чего делить. Закрытость предполагает, что обязательно станет нечего делить. Все закрытые ресурсы исчерпаемы, на чем ни объединяйся. Начинается ненависть, вражда, склоки в интернете, а главное — составление списков внутри списка. Этот недостаточно лоялен, тот не явился на воскресный пикник, третий хотел перебежать в другой список. Возникает альтернативный центр. Одному — положим, это будет Бодрова, — все сдавали деньги на шашлык. Сдавали и сдавали, но тут появился второй, который сказал, что шашлык жесткий. Ты меня слушаешь вообще?

— Я сикать хочу, — захихикала пьяная Марина.

— Ну поди вон в кусты посикай, я хоть поговорю спокойно. Когда никто не слушает, легче, чем когда одна не слушает.

Язык у него уже слегка заплетался. Марина спрыгнула с дороги и зашуршала кустами. Свиридов подумал, что совершенно ее не хочет. Подкатил высокий белый автобус из Сергиева Посада, Марина еле успела выбежать из кустов. Народу было мало, в субботу вечером никто не рвался в Москву. Они уселись впереди, прямо за водителем.

— Ну дальше-то? — спросила Марина. — Шашлык жесткий.

— А, да. Возникает альтернативный центр. Сдавайте мне на шашлык, и будет мягкий. И почему вообще Бодрова, кто назначил Бодрову? Активничала много, на первом этапе лидирует всегда тот, кто активничает. Но первый этап миновал, выявился настоящий лидер, человек, умеющий извлекать пользу из говна. Мы в говне? — но и в говне можно делать карьеру. Сейчас я стану в говне главным, буду представителем в нормальном мире от говна, войду в народный хурал, надушусь, чтоб не пахло, буду в хурале громче всех говорить, стану спикером хурала, весь хурал превращу в говно... Но для этого сначала надо стать королем увечных. Увечные! — заорал Свиридов, так что старухи вздрогнули. — Изберите меня королем! Отлично, избрали. Идет долгая склока между традиционалистами и новаторами. Дальше полный раскол, неизбежный в закрытом сообществе. Невротизация. Это для дилетантов: не можешь строить сюжет — запри всех в комнате, все будут орать... Закрытые общества, запертые помещения — детское решение, маразм, распад профессии. Заперли всех, и вроде жизнь. Но это же паллиатив: визгу много, развития нет, смотреть невозможно. Что имеем потом? Вариантов два, оба внешние. Либо спускается высокая общая цель, заставляющая временно забыть о распрях. Ибо проказа не есть еще универсальный объединяющий признак, тебе понятно?

Марина кивала, но голова у нее моталась все безвольней. Ей хотелось спать. Посикала, и хорошо.

— Спускается цель, — продолжал Свиридов. Думать вслух было легче. — Но самообольщения следует оставить, никакой цели ведь нет? Ведь это список не для того, чтобы делать что-нибудь великое. Это список из тех, кто уже сделал что-нибудь не так. Например, здесь родился. И тогда вступает другой внешний момент, а именно: из нашего списка начинают исчезать по одному. И это сплачивает сильнее всякой цели, потому что соседа ты, может быть, видишь в последний раз. А может, тебя все видят в последний раз. И те, кто остается, сплачиваются все теснее, и любят друг друга все сильнее, и наконец, в критический момент, когда их остается десять человек, не могут больше выносить ожидания и кидаются в прорыв! Ааааа! И эти десять последних производят великий бенц, потому что любого действия боятся меньше, чем бездействия. Варшавское гетто. Вот такое будет развитие, и больше никакого. А если вообще ничего не будет, если они просто составили список и глядят, то через три месяца все развалится вообще. Будет десять списков по интересам и яростная взаимная вражда, что мы, собственно, и имели в застой. Закрыли страну, но ничего не предложили делать. Миллион списков по двадцать человек, эзотерические кружки, марксистские кружки, кухонные кружки, все друг за другом приглядывают и друг на друга стучат. То есть либо всех истребят извне, либо все доедят друг друга. Хорошо иметь дело с драматургом, скажи, Марин? Все знает, всему учили...

Но она уже спала, а скоро и его сморило. Автобус остановился у трех вокзалов. Во сне Марина привалилась к Свиридову и не видела причин ехать домой. Он отвез ее к себе и, несмотря на календарные обстоятельства, трахнул. Это не доставило ему ровно никакого удовольствия, а для нее давно не было заслуживающим внимания событием. Она, кажется, и не заметила. Утром Свиридов напоил ее кофе и с облегчением выпроводил. Нельзя изменять Але, самому потом мерзко. Какой это ужас, если вдуматься, — встретить кого надо. Как жить с идеалом? То, что она боится съехаться, — правильно, быт может убить все, с другой бы не жалко, а с идеалом жалко. И заменить некем. Свиридов набрал ее, но она еще спала, мобильный был отключен, городской молчал.

5

Впереди было долгое пустое воскресенье. Свиридов с тоской подумал о временах, когда был постоянно занят и мечтал о трех свободных часах, чтобы написать свое. Теперь у него было время, но ни малейшего желания сочинять. Он влез в душ, открыл холодную воду, отгоняя утреннюю жару, проклял окна дедовой квартиры, выходившие на восток, — солнце било в глаза, — плотно задернул занавески, навел чистоту, что всегда добавляло самоуважения, и сел за компьютер. Почты не было, новостей тоже. В это время миллионы счастливых представителей среднего класса в подержанных иномарках устремляются в «Икею», дети резвятся в детском городке, родители вдумчиво выбирают табуретки и бра. Почему я их так ненавижу? Потому что они не просто выбирают табуретки и бра, но позиционируют себя. Мы представители среднего класса, мы перекачиваем воздух, за нами будущее. Мы встроились в будущее, нам повезло. Этот табурет мы поставим в нашей детской, которую имеем, а это белое металлическое кресло на лужайке, которую имеем также. Мы также имеем песик и котик, заходим в сообщество «песик.ру» и делимся познаниями о способах кормления песика, не успевая упомянуть впроброс, как любим мужика, сыника... Выкладываем фото, рассказываем о проблемах, но всякий наш рассказ о проблемах есть, в сущности, рапорт об успехах.

Если бы списка не было, его стоило выдумать. Все так и стремятся в список по любому признаку, весь ЖЖ разбит на сообщества: любители котиков, песиков, «Икейки». Хлебом не корми, дай в чем-нибудь состоять. Он открыл «Word» и начал давнюю историю про реалити, ни к чему не обязывающую комедию для Дишдишяна, но слова не складывались в предложения. Он не знал за собой такой беды, обычно сочинял быстро, но сейчас после каждых трех фраз раскидывал пасьянс или залезал в сеть. Текст выходил вязким и безвкусным, как мокрая вата. Либо дело было в проклятом списке, в страхе за будущее — то-то он и спрашивал у «Солитера», возьмут или помилуют, хватит денег или нет, — либо в отвращении к себе: человек, попавший в список, не имел права ничего сочинять. На нем было клеймо, а человеку с клеймом писать не положено. Сверх того, он не совсем понимал, как из этой истории выйти: там тоже было замкнутое сообщество, новое реалити-шоу пожестче предыдущих, с настоящими издевательствами над звездами, вывезенными на одинокий остров в Атлантике. «Последний герой» с садизмом. Но он сам вчера так убедительно рассказывал бедной дуре — никогда больше не затаскивать ее к себе, научиться наконец брезговать случайными связями! — что истории о закрытых сообществах пишутся дилетантами, не умеющими выстроить внятного рассказа. Теперь все развивалось именно в таких компаниях, и никакого выхода, кроме коллективной гибели с выживанием самого адаптивного, для них не предполагалось. Свиридов с мстительным наслаждением уже придумал, кого угробит на своем острове, но убийства не желали монтироваться с пародией, а все двенадцать обитателей атолла надоели ему прежде, чем он закончил список действующих лиц. Список, кругом список... Надо все это как-то разомкнуть. «Надо все это как-то разомкнуть», — написал он, и в эту секунду со двора донесся дружный хор звонких детских голосов:

— Поводок сценаристу Свиридову!

Это было интересно. Свиридов подошел к окну. Внизу, задрав счастливые азартные лица, толпа «Местных» — левое крыло «Своих» — с зелеными повязками скандировала по команде высокого рыжего типа, дирижировавшего двумя руками:

— Сви-ри-дов! По-во-док!

Двое, стоя в стороне, размахивали огромным поводком, связанным, должно быть, из дюжины обычных.

Свиридов понял, что сейчас решается нечто важное. Он мог вернуться за стол и продолжать работать — то есть раскладывать пасьянс, потому что о работе теперь нечего было и думать; жизнь сама подбрасывала благовидный предлог. Но это означало бы высшую степень трусости: надо было дать им понять, что плевать он хотел на это дозволенное буйство. Полминуты спустя он уже выходил из подъезда.

«Местные» только того и ждали. Правда, дистанция соблюдалась: никто к нему не бросился. Отмашки насчет рукоприкладства, видимо, не поступало. Молодежь тут же выстроилась в шеренгу и приступила к исполнению тщательно отрепетированного монтажа.

— Позор Свиридову! — заорал левофланговый, маленький, лет двенадцати.

— Позор списку! — поддержала толстая девушка с коровьими страстными глазами. — Списанных — на свалку!

— Списанных — на свалку! — грянул хор.

— Свиридов! — с пафосом обратился к нему третий, очень прыщавый. — Зачем вы травите старых добрых людей собаками?

— Может быть, вы сами собака? — спросил четвертый, нехорошо скалясь.

— Свиридов — собака! — крикнули все. Свиридов молча слушал, краем глаза, однако, отмечая довольное лицо Вечной Любы в окне второго этажа.

— Может быть, вы радикалист? — спросила серьезная дивчина в очках, безбровая и тонкогубая.

— А может быть, вы фашист? — У задорного мелкого левофлангового это была уже вторая реплика.

— Свиридов — фашист! — поддержал хор.

— Нам не нужно ваших вонючих сценариев! — басом сказал длинноволосый рослый юноша с повадками семинариста.

— Вас нужно посадить на поводок, чтобы вы не бросались на наших людей, — закончил рыжий дирижер и махнул всей банде.

— Свиридову — поводок! Свиридову — поводок! — заскандировали они хором. Свиридов молчал. Сохранение лица пока удавалось.

— У вас все? — спросил он.

Дальнейший диалог не был расписан, и «Местные» замялись.

— Свиридов! — обращение по фамилии было, кажется, их фирменным знаком. — Зачем вы травите наших людей собаками? — Эту фразу, за отсутствием собственных идей, повторил семинарист.

123

Свиридов молча смотрел на них, и это было все, что он мог делать в предложенной ситуации. У Бродского уже был совет человеку, в котором наконец распознали чужака: «Смотри, это твой шанс увидать изнутри то, на что ты так долго глядел снаружи». Внутри и не могло быть ничего другого. Внутри собаки жуть и мрак. Вот он и глядел, пытаясь запомнить и понять выражения их лиц: это были не самые простые лица. На них мешались любопытство, робость и восторг. Робость была рудиментарная, после первой крови от нее не останется и следа. Любопытство, надо полагать, вызывала новая ситуация безнаказанности: им никто еще не разрешал вот так, запросто, кричать на взрослого человека и отправлять его на свалку. Как-никак живой индивид, не эстонское посольство. Теперь им было все можно, и новизна в свою очередь вызывала восторг, которого они не скрывали: из Джекила вырывался Хайд, а этот выход всегда сопровождается ощущениями, похожими на оргазм. (Додумать: человеку вообще нравится, когда из него что-то выходит. «Пять наслаждений знает плоть, — говаривал его мастер, когда любимчики собирались на юбилеи. — Есть; освобождаться от съеденного; пить; освобождаться от выпитого; и только последнее — то, о чем вы, засранцы, подумали». Творческий процесс — ровно то же самое, кстати. И даже выдавливать прыщ... Единственное исключение — роды: это нам предупреждение, что ничего хорошего не получится. Вон сколько нарожали, потных.)

Разумеется, только в ощущениях и было дело — поскольку никаких личных претензий у них к Свиридову не было, и что такое список — они понятия не имели. Он просто был тем, с кем теперь все можно, им отдали его на растерзание, как мишку для боксерских упражнений. Свиридов сам поражался, как четко работала его голова. Конечно, ни идей, ни вины, ни смысла: чистое пространство безнаказанного наслаждения. Он был их ощущением, их первым оргазмом, они любили его. Свиридов молчал, они тоже молчали. Истинная любовь молчалива.

Первым заговорил он.

— Ну идите, что ли. Если у вас всё.

— Поводок возьмите, — сказал старший с неуверенной улыбкой.

Он шагнул к Свиридову. Девушка с коровьими глазами защелкала блицем. Свиридов отступил на шаг назад.

— Себе возьми, — сказал он. — Тебе пригодится.

Они переглянулись. Видимо, предполагалось поорать под окном, бросить поводок и разойтись — никто не предполагал, что Свиридов спустится. Наконец двое держателей поводка положили его перед Свиридовым и, конфузливо хихикая, вернулись на место.

— Стройся! — скомандовал старший. Местные построились в колонну по два и удалились. Свиридов поглядел на Любино окно.

— Хорошие какие ребята, — громко сказал он. — Вам в магазине ничего не надо? Они принесут.

— Кобёл ты сраный, — сказала Люба. — Погоди, тебя выселют.

Свиридов плюнул в ее сторону, поднялся к себе и, стараясь всячески доказать невидимому соглядатаю, что ничего не произошло и выбить его из колеи не так-то просто, сел писать.

Тут, кажется, он стал понимать, почему не мог работать. Работа категорически не имела смысла. Свиридов всю жизнь презирал людей, отбоярившихся от нее разговорами о бессмыслице, о том, что никто не снимет и не оценит, что картину, старый, бессмысленно писать в стол, — он знал, что такие разговоры ведутся бездарями; но сейчас ему самому было тошно подумать о том, чтобы сочинять связный текст, будь то сценарий, дневник или завещание. Прежде он хоть краем сознания мог надеяться, что написанное изменит мир. Теперь ему было ясней ясного, что ни одно слово — чужое или его собственное — не имело больше никакого веса: от людей перестало что-либо зависеть. Они действовали не по своей воле, а по странной, не формулируемой вслух необходимости, словно играли давно написанные роли. Этих ролей никто не писал, они были всегда. Все было предопределено: славные мальчики и девочки выпускали своих Хайдов не потому, что патологически желали зла, а потому, что так было положено. Эта железная предопределенность — одним стать жертвой, другим палачествовать, третьим улюлюкать, — отменяла любую работу, подвешивала в воздухе всякое осмысленное высказывание, потому никто и не делает ни хрена, даже постного масла своего нет. Кому работать? Для чего? Почитают, посмотрят, пожрут, похвалят и все сделают, как предписано. Ужасней всего была догадка, что так было всегда, что и в девяностые, запомнившиеся ему непрестанной борьбой всех со всеми, вся борьба, похоже, шла столь же бессознательно: не было никаких личных предпосылок к тому, чтобы один стал новатором, а другой ренегатом, один либералом, а другой держимордой: кое-кому везло — удавалось свободно выбрать роль, — но таких единицы. А уж о том, чтобы самому выдумать текст, и говорить не приходилось. С артиста какой спрос? Свиридов хорошо знал артистов и не верил ни одному их слову. Жаль было хороших мальчиков и девочек: они попали на плохие роли, но других нет. Кто хочет играть — должен играть это.

Ни учить, ни убеждать, ни писать не стоило. Эта мысль была так невыносима, что Свиридов стиснул зубы и яростно, почти не задумываясь, замолотил по клавиатуре, расписывая никому не нужные диалоги на необитаемом острове. Вопрос о смысле упраздняется, сказал он вслух. Думать о смысле — роскошь. Смысл у всякой работы один — самосохранение. Я полагаю свое занятие наименее вредным и наиболее здоровым, вот и все. Это была последняя и безотказная мотивация.

«Во время исполнения акции «Поводок» клиент трусливо оглядывался и жалко трясся. Так будет со всеми отщепенцами, которые хотят отдать Америке нашу нефть и наш суверенитет, разорвать нашу страну изнутри и сорвать выполнение демографической программы. Каждый должен знать, каждый должен почувствовать, что, задев даже случайно один из членов Организации, завтра он столкнется с могущественным отпором всей Организации. Из нас никто не отдельно, мы все купно. Купность! Купность! Как учит нас преподаватель Высшей школы экономики, заведующий кафедрой национального своеобразия Л. И. Жулькин, неотъемлемые части русской истории суть купность, пупность и неотступность. Купностью называется то особое состояние общества, при котором ощущения одного передаются всем, а полномочия всех делегируются одному. Пупностью называется такое состояние общества, при котором все общество сосредоточено на одном пупе, осуществляющем в своей неотступности то возвратно-поступательное движение, которое в отличие от убогой западной модернизационной модели характерно для истинно сложных систем с неподвижно центрированным доменом и органически-животной природой (Л. И. Жулькин. Централизация против модернизации). А клиент, что клиент, мы все сделали, как нам сказали».

6

Поработать, однако, была не судьба. Не успел он сесть за комп, как заверещал мобильный.

— Это коспотин Свиритов? — спросил немецкий женский голос, оглушая согласные столь карикатурно, что Свиридов тотчас решил: розыгрыш.

— Коспотин, — подтвердил он с усмешкой. — А вы есть кто?

— Я Тэсса Гомбровиц, корреспондент «Мюнхенер Цайтунг». Коспотин Свиритов, гофорите ли вы по-английски?

— A bit, — сказал Свиридов.

— Oh, great. So listen. — Дальнейшее Свиридов понял через пень-колоду — телефон, акцент, непривычка переводить со слуха, — но Тэсса Гомбровиц с чего-то заинтересовалась его творчеством и желала сегодня же сделать с ним интервью, поскольку нужно любой ценой успеть в послезавтрашний номер. Она не допускала и мысли об отказе и желала уточнить только, готов ли он подъехать к ней в корпункт или желает принять ее у себя.

— Но я на даче, — попытался отвертеться Свиридов. — At my dacha.

— Это не проблем, я подъеду. I have a car with a driver, please tell him how to rich...

— Алё, — тут же раздался в трубке густой мужской бас. — Как к вам подъехать, какое шоссе?

— Не нужно, я уже собираюсь домой, — сказал Свиридов, отступая перед этим напором. — Подъезжайте на Профсоюзную через три часа, — и он назвал адрес.

Так, подумал он, все по сценарию. Поп свое, черт свое. С утра местные, к вечеру неместные. Шофер наверняка гебешник, и она наверняка в курсе. Общий сговор: она пишет для мюнхенер или как ее цайтунг, он выявляет тех, к кому она ездит, и берет на заметку. Все довольны. Но подыхать просто так было б обидно — пусть хоть Запад будет в курсе. Чем я, собственно, рискую? Официального запрета на общение с иностранными корреспондентами пока нет. Валяй, посмотрим, что за Тэсса.

Он снова собрался работать, вопреки всему, будет хоть пара страниц за те три часа, что оставались до явления корреспондентки с гебешником, — но мобильный вновь требовательно заверещал, и Свиридов опознал номер орликовской приемной. Это конец, понял он. Сейчас мы лишимся последнего.

— Сергей Владимирович? — спросил педерастический голос секретаря. Орликов держал в секретарях исключительно педерастов — не потому, что сам принадлежал к стильной касте, а потому, что женщины не умели так подобострастно отвечать «Вячеслав Петрович занят» или «Как вас представить?». Секретарь работал у Орликова без выходных, жил у него в коттедже на правах прислуги и не брезговал садовыми работами. — Вячеслав Петрович хотел бы переговорить с вами. Вы свободны?

— Да, конечно, — бодро ответил Свиридов. В нем закипала здоровая злость. Это было лучшее состояние для разговоров с Орликовым.

— Сереж, — услышал он мягкий, начальственно-демократический басок Орликова. — Ну ты что ж делаешь.

— Да, Вячеслав Петрович? — переспросил Свиридов. — Что я делаю?

— Ну а то ты не знаешь? Ты куда же вступаешь? Меня и так за Делягина вчера вызывали на ковер, а тут ты.

— А куда я вступаю, Вячеслав Петрович? — невинно спросил Свиридов.

— Слушай, кончай! — разозлился Орликов. — Кончай притворство дурацкое. Мне ты знаешь откуда звонили сегодня? С канала мне звонили. И там уже плотно подводят к тому, что или ты, или программа.

— Ну, если вопрос уже ставится так... — протянул Свиридов.

— Да пойми ты! — Орликов не мог легко выйти из образа демократа. — Мне же не хочется терять способного человека, я же не из тех, кто по первому сигналу...

— Вячеслав Петрович, — сказал Свиридов, со значением понижая голос. — Вы же понимаете, что такие вопросы по телефону не обговариваются.

— Мой не прослушивается, — ответил Орликов, но было слышно, что он насторожился.

— Ну, это *ваш* не прослушивается, — продолжал Свиридов. — Так что всего я вам сказать не могу, но вообще-то, зная меня не первый год, вы могли бы догадаться, с чьей санкции я в этом списке нахожусь.

Орликов помолчал.

— Что ж они там, — пробурчал он. — Предупредить не могут?

— Вячеслав Петрович, — укоризненно проговорил Свиридов. — Вы можете себе представить, с чьей санкции сценарист «Спецназа» может входить в такие списки?

— Ты же вышел из «Спецназа», — напомнил Орликов.

— А вы не догадываетесь, почему?

— Догадываюсь, — буркнул Орликов, хотя ни о чем не догадывался.

— Ну вот. И если я там состою и мне верят — вы же можете догадаться, зачем это нужно, да? Я надеюсь, мы не будем возвращаться к этому разговору?

— Все-таки пусть они на канал позвонят, — попросил Орликов после паузы. — Там же не в курсе люди...

— Ну да, — сказал Свиридов. — Сейчас Владислав Юрьевич бросит все и будет звонить руководству канала: простите, у вас там сценаристом на «Родненьких» работает некто Свиридов, так вот, он намеренно внедрен в список, это мой информатор, так всем и передайте. Интересно получится, да?

— Да, действительно, — признал Орликов. — Ну хоть бумагу какую-нибудь...

— Да вы что, смеетесь?! — с бабьим повизгиваньем воскликнул Свиридов. — Вы как себе это представляете?! Сталин Гитлеру пишет: вы там, пожалуйста, не обижайте моего человечка, Штирлиц зовут?

— Ладно, работай, — разрешил Орликов и отключился.

Некоторое время Свиридов приходил в себя. Только что он благодаря внезапному озарению отбил очередной наезд и спас заработок — неизвестно, надолго ли. Очевидно было одно — идиотизм происходящего. Оказывается, им можно было пользоваться. Это давало шанс. Все отрабатывали пьесу спустя рукава, радуясь первой возможности увильнуть от худших моментов роли. Товарищи, можно я сегодня не буду душить Дездемону? Вот справка, у меня гипертония. Хрен с тобой, не души, пнешь разок — сама перекинется. У нее, кстати, тоже гипертония. Лев со списком обходит всех зверей: антилопа, завтра ты ко мне на завтрак, капибара, ты жирная, будешь на обед, а ты, заяц, на легкий ужин, чтоб кошмары не мучили. Заяц: а можно не приходить? Можно, вычеркиваю.

Правда, видимо, была в том, чтобы в списке вести себя нагло: я вписан не потому, что отвержен и проклят, а потому, что мне можно. Здесь вообще следовало вести себя так, будто все можно, — потому что возникает обратная зависимость: действительно будет можно. Допускаю, что наглая тройка типа «Слава России» руководствовалась тем же принципом. Главный местный закон: у них действительно нет на тебя никакого зла, у них нет к тебе принципиальных претензий, если ты не слишком нарываешься, не грузин и не еврей. Следовательно, отношение к тебе они формируют не априори, а от поведения: если, будучи ввергнут в список, как все, ты ведешь себя по-хозяйски, как хозяин этого гетто, как свой в этом вонючем загоне, куда они по определению вытесняют всех, — то ты и будешь хозяин, тебя сделают капо, дадут плетку с синей ручкой (у самих с красной, заслужить нельзя, выдается по праву рождения). Из этого следовали занятные ходы применительно к «Острову», и Свиридов снова попробовал работать, но Тэсса приехала быстрей, чем обещала.

Ей было лет сорок пять, похожа на Эллен Берстин времен «Алисы». На ней было голубое платье с короткими рукавами, оттенявшее ровную смуглость. В юности наверняка была хорошенькой, крепенькой, с ямочками, теперь обтянулась. Бывала в Афгане, Чечне, Ираке, интервьюировала сенаторов, получила премию Союза немецких городов за книгу интервью с турецкими гастарбайтерами «Чужие, но такие же люди». Фильм, снятый по этой книге, демонстрировался на Берлинском кинофестивале в рамках программы «Познавая восточного соседа». Следом за ней, отдуваясь, шел шофер (а что, внешность заплечная — нос картохой, пивная шея). Он тащил тяжелый холщовый мешок, из которого выпирали острые углы. Вероятно, Тэсса ездила на интервью с вещами, боясь оставлять утварь в корпункте: сопрут, варвары.

Гомбровиц излучала позитивную энергию. У Свиридова мелькнула мысль, что хорошо бы попросить ее помыть пол, а то, знаете, руки не доходят, — все польза. Она помыла бы ради колоритной детали для будущего очерка, — но он сдержался.

— Я узнала о тебе из газетт, — она мгновенно перешла на ты. — Я могу дальше по-английски?

— Да, конечно.

По-английски она говорила немногим лучше, чем по-русски. Она прочла в газете про список. Ей интересны все люди списка, и она надеется на свиридовскую помощь в установлении контактов. Ей очевидно, что правительство загнало себя в тупик и теперь стоит перед прямой необходимостью массовых репрессий, потому что в обществе зреет недовольство. Ей интересно понять, каков механизм формирования списка, и она имеет основания предполагать, что это люди недовольные, имевшие неосторожность «высказаться мало ли где», пояснила она по-русски. Ее личный друг, депутат Бундестага от земли Рейнланд-Пфальц, сообщил ей конфиденциаль, что список составлен уже давно, но вышел на поверхность только сейчас, и в нем весьма высокопоставленные люди, йа, йа. Так что Свиридов не одинок. И, само собой, она ознакомилась благодаря интернетт с некоторыми его публикациями, с отзывами на фильмы, просмотрела одну серию «Спецназ», отметила, что критика находит в его работах социальный критицизм, и потому не видит особенных причин удивляться. Все в норме, этого следовало ожидать давно.

— Я и ожидал, — ляпнул Свиридов.

— О! У тебя было причин?

Он нехотя, ненавидя себя за пошлое желание соответствовать чужим клише, рассказал о неизбежности «тпру» после всякого «ну», о чередованиях оттепелей и заморозков как главном русском законе — все это было до того нудно и многократно переговорено, что он сбивался и пропускал целые звенья: ладно, неважно. В общем, что-то подобное давно должно было случиться. Но почему список составлен именно так, по какому критерию они все отобраны — он понятия не имеет и надеется на ее проницательность.

— Но это точно как тогда! — воскликнула Тэсса. — Тогда было точно так, и никто не понимал, за что! Но все это были люди, которые не были готовы повторять за всеми, которые, может быть, были только чуть-чуточку лучше, чем все, но эта чуточка и решала! Посмотри, ведь все это простые люди или очень высокопоставленное начальство, но совсем не затронут средний класс чиновничества, как тогда! Исполнитель тот же. Тогда тоже страдал либо часть верхушка, либо самый низ, беспомощный. Надо только понимать, кто составлял список, и я почти не сомневаюсь, какая организация это может здесь делать одна. Да?

Она подмигнула, и Свиридов немедленно почувствовал себя участником антирусского заговора. Впрочем, после утреннего поводка ему было уже все равно. Все попытки быть лояльным заканчиваются одинаково, а если хамить вслух и дружить с иностранными корреспондентами, могут испугаться и не тронуть.

— Я привезла договор, моя просьба такая, — продолжала она, улыбаясь и встряхивая пшеничными волосами; должно быть, в белозубой юности эта манера была даже обаятельна. Тэсса неуловимо и неумолимо напоминала пиарщицу детского центра, запретившую Свиридову выходить на сцену за призом. Ведь ровесницы, могли вместе отдыхать в том самом центре, обмениваться потом бессмысленными письмами. И обе все время врут, каждую секунду, оттого и ямочки пропали. — Я прошу, чтобы ты писал как бы дневник. Как вот ты в списке, как сегодня тебя не пустили туда, закрыли сюда, как ты подвергался тому и сему. Это будет дневник изнутри списка. Ты в списке один человек с литературой, с талантливой литературой, я хочу оформить договор. Мы будем перечислять на счет, это хорошие деньги.

— Вообще-то, — хмуро сказал Свиридов, — это может ухудшить мое положение.

— О нет! — она решительно замотала волосами. — Тогда тоже все думали, что контакт может ухудшить положение. Но ничто не могло ухудшить их положение, оно было решено тогда, когда они попали в список. Неважно, какой: тогда был такой, сейчас другой. И тогда люди тоже знали, что они в списке, и их оставляли на свободе смотреть, как себя поведут. И никто не бунтовал, не бежал, все были готовы. Я хочу, чтобы ты рассказал, как это жить в списке.

— Вы считаете, что моя участь решена? И у всех тоже? — Свиридов испугался и потому разозлился. Тэсса погладила его по руке легчайшим европейским прикосновением — вероятно, так она гладила скелетоподобных детей Африки, предлагая им для репортажа подробно рассказать о голодных резях в желудке.

— Я не знаю, какая участь. Я знаю, что пока еще можно менять. Если ты будешь рассказывать это для всех — может быть легче всем, всему списку.

Ага, мы уже настолько знаем психологию туземцев, что уповаем на неистребимый коллективизм.

— Я попробую, — сказал Свиридов. — Но мне нужны гарантии.

— Копирайт? — спросила глупая Тэсса.

— Мне нужны гарантии на случай ухудшения моего положения. Если после публикации за мной начнется охота, или меня начнут куда-то вызывать, или мое положение ухудшится — вы должны мне помочь с отъездом. Политическое убежище там, я не знаю.

— О, это я конечно буду! — воскликнула Тэсса. — Я буду конечно это пытать! У нас сейчас это очень затруднено связи проблемы миграция, ты знайешь, но мой знакомый депутат в Бундестаг помогал, натурализация для турецкие, курдские, еще, может быть, еврейская линия... У тебя нет еврейская линия?

— Нет, — отрезал Свиридов.

— Ну, это решаемо. Это как целое решаемо. Мы будем это смотреть. И потом смотри, я знаю, что у тебя — у всех — проблема с работой. Тут на первое время, просто от меня и газета. Это будет как аванс.

Она указала на мешок. Водитель, все это время тупо сидевший на свиридовском диване, развязал его и продемонстрировал Свиридову богатую внутренность подарка. Там было очень много вурста в полиэтиленовых упаковках, консервные банки с мясным фаршем, пачки сухого какао — месячный сухпаек для Гаргантюа.

— Я не могу это взять, — занервничал Свиридов. — Я не голодаю, и у меня еще есть работа...

— Ну ты же понимаешь сам, как будет с работа, — улыбнулась она обворожительней прежнего, и Свиридов понял, что его окончательное увольнение для нее крайне желательно как тема. Еще хорошо бы его убили, как Литвиненко, желательно, чтобы он умирал достаточно долго для хорошей серии репортажей. Таллий, бериллий, не знаю, бернуллий. Конечно, Тэсса Гомбровиц не любила его. Она искренне хотела, чтобы он сдох в нищете и мучениях. Но он был нужен ей и не видел оснований пренебречь конъюнктурой. Сейчас не приходилось надеяться на тех, кто его любил. Те, кто его любил, были малочисленны и бессильны. Надо было цепляться за Тэссу, ее депутата от земли Фуфель-Пферд, ее продуктовые мешки с вурстом. Списанные не имеют права на любовь, это дар богов сверх прейскуранта. Рассчитывать надо на тех, кому ты нужен как чучело. А что я нужен как чучело в неблаговидных играх неблаговидной Тэссы — так извини, Родина. Я тебе ничего не сделал, ты первая начала, теперь не обижайся.

Сговорились на следующем четверге. К четвергу Свиридов подкопит впечатлений и напишет две тысячи слов о первых неделях пребывания в списке. Деньги придут на валютный счет. Тэсса чмокнула его в щеку на прощание и упорхнула, не переставая заговорщически посмеиваться. Следом шел шофер, идеально энигматичный, не проронивший за час ни слова. Свиридов открыл банку фарша, разжарил его на сковороде и сел обедать. С доставкой на дом, с ума сойти.

Но спокойно пообедать тоже было не суждено — роскошные сюрпризы так и сыпались. Список словно вознаграждал его за черную полосу, являя свои внезапные преимущества. Снова заверещал мобильник, и Свиридов услышал бархатный, таинственно-важный голос человека, явно звонящего по серьезному поводу: не будет такой человек напрягаться по несерьезному. Вероятно, так разговаривал профессор Вышинский.

— Простите великодушно, — басил незнакомец, — не могу ли я поговорить с Сергеем Владимировичем Свиридовым?

— Это я. — Интересно, на кого еще он рассчитывал нарваться по мобильному?

— Очень, очень рад. Мне рекомендовал вас Василий Борисович Антонов, вы помните его, вероятно.

Свиридов что-то слышал о Василии Антонове, и притом недавно, но понятия не имел, где. У напуганного человека ухудшается память — мозги сузились, сосредоточились на опасности, тут ни до кого.

— Не напомните, кто он?

— Он с вами был связан в одном общем проекте, неважно. — Незнакомец говорил «пруект». — Он дал вам самые положительные рекомендации. Видите ли, если вы располагаете временем, я вкратце объясню...

— Располагаю, — вздохнул Свиридов.

— Отлично, отлично. — Он говорил звучно, смачно, сочно. — Для начала позвольте представиться: меня зовут Рыбчинский Альберт Михайлович. Я работаю сейчас — это не основное мое занятие, по основному роду, так сказать, моих занятий я финансист...

Он говорил долго, медоточиво, велеречиво. Его «пруект» сводился к циклу познавательных лекций по российской истории — «Вы понимаете, в свете новых концепций...». Василий Борисович Антонов, которого Альберт Михайлович Рыбчинский знал по совместной работе с самой наилучшей стороны (эта словесная избыточность была у него во всем, он словно насыщался собственным рокотаньем), характеризовал Сергея Владимировича как исключительно одаренного работника, способного придать динамику и так далее, вы понимаете. Было бы желательно встретиться завтра, хотя чем раньше, как вы понимаете, тем лучше: все это надо было, так сказать, вчера. Тем более, насколько известно Альберту Михайловичу, послезавтра Сергей Владимирович зван на определенное мероприятие, пропускать которое для него, конечно, нежелательно, а потому он не смеет, ни в каком случае не смеет претендовать на его время. Значит, завтра. Договорились? Отлично, отлично.

Свиридов не помнил ни о каком мероприятии и ничего на завтра не планировал, но тут его пробило. Господи, двадцать девятого июля он был зван на собрание ветеранов спецслужб, на круглый стол в киноцентре «Октябрь». Вот и пригласительный, в ящике стола: в едином, о Господи, строю. Откуда Рыбчинскому известно про единый строй? «Мероприятие» — это явно из их лексикона. Стало быть, я включен в список для работы над сериалом о родной истории? Но что в нем делает Клементьев — пишет серию об истории РЖД? А Бодрова? Бред. Но неужели для работы над историческим сериалом я непременно должен был побывать в списке, чтобы почувствовать на себе всю прелесть русской истории? Ведь она в основном так и делалась — списочно, с последующими увольнениями. Ничего себе способ, вроде как Михалков всех запирал на неделю в поместье, а потом, когда все достаточно возненавидели друг друга, снимал «Неоконченную пьесу». Возможно, врут, но если нон э веро, то бен тровато.

Он еще некоторое время тупо сидел перед включенным компьютером, зашел на сайт списка — ничего нового, — просмотрел новости, все чего-то ожидая. Может быть, еще одного звонка. Вот оно: страх всех нас превратил в ожидальщиков. Кажется, Мандельштам. Теперь понятно. Почему? Потому что страх переводит тебя в специальную категорию невесомых, носимых ветром людей, чья жизнь зависит от каждого звонка. Ты возьмешься что-нибудь делать, а тут звонок, и уже не надо. Договор расторгнут, ты уволен. И вообще — уязвленное, болезненное состояние, в котором страстно хочется сочувствия. Позвонит кто-нибудь — и утешит, все-таки живое слово. Или, наоборот, скажет самое ужасное — но тогда его можно будет по крайней мере не ждать. Ничего не происходило. Хорошо, погуглим, какой такой Рыбчинский. Рыбчинский Альберт Михайлович входил в Союз друзей милиции «Щит и меч», в наблюдательный совет по возрождению усадьбы «Останкино», в Союз православных предпринимателей «Потир», на компромате ру не упоминался, числился среди ветеранов Внешторга. Картинок нет. В сущности, ноль. Настораживает, конечно, «Щит и меч», «Потир» скорее забавляет, а главное, я категорически не помню, кто таков мой рекомендатель Антонов, знающий меня с на-и-луч-шей стороны. Но презирать не должно ничего.

Свиридов выключил комп и отправился в «FAQ», где с остервенением плясал до трех часов утра.

«Контактен, лабилен, уравновешен, беспринципен, реакция в норме, умеренный гипергидроз, общий тонус с тенденцией к укреплению, тремор отсутствует, но пересал, конечно, страшно. Особых замечаний нет».

Интересно, это Тэсса, Рыбчинский или шофер?

А если кому-то интересно, что это за агентурные вставки, так можно заглянуть в тринадцатую главку последней части. Стоп, куда! Читай по порядку. Ты все равно не найдешь. Там спрятано.

7

Встреча с Рыбчинским была у них запланирована на три часа дня в его офисе, и с утра Свиридов собирался сочинять — но поработать снова была не судьба. В восемь утра его разбудил мобильник.

— Сергей Владимирович?

— Да.

Он напрягся: голос был женский, официальный, эсэсовский.

— С вами будет сейчас говорить Валентин Васильевич Ломакин.

— Кто это?

Но в трубке уже заиграла страшная электронная музыка, которая ни на какие вопросы не отвечает.

— Але, — сказал густой голос.

— Слушаю.

— Это Сергей Свиридов?

— Да.

— Здорово, я Валя Ломакин. «Форекс групп» знаешь?

— Не знаю.

— Зря не знаешь. Это девелоперская такая корпорация, большая.

Свиридов не знал даже, что такое «девелоперская».

— Короче, дело есть к тебе одно.

Свиридов испугался окончательно.

— А какое дело?

— Увидишь, какое. Не по телефону же. Когда можешь?

— На той неделе, работы много.

— Не, это не разговор. Надо сегодня, это бизнес. В бизнесе, Серый, есть три главные вещи: напор, чуйка и быстро. Ничего я на ты?

— Нормально, — пересохшими губами сказал Свиридов. — Но я не могу сегодня, у меня встреча.

— Во сколько?

Не знаю, как с чуйкой, с ней, наверное, плохо, а с напором у него полный хоккей.

— В пять.

— Я в восемь за тобой заеду куда скажешь. В семь позвоню. Привезу — увезу. Я даю парти сегодня. На двадцать пятом этаже трейд-центра на Краснопресненском проспекте, у вантового моста. Слышал?

— Нет, не слышал.

— Ну ё-моё, ты в Африке живешь. Вантовый мост со смотровой площадкой, будем открывать в ноябре. Пока трейд-центр и парти. Все, отбой, до связи.

Он все уже решил за Свиридова. Сочинять после этого точно не хотелось. Свиридов на всякий случай прогуглировал и Ломакина с «Форексом». Этот не входил в Союз православных предпринимателей, зато имел собственный сайт — шикарный, с музыкой, с фотогалереей бесчисленных проектов, которые Ломакин возводил по всему миру. Специализировался он на отелях, но сейчас планировал возвесть на Москве сеть торговых комплексов вдоль третьего кольца. Лет ему было чуть за тридцать — ровесник Свиридова, чудом поднявшийся в девелоперскую элиту из десанта, где служил с девяносто пятого по девяносто седьмой. С фотографий глядел детина элитной планировки, с евроремонтом и многоступенчатой охраной, и на его пентхаусе застыло немыслимое напряжение, словно он ежесекундно мог треснуть от переполнявших его денег и сил. Для чего бы я ему нужен — пиар, что ли? Можно наврать, не поехать, отключить телефон — но чем черт не шутит, вдруг работа. Сейчас ни от чего нельзя было отказываться. Чтобы не торчать дома до пяти, Свиридов вышел в раскаленный город, отправился в Серебряный Бор и плавал там два часа кряду среди благословенной жары.

Здесь, в Серебряном Бору, он купался когда-то с Калининым, уже выпускником, на которого смотрел как на бога. Калинин умер от внезапного инфаркта в прошлом году. Соавтор Калинина, Басов, разбился на мотоцикле за два года до этого. Мастер их курса, Снаткин, в том же году попал под машину на тишайшем перекрестке. Почему-то отсюда упорно забирали всех приличных людей, в этом была своего рода режиссура, — все, кто что-нибудь умел, исчезали, чтобы не портить картину. Я тоже что-то умею, но и я не нужен, и поэтому список. Не слишком ли хорошо я думаю о себе? Но Калинин любил меня, и Снаткин звал меня в Матвеевское, в Дом ветеранов кино, и Басов часто со мной выпивал, хоть я и не выдерживал его темпа. И отец меня любил, а потом пропал. Мать меня любит, но у нее своя проблема, заслонившая все: возраст, выживание. В ее возрасте страшно в этом мире, какой он получился, — хуже, чем мне. Никто не будет спасать, вообще никто. Раньше, я еще помню, хоть кому-то было дело. Утону сейчас — и кану, и насовсем, и никакого следа; он увидел, что собирается гроза, испугался молнии и поспешно выбрался на берег. Всего уже боюсь, Господи, во что превратился.

Хотелось есть, но обедать он не стал — на жаре разморит, а у Рыбчинского надлежит быть собранным. «Пруект», не шутки. Рыбчинский сидел в офисе на улице Усиевича, в желтом трехэтажном особняке. У входа красовалась золотая доска с тиснением «Трек LTD». Повыдумывали названий — трек, форекс. Черт-те чем занимаются люди.

Пропуск был заказан — Свиридову надлежало пройти в комнату 35 на третьем этаже. Против ожидания, там ждал его не обладатель бархатного баса, а сморщенный старик чуть ли не восьмидесятилетнего вида, дряблый, со склеротическими щечками и трясущейся головой.

— Сергей Владимирович? — прошамкал, прошаркал он, протягивая Свиридову лиловую ручонку.

— Да, здравствуйте.

— Вот вы какой. Что, хорошо. Вас просил зайти сегодня Альберт Михайлович, но сначала, не взыщите, мы должны вас встретить как дорогого гостя. Пройдемте.

Они прошли в соседний кабинет, где висел на стене портрет Андропова, а на скромном круглом столе стояло скромное круглое угощение: миндальное и овсяное печенье, пузатенький чайничек. Сердце у Свиридова упало. Он понял, что это конец. Непонятно, что отчетливей говорило о конце, — портрет Андропова или овсяное печенье, — но ясно было, что ритуал встречи дорогого гостя закончится в подвале. И ведь предчувствовал, идиот, и сам поперся. Надо было требовать, чтобы вызвали повесткой. А впрочем, тогда они просто взяли бы среди улицы.

— Вот, присаживайтесь. У нас не садятфя, у нас присаживаютфя. — Это было сказано со значением. — Ну-с, при встрече дорогого гостя предполагаютфя вопросы и ответы. Я, если позволите, задам вам несколько вопросов.

Свиридов криво усмехнулся.

— Так-с. Для начала у вас позвольте узнать, кем работает ваша матушка.

— Врач.

— Очень, очень благородно. А ваш батюшка?

— Отец пропал без вести.

— Так. Глубоко соболезную. Но он же, простите, кем-то работал, прежде чем пропасть без вести?

— Инженером.

— Так, так. И никаких следов?

— Никаких.

Неужели они что-то знают об отце?

— Я вам не представился, — сказал старик, словно только факт пропажи свиридовского отца и позволял говорить с ним доверительно. — Меня зовут Ферапонтов Виктор Максимович, я помощник Альберта Михайловича по вопросам, так сказать, кадровым, по встречам, ну и так дальше, так дальше. Позвольте узнать, вы постоянную работу имеете?

— Имею, я сценарист.

— Это мы знаем, да. Мы иначе не обратились бы к вам. Мы имеем даже сведения, что вы очень хороший сценарист. Но есть работа, которая потребует всей, так сказать, вашей направленности, всего вашего времени. Или по крайней мере значительного. Это все не так просто. Мы хотели бы знать, так сказать, как вы оцениваете текущий момент и вообще.

Свиридов насторожился.

— В общем положительно.

— Это понятно, мы, так сказать, удивлены были бы услышать обратное. Если вы нормальный человек, то вы, естественно, положительно оцениваете. Но хотелось бы понять: вы понимаете, чем мы именно обязаны?

Свиридов лихорадочно нащупывал формулировку.

— Думаю, тем, что мы перестали себя стыдиться и начали собой гордиться, — сказал он наконец.

Это было достаточно амбивалентно, чтобы не выглядеть прямой лестью и грубой подколкой, и вместе с тем верно: весь успех заключался в том, что исходное состояние нации и страны было принято за образец или по крайней мере норму.

Ферапонтов расцвел.

— Вот именно это, да. Имено это нам очень было желательно услышать. Теперь, когда мы понимаем, что вы, так сказать, понимаете, мы можем пройти к Альберту Михайловичу. Он просто меня просил выяснить на предмет соответствия, а моя профессия предполагает, так сказать, выяснение именно такого рода и так дальше. Ну, пройдемте.

Они вернулись в тридцать пятую комнату, прошли коридором и оказались перед стеклянной дверью в приемную босса. Секретарша лет сорока, из тех, что застали совок, но владеют и компом, одинаково готовы отсосать и спеть на корпоративе «Ой, мороз, мороз», вскочила, как на пружине, и поспешила в начальственный кабинет за черной кожаной дверью. Их уже ждали.

Рыбчинский оказался похожим на свой голос — огромным, бархатистым, сановитым; он носил золотые очки и галстук с рыбками. Вероятно, тут было ироническое снижение, намек на фамилию — не бойтесь, мол, я не так страшен. У него были крупные руки с рыжеватыми волосками на пальцах, светло-рыжие волосы, зачесанные на лысину, и длинные брылья.

— Здравствуйте, милостивый государь, — басил он, широко улыбаясь. — Виктор Максимович, если вы здесь, то, я так полагаю, вы совершенно удовлетворены первичным общением с Сергеем Владимировичем?

— Мы не ошиблись в Сергее Владимировиче, — кивнул Ферапонтов.

— Ну отлично, отлично. Дражайший Сергей Владимирович, мы обращаемся к вам потому, что самые лестные рекомендации, так сказать, ну и — вы понимаете. Дело чрезвычайно ответственное. Начну с того, что наша корпорация существует уже около десятилетия и занимается закупкой спортивного инвентаря, и до сего момента мы, так сказать, не имели нареканий...

Речь Рыбчинского журчала, кондишен был еле слышен, и эту рыбчащую речь Журчинского Свиридов плохинимал воспро. Требовалось встряхнуться, но до главного Рыбчинский еще не дожурчал, и Свиридов немного расслабился. Сквозь полудрему, враз сменившую болезненное напряжение, он понимал одно: Рыбчинский — большой жучило, и сейчас у него неприятности. В проклятые девяностые он воспользовался связями по первому месту работы, во Внешторге, и откусил большой кусок. Вдобавок он владел фехтовальным клубом, куда съезжались фехтовать первые лица, и располагался этот клуб в превосходном загородном помещении, где до этого, верите ли, была свалка, обычная свалка, а он культивировал, рекультивировал почву и сделал уголок земного рая для утомленных вершителей судеб. Однако теперь случилось так, что над Рыбчинским стали сгущаться определенные тучи. Его бизнес стал подвергаться проверке. Его покровители сделались уклончивы. Вдобавок брат крупного чиновника мэрии — вы понимаете, конечно, кого я имею в виду, — предъявляет свои права на этот участок, занимаясь прямой рейдерской атакой, насылая инспекции, провоцируя охрану и вообще, по сути, грабой прямеж, грабой! Естественно, Альберт Михайлович сохранял еще кое-какие связи вы понимаете где, в том числе и на самом верху, и там заручился поддержкой людей, вы понимаете, да-да. Но там в ответ намекнули, что Альберт Михайлович должен доказать, показать, не просто в финансовой форме, потому что, вы понимаете, в наше время эта форма уже не служит доказательством ничего. Но нужно доказать именно готовность и глубокое понимание происходящих процессов, и вообще как-то продемонстрировать даже не лояльность, но готовность, вы понимаете, я не могу говорить совершенно и окончательно, но определенным образом продемонстрировать.

Здесь Свиридов перестал что-либо понимать.

— Что именно я могу сделать? — спросил он наконец.

— Это деловой подход, — радостно кивнул Рыбчинский. — Мы тоже за деловой подход. Как вы понимаете, страна нуждается сегодня в национально ориентированной науке. И я думаю, что если приложу определенные усилия, то это и будет мой вклад, так сказать, в устроение. Я хотел бы преподнести сегодня России то, что от меня реально зависит, и поучаствовать в создании такого учебника истории, который мог бы читаться одновременно детьми и взрослыми, вы понимаете, как детские рассказы Ишимовой или недосягаемый образец Карамзина. Я хотел бы при помощи авторского коллектива получить такой учебник, который мог быть увлекательным чтением и вместе с тем примером правильного взгляда, в талантливом исполнении. Поэтому, — Рыбчинский широко улыбнулся, — я рассчитывал бы привлечь вас как автора и, оговорив соответствующее вознаграждение, заказать для начала концепцию на пяти-шести страницах, обсудив которую, мы могли бы и стартовать.

Свиридов перестал понимать, на каком он свете.

— Вы хотите заказать мне учебник истории? — спросил он.

— Да, да, совершенно так, — радуясь его понятливости, закивал Рыбчинский.

— Именно, — поддакнул Ферапонтов.

— Но я не историк, — сказал Свиридов. — Я никогда не писал учебников. Я не умею писать для детей.

— Это совершенно неважно, — приговаривал Рыбчинский. — Мы получили рекомендации... господин Антонова...

— Но я не помню господина Антонова!

— Ну, вы не работали непосредственно с ним. Он был одним из спонсоров мультипликационной серии «Сказки Горыныча»...

— Я писал диалоги для двух сказок, но это все детская ерунда, — продолжал отбояриваться Свиридов. — Поймите, это совершенно не то... Вы хоть смотрели «Горыныча»?

— Дорогой Сергей Владимирович, — прочувствованно сказал Рыбчинский. — Ваша скромность похвальна. Но мы знаем и главное. Мы знаем, что вы находитесь в том списке национально ориентированной элиты, который хорошо известен там, — он многозначительно поднял палец. — В этот список, как вы знаете, случайные люди попасть не могут, это совершенно, совершенно исключено. И потому, дорогой Сергей Владимирович, ваше участие исключительно важно, при вашем полном праве привлечь любого историка, которого вы сочтете достойным...

Это Свиридова добило. Таких сюрпризов список еще не преподносил ему.

— Вы уверены, что это список национально ориентированной элиты? — спросил он.

— В этом не может быть никакого сомнения.

— Я буду писать для вас, — твердо сказал Свиридов. — Черта, дьявола, учебник истории, хроники Нарнии... Сколько стоит синопсис?

— Что? — переспросил Рыбчинский.

— Проект учебника. Ну, эти пять страниц.

— Думаю, что три тысячи долларов в качестве стартовой цифры могли бы...

— Нормально, — сказал Свиридов. — Когда вам это нужно? Три недели есть?

— Желательно бы две, но в принципе...

— Нет, надо три. Это мне надо перечитать кучу всего. Я, конечно, национально ориентированная элита, но многого просто не помню. Ладно, благодарю вас. Можно последний вопрос?

— Да, конечно, — благосклонно кивнул Рыбчинский.

— Как вы узнали про список?

Рыбчинский улыбнулся еще шире и развел руками.

— Рассказали доверенные люди. Тоже там состоящие. В них, сами понимаете, я сомневаться не могу.

— Грандиозно, — сказал Свиридов. — Благодарю вас. Я позвоню вам через три недели.

Рыбчинский торжественно вручил ему визитную карточку твердого желтого картона с золотым тиснением, а Ферапонтов почтительно проводил до дверей.

Все это следовало обдумать. Обдумать, обговорить. Жаль, не с кем. Черт-те что. Уйти отсюда подальше и поскорей. На что я только что подписался? Господи, какой ерунды не сделаешь от счастья. Впрочем, они скорее всего не перезвонят... А если перезвонят, это заменит мне любой «Спецназ». Я напишу им учебник, что угодно. С чего они взяли про список национальной элиты? Впрочем, если действительно так...

Он чувствовал огромное, стыдное облегчение. Только что ощущать себя прокаженным — и вдруг понять, что это не проказа, а знак отличия, высокая болезнь мокрецов, дар передвигать предметы и думать туман! Поскорей сказать матери. Нет, рано. Он зашел в кофехаус и взял двойной эспрессо. Кофе всегда усиливает настроение, в котором его пьешь. Я стыдно счастлив — пускай он усиливает стыд и счастье.

У Али в это время разгар работы, но позвонить хотелось. Список национально ориентированной элиты, Боже правый. Она долго не брала трубку, наконец отозвалась.

— Алька. — Он еле сдерживал рвущийся из него счастливый хохот. — Ты знаешь, что это был за список?

— А ты еще про него помнишь?

— Что ты, как не помнить! Выясняются удивительные вещи. Это список национально ориентированной элиты, слышь.

— Да ну, — сказала она без энтузиазма.

— Я тебя ни от чего не отрываю?

— Отрываешь, но не страшно.

В трубке фоном шел детский надсадный крик.

— Да ни от чего я тебя не отрываю, ты вон по улице идешь, дети орут!

— Да, да. Но иду по делу.

— Короче, мне позвонил крутой экспортер спорттоваров и заказал за любые деньги правильный учебник российской истории. Чтобы за этот учебник его простили. На него наезжают сверху, так он для доказательства лояльности хочет учебник. Это дивная какая-то примета времени, я не читал ничего подобного.

— И ты согласился?

— Ну а чем я рискую? Он говорит, что у него в этом списке надежные люди, сплошь национально ориентированная элита. Я только думаю: что ж они меня за границу-то не выпускали? Не хотят, чтобы элита покидала нацию?

— Зря ты согласился, — сказала она. — У тебя не получится.

— Да я не буду ничего писать! Я просто думал, ты обрадуешься.

— Ну-ну, — сказала она. — Считай, обрадовалась. Что у тебя вечером — учебник пишешь?

— Да нет, меня зовет тут... какой-то девелопер, застройщик. Тоже небось учебник истории.

— Лучше бы в кино пошли, — сказала она.

— Ну, если не поздно отпустит...

— Ладно, звони.

Он заказал «Цезарь» и мгновенно его сожрал. Напротив сидела девушка старшеклассного возраста, одна, без друзей и подруг: читала что-то толстое, серьезное, жаль — некрасивая, можно было бы... Он замечал, как она украдкой взглядывает на него, отрываясь от книги, набирается решимости и улыбается. Свиридов улыбнулся в ответ. Она тут же отложила книгу и направилась к нему.

— Ой, простите, ради Бога. Никогда в кафе не пристаю. Вы Свиридов?

— Типа да.

— Я, понимаете, про вас читала в «Дне». «На дне». Вы такой герой прямо!

— Да что там, — небрежно сказал Свиридов.

— Нет, правда. У нас в институте ужасные вещи говорят про этот список.

Свиридов опять напрягся. Одного боярина при Грозном казнили, обливая то кипящей, то ледяной водой, и скоро кожа слезла с него, как чулок.

— В каком институте?

— В Академии права. Там у нас есть ребята, у них родители, понимаете, с самых верхов. Они говорят, что это список на что-то ужасное. Что чуть ли не публичные травли и все. А вы ничего не боитесь, сидите так запросто. Я думала, вы уже спрятались куда-нибудь.

— Ну куда же мне прятаться. — Он все еще держался. — А что за ребята, которые говорят?

— Да это... — Она отмахнулась. — Мажоры, их всегда полно. Не расспрашивать же. Ой, что я пугаю-то вас? Может, они врут все.

— Да вы присаживайтесь, — сказал Свиридов.

— Нет, нет, я побегу. Что же мне грузить вас? Вы просто знайте, что мы все следим. И очень восхищаемся.

— Чем восхищаться-то, девушка? Как вас зовут, кстати?

— Алена, но я же не для этого. Я не чтобы познакомиться, а то вы подумаете не знаю что. Я просто, чтобы вы знали. И держитесь.

— Продержусь, продержусь. Но вы хоть телефон оставьте!

Она смутилась.

— Нет, ну зачем... Я же не для того, чтобы...

— Ну и я не для того, чтобы. А просто — вдруг в кино пойти.

Она колебалась.

— Ой, нет, знаете... Это вам же лучше. Не надо.

Она все-таки боится, понял он. Она боится человека из списка. Подойти, выразить сочувствие — это пожалуйста, но дать телефон — уже заразиться.

— Ну ладно, — сказал Свиридов. — Бегите, учите право.

— Да, да, — сказала она с огромным облегчением, таким же стыдным, как его собственный поросячий визг полчаса назад. — Да, спасибо. Пока.

И она убежала, а Свиридов заказал сто грамм. Вот тебе и национально ориентированная элита. Он просто понял, что я в списке, а значит, выхода у меня нет. И теперь я напишу ему национально ориентированный учебник, а он заплатит мне, как негру. Погоди же, будет тебе учебник, такой учебник, что у тебя после него отберут все фехтование вчистую. Что ж это за страна стала, Господи Боже мой, у всех жижа внутри. Не урод же я, в конце концов, не старик, — что же она, дрянь такая, бежит, как от заразы? Да я и есть прокаженный, хватит иллюзий.

В эту секунду зазвонил мобильник.

— Але, — требовательно сказал мужской голос. — Ломакин Валя.

— Слушаю, — кисло ответил Свиридов.

— Кофеек попиваем?

Свиридов опешил.

— Ты тут, что ли?

Ломакин захохотал.

— Суперприбор! — воскликнул он. — Пеленгонавигатор Гэ-три, на российских спутниках, последняя модель. В серийную продажу пойдет с января, а я уже. Я квартал для ФАПСИ строю, на Черкизовском, вместо рынка. Звоню тебе и вижу: ты на метро «Аэропорт» в кофехаусе, говенном, но с вай-фаем. Через двадцать минут тебя отсюда заберут, никуда не уходи. Если уйдешь, все равно найду, — он опять расхохотался и отключился.

За что столько внимания одному сценаристу? Совсем уже больше никого не осталось — пеленговать?

Черная шестая «ауди» приехала через четверть часа. Свиридов курил перед входом в кофехаус. Шофер выскочил и распахнул перед ним заднюю дверцу. За все время пути — минут десять по третьему кольцу — он не проронил ни слова. Неслись быстро, бесшумно и нагло.

Свиридов никогда еще не был около вантового моста близ МКАДа. Сооружение было грандиозное, в неоимперском нанотехнологическом стиле. Впоследствии много перьев было искусано в попытке дать определение этой стилистике, внушительной и беспомощной одновременно: все сооружения зрелых нулевых были исполнены кричащей роскоши, словно настаивающей «У нас есть еще!», но при этом вызывающе нефункциональны, даром что прагматизм провозглашался знаменем эпохи. Высшим прагматизмом была именно нефункциональность, страстное стремление убедить всех, что они на многое готовы для угождения незримому божеству, ставившему преданность выше всякой пользы. Вантовый мост был выше, толще, шире, чем надо; на вершинах башен располагались смотровые площадки. Несмотря на всю эту избыточность, он выглядел неуклюже и, главное, фальшиво: в нем была обреченность —

не на падение, не на аварию, Боже упаси, а на запоздалые издевательства потомков. Справа от въезда на мост высился тридцатиэтажный недострой — один из верхних этажей был ярко освещен, и там, видимо, начиналось празднество. Свиридов снизу слышал, что живой оркестр играет классику. Гостей подводили к подъемникам, вручали каски и доставляли наверх. Шофер, высадив Свиридова, отъехал за очередным гостем, а сценариста уже приняла в заботливые руки девичья обслуга модельного вида: девушки тоже были бессмысленно длинные, тупо роскошные, безголово технологичные — словом, нанотехнологические, при всех своих мегаразмерах. Нанотехнологический подъемник вознес Свиридова в вечереющую синь, откуда наномуравейник Москвы казался уютным безобидным хаосом.

Свиридов, разумеется, бывал на вечеринках, но впервые его занесло так во всех отношениях высоко. Кто-то ему кивал, кого-то он узнавал, но понять, что делают вместе все эти люди, было категорически невозможно. Должно быть, для делового сообщества, кучковавшегося по углам, во всем этом был смысл — договориться, перетереть, засветиться, — но лица у всех были потерянные; действительно серьезные люди не тусовались. Все старательно изображали движуху, то есть двигались в разных направлениях, бешено целовались, громко хохотали, — во всем наверняка был смысл, план и дресс-код (Свиридов демонстративно явился в ковбойке, не в смокинге же было ехать в Серебряный Бор), но для стороннего наблюдателя картина содержала не больше смысла, чем шахматный турнир для дикаря или дикарская пляска для шахматиста. Разве что шахматист смотрит с доброжелательным любопытством, а дикарь с застарелой ненавистью, но это не потому, что он лучше, а потому, что проще.

Свиридов перемещался среди визгливых и целующихся девушек, ел с подносов что-то очень диетическое, хрустящее, без всякого вкуса, пил кислое шампанское — вероятно, исключительно дорогое, — и категорически не понимал, зачем он здесь. Тут пронеслись охи, ахи, пахнуло, кажется, серой, — и прямо на него у всех на глазах решительно надвинулся огромный Ломакин, вышедший из тайной двери или спустившийся на незримом подъемнике. Он направился именно к Свиридову, обхватил его тесным объятием и под восхищенными взглядами присутствующих увлек в тайный закоулок. Там стоял низкий столик с фруктами и шампанским. Ломакин извлек из кармана пульт, щелкнул им, и из стен выплыли два дивана.

— Умный дом, — сказал девелопер. — Тут у меня пока кабинет. Потом будет на семидесятом, но это года через полтора.

Свиридов солидно кивнул, словно повидал уже немало умных домов, но этот был, конечно, самым умным.

— Как-то скучно все, — сказал Ломакин. — Все могу.

Свиридов опять кивнул, словно уже успел в этом удостовериться. Таких людей, как Валя, было много в то время. Когда с ними наконец случилось то, что случилось, — они так и не успели ничего понять и, кажется, даже обрадовались: наконец им выпало то, чего они не могли обеспечить себе сами, — согласитесь, когда самого себя запираешь без еды на необитаемом острове, это далеко не тот экстрим.

— За истекший период корпорация «Форекс» застроила три миллиона квадратных метров, — сказал Ломакин. — Мы применяем такие технологии строительства, каких больше никто.

Свиридов уже выслушал сегодня отчет о бизнес-успехах Рыбчинского и приготовился скучать. Он не понимал, почему все эти люди постоянно отчитываются перед ним. Ему еще не хватало чуйки доперетъ, что они отчитываются не перед ним, а перед кем попало, надеясь отвратить от себя грядущий удар, которого ждали все. Когда подворачивался под руку сценарист, годился и он. — За пять лет мы выросли с малого предприятия до лидера европейского высокотехнологичного строительства. В наших планах — строительство вращающегося дома в Москве, который будет изменять конфигурацию по воле ветра, — продолжал Ломакин.

— Там будет размещаться правительство? — спросил Свиридов. — Или главные СМИ?

Ломакин натужливо захохотал.

— Вижу, малый ты быстрый, — сказал он. — Могу все. Был в джунглях, прорубал там путь себе и парням, — прорубил. Готовлюсь теперь к полету в космос. Пишу книгу «Как стать мной». Но это все не то, ты понимаешь?

— Можно вложиться в кино, — осторожно предложил Свиридов.

— Во! — воскликнул Ломакин. — И я хочу, чтобы ты написал такое кино. Но!

— Почему именно я? — спросил Свиридов. — Сценаристов много.

— А ты не хочешь?

— Нет, хочу, но мне надо сначала понимать, почему я...

— Потому что, — Ломакин подмигнул. — Потому что мне докладывали, что ты знаком с Лалой Графовой.

Свиридов действительно был знаком с Лалой Графовой и даже более того. Она была необыкновенно хороша — бывает душа не по телу, а тут тело не по душе, умное, невзрослеющее, горячее тело нимфетки, кемеровское происхождение, непроходимая тупость, ни намека на душевный аналог той волшебной телесной чуткости, с какой она отзывалась на любые желания; но Свиридов был бесперспективен и вдобавок поймал ее на многократном вранье. Теперь эта идиотка давно снималась в Голливуде в бессловесных ролях официанток русских мафиозных ресторанов. Было удивительно, что Ломакин помнил Лалу Графову.

— Я ее видел в «Серебряной пыли», — сказал девелопер доверительно. — И я тогда себе сказал: будет день, когда Лала Графова сыграет у меня в картине, и я буду спонсором этой картины, и у меня будет там роль. Я хочу, чтобы ты написал сценарий для Лалы Графовой и привез Лалу Графову. Мне говорили, она к тебе поедет.

— Это было тыщу лет назад, — сказал Свиридов, — и она давно в Штатах.

— Знаю, — сказал Ломакин. — Мне ее там уже нашли. И с ней были переговоры. И она сказала, что если напишет Свиридов, то она поедет.

Тут до Свиридова дошло, и он осознал всю меру коварства Лалы Графовой. Лала помнила о нем, и о том, как он выставил ее из своей квартиры за блядство и ложь, и теперь хотела отдаваться Ломакину на глазах у Свиридова, а Свиридов чтобы переписывал ее монологи по первому требованию. Требований, понял Свиридов, будет много.

— Вообще-то я не буду больше работать с Лалой Графовой, — сказал он гордо.

— Будешь, — спокойно произнес Ломакин. — Это обязательно.

Неожиданно Свиридова осенило.

— Слышь, Валя, — сказал он. — Говоришь, все можешь?

— Все, — подтвердил Валя, не добавив ни «почти», ни «практически».

— Ну тогда смотри, — убедительно сказал Свиридов. — Я готов с тобой работать и писать для Лалы Графовой что угодно. Я напишу тебе крутую роль с продакт-плейсментом твоего девелопмента. Я даже не возьму с тебя особенно много денег. Но у меня к тебе большая, серьезная просьба. Я попал в непонятное, Валя. Я попал в какой-то список. Одни говорят мне, что это список национальной элиты, а другие — что список врагов народа. Если ты можешь все, убери меня из этого списка, и я буду работать на тебя бесплатно.

— Принято, — кивнул Валя. — Это два звонка. Или один. При тебе позвонить?

— Нет, пожалуйста, не надо. Как-нибудь без меня. Но если сможешь, я тебе буду реально благодарен.

— Хорошо, — сказал Ломакин. — Но пойми такую вещь. Чтобы налить в стакан, надо отлить из стакана, это пятое правило Ломакина. Знаешь четыре первых правила Ломакина?

— Не знаю, — сокрушенно ответил Свиридов, как будто ему не терпелось узнать правила Ломакина. Валя извлек из кармана белых широких шелковых штанов черную узкую брошюру «Кодекс "Форекса"».

— Это у меня знают все, от совета директоров до уборщицы. Разбуди их ночью, и они расскажут кодекс «Форекса». Я скажу тебе, Серый, а ты отразишь. Пойми, я не могу играть просто так. Это не должен быть супермен, потому что супермен ни хуя бы не построил того, что строю я. Это должен быть герой, который растет телескопически. Ты знаешь, какое здание «Газпрома» я буду строить в Нижнем Новгороде?

— Не слышал.

— Еще никто не слышал, — торжественно сказал Валя. — Это эксклюзивный проект. Такого нет нигде в мире. Он будет отражать цены на газ. Башня будет расти, выдвигаясь телескопически. Если цена упадет, башня сложится. Но цена долго не упадет.

— А если изобретут альтернативное топливо, — сказал Свиридов, — башня провалится, так?

Ломакин захохотал.

— Скорость есть, — сказал он снисходительно. — Запомни, Серый: первое правило Ломакина — скорость. Второе — быстрота. Скорость и быстрота — совершенно не одно и то же. Скорость — это стремительность действий, а быстрота — это оперативное принятие решений. Третье правило — натиск. Четвертое — чуйка, потому что без чуйки не может быть ничего. Если ты не чуешь, что сейчас в тебя ударит метеорит, ты не можешь заниматься бизнесом. И ты не будешь им заниматься. Я стою здесь с тобой и чую, что у меня в Эмиратах на строительстве башни «Мачта» сейчас заболел рабочий. Проверим? — Он достал коммуникатор и быстро что-то набрал. — Олег? Приветствую. У тебя заболел там человек на стройке? Насморк? Скажи, что я звонил и что советую фервекс. Фер-векс. Да. Да, у нас все в порядке. Будь здоров.

Он посмотрел на Свиридова, как Бог, только что на его глазах отделивший свет от тьмы и попутно мизинцем отщелкнувший падшего ангела, все норовившего их смешать. Свиридов понял, что ему будет о чем писать сценарий. Правда, он вряд ли понравится Вале Ломакину и его чуйке.

— Но главное, — продолжал Ломакин, — это быть открытым новому. Понимаешь? Пятое правило — надо отлить из стакана, чтобы долить туда еще. И я хочу, чтобы ты вылил из своей жизни все лишнее, чтобы залить туда «Форекс» и меня. Ты будешь летать со мной на медвежью охоту. Ты будешь у меня на совете директоров. Ты полетишь в мой вьетнамский отель.

— С девушкой можно? — быстро спросил Свиридов.

— Нельзя, — отрезал Ломакин. — Ты должен думать о сценарии, а не о девушке. Если приспичит, мы тебе там купим.

— Хорошо, — кивнул Свиридов.

— Ты должен будешь забыть все, что знаешь. Ты должен будешь привыкнуть к другому масштабу людей. Ты должен будешь увидеть таких людей, каких не видел еще никогда. Это должна быть... сага, понял? Видишь, я стараюсь быть понятым. И я надеюсь быть понятым.

Свиридов понял, что Ломакин выучил слово «сага» — вероятно, прочел в Интернете применительно к «Команде».

— А почему ты сам не хочешь написать? — вкрадчиво спросил он. — Мне кажется, у тебя бы получилось.

Ломакин кивнул.

— У меня проблемы были в школе с русским языком, — сказал он. — Тройки еле натягивали. Это потому, что я думаю быстрей, чем пишу. Троечники лучше успевают в бизнесе. Отличники думают, что все уже знают, а у троечника есть стимул расти. Отличник полон, как стакан, и не умеет отлить. Я набросал тебе тут для сценария, ты распишешь потом. Вот.

Ломакин нажал кнопку на коммуникаторе. Вбежал подобострастно согнувшийся клерк с папочкой, словно дожидавшийся под дверью.

— Читай, — сказал Ломакин. Он любил скорость.

В папке был один листок с тремя абзацами текста. Свиридов пробежал первый: «Взлет! Сверх сверх сверх и еще. Пять правил — пять основ на которых стоит. Чуйка! Но отлить. Жаль бросить — чемодан без ручки. Напор? Но осмыслить! Буллит в хоккее. Один из 16, много из 15. Вторых нет. Стремления мало. Но без стремления нигде. Протуберанцы. Было в Малайзии чуть не погиб встречный ветер 37 км/час, выплыл потому что напор. И с женщинами так но не так. Разлет бровей. Нужна одна но такая чтобы готова все, везде. Иначе дерьмо. Полное понимание! Границ нет. Когда-нибудь космос».

Свиридов представил монолог, который напишет главному герою, и еле удержался от счастливого хохота. Пусть вытащит меня из списка, и будет ему суперсупер.

— Я понял, — кивнул он. — С этим можно работать. Правда, не сразу, у меня сейчас еще одна работа, — он вспомнил об учебнике.

— Есть площадка, — сказал Ломакин. — Такая — закачаешься. Здесь, в Москве. Один мудак держит фехтовательный клуб, но это я дожму. Ему мало там осталось фехтовать. Там будет парк развлечений — Диснейленд сосет. Такого нет нигде, ни в Дубаях, ни в Шанхае. Это будет колесо обозрения выше Останкина. Я хочу сцену на колесе обозрения, и еще там будут американские горки. Мы должны вернуть им название. Американцы же их называют «русские горки», ты в курсе? После этого все будут называть их только «русские горки».

Русские горки, да. Не завидую я Рыбчинскому, подумал Свиридов. Это значит, кажется, что мне не придется писать национально ориентированный учебник. Жаль, что я не взял у него аванс. Но у этого парня действительно чуйка. Не успел я подумать про Рыбчинского, как он тут же открыл мне его участь. Как хорошо, что я был дитя в девяностые и не успел отгрызть себе фехтовальный клуб. Сейчас бы мне пришлось много, много отлить, и еще вопрос, простили бы или съели.

— Иди сейчас, — сказал Ломакин. Он отпускал его милостиво, с пониманием: великого не должно быть слишком много.

Свиридов вышел на этаж, прихватив яблоко. Парти шло своим чередом: две абсолютно голые девушки с крыльями из гусиных перьев вели благотворительный аукцион в пользу детей, больных раком крови. Фотографии лысых детей проецировались непосредственно на тела ведущих. Чтобы дать более наглядное представление о раке крови, разносили «Кровавую Мэри» и раков. Элита распродавала вручную изготовленных пластилиновых ангелов.

— Еще одна спасенная жизнь! — голосил незримый Андрей Малахов.

Свиридов потусовался еще минут десять, набираясь впечатлений, и прошел к подъемнику. Внизу он долго путался в хаосе досок и балок, прежде чем нашел дырку в заборе. Ауди возле дырки не было: вероятно, он пропустил правильный выход. Пришлось ловить машину, машин не было, он блуждал среди выселенных, обреченных на снос пятиэтажек, среди призраков прежней Москвы, сносимой теперь целыми кварталами, и вспоминал, как среди таких же домов возвращался из школы. Чему и зачем его там учили? Иногда в старых училках, повторявших никому не нужные прописи, он чувствовал обреченность: сегодня вы нас ненавидите, как бы говорили они, а завтра мы ни от чего не сможем вас спасти. Как быстро и бесследно исчезло все, чему они учили, как это удивительно.

Он поймал наконец машину с пожилым водителем-кавказцем, всю дорогу жаловавшимся на дороговизну бензина в надежде, что Свиридов прибавит. Они уже подъезжали к Профсоюзной, когда зачирикал мобильник.

— Здорово, — сказал грустный густой голос, в котором Свиридов не сразу узнал ломакинский. — По Нахимовскому едешь?

— Типа того. Я на Профсоюзной живу.

— Хороший район, застройка только плохая, — сказал Ломакин и замолчал надолго. Свиридов испугался, что сейчас его развернут и отправят назад — выслушивать шестое правило кодекса «Форекса». Это было в Валином духе.

— Ты извини, — сказал Ломакин. — Есть мне куда расти.

— В смысле?

— В смысле не все могу. Я не могу тебя убрать из списка.

В голосе Ломакина Свиридов уловил то ли покаянные, то ли, страшно подумать, уважительные нотки. Не быть мне частью элиты, не есть раков с кровью. Что же ты, Ломакин, куда же это я попал, Ломакин...

— Никак-никак? — спросил Свиридов.

— Никак, — просто ответил Валя. — Извини. Ну и, соответственно, сценарий не нужно. Я скажу Лале.

— Да уж понятно.

— Просто, понимаешь, — сказал Валя. — Раз такой список, то я, наверное, не смогу тебя возить везде, и вообще не пропустят.

— А что за список-то? — спросил Свиридов.

— Если бы сказали, — сказал Валя, — тогда бы я что-то мог. Но они не говорят. Бывай.

Свиридов расплатился и вышел из машины. Он чувствовал странный покой, почти блаженство. Все было правильно. Удивительно, как Господь теперь управляет его судьбой: не надо писать ни учебник, ни сценарий. Правда, авансов тоже не дали, но это и к лучшему. Хорошо побывать за день в двух взаимоисключающих, вдобавок враждующих и одинаково чужих сферах — и понять, что ни в одной из них ты не нужен.

Русские горки, да. Зато он знал теперь, о чем написать первую колонку для Тэссы. Славное у нас ремесло — когда нельзя жить, есть о чем писать, и наоборот.

8

В киноцентре «Октябрь» Свиридова ждал такой сюрприз, что все предыдущие показались с овчинку. На круглый стол «В едином строю» были полносоставно приглашены списанные.

Уже у входа, перед рамкой, он обнаружил Бодрову и в первый момент не поверил глазам. Ладно, Бодрова — совпадение, но на подходе уже щебетала Светлана Лачинская, которую Бодрова ему тут же и представила: двадцать пять, блондинка, вообще у нас преобладают белокурые, джентльмены предпочитают блондинок. Все были радостно возбуждены, словно их позвали не на посиделки престарелых малют, а на предпремьерный показ заранее нашумевшей мелодрамы с хорошим концом. Досмотр гостей был на сей раз особенно пристален. Свиридов пожимал чьи-то руки, отвечал на приветствия, растерянно улыбался и, страшно сказать, радовался: он был среди своих. Это было порочно, позорно, неправильно, он не должен был считать их своими, если хотел вырваться из лепрозория, — но с первым побуждением ничего не поделаешь: несчастные были приятны ему. В некотором смысле у него не было теперь никого ближе.

— Ну, как вы это объясняете? — на правах старого друга спросил он Клементьева.

— Никак не объясняю. Хочу посмотреть, что будет.

— А не может это быть акцией по всеобщему аресту? Если человека приглашают на встречу со спецслужбами, он и сам может смекнуть...

— Непохоже. Смысла нет. Всех, скопом, на виду у города, в «Октябре»? Я понимаю, если бы клуб имени Сидорова на метро «Текстильщики», но это ведь...

— Я знаете что думаю? — подключился маленький, лысый, подвижный, явный сефард с обезьяньими благожелательными чертами; на пикнике Свиридов его не видел. — Мне все-таки кажется, что это, так сказать, начало воспитательного процесса, что они наметили целый ряд таких мероприятий в рамках нашего приведения к какому-то знаменателю...

— Очень может быть, — серьезно кивнул Клементьев. — Выбрали и воспитывают.

— Заметьте, — продолжал лысый, — это первая за все время акция. Первый контакт с нами с момента составления списка.

— Ну откуда вы знаете, — усомнился Свиридов. — Может, пикник тоже их инициатива.

— Непохоже. Что ж, Вулых из них?

— Да зачем Вулыху быть из них. Позвонили, сказали: через неделю все на вашей даче проводим пикник. Возражения? Никак нет. Ну и позвал к себе всех.

— Интересный у вас план получается, — сказал красивый молодой человек, явно из хорошей семьи, таких полно в РГГУ; его аристократизм выражался не в надменности, а в трогательной домашности, и всем своим видом он как бы просил гегемонов простить его за мягкость и утонченность манер, балансирующую уже на грани гомосексуальности. Такой взгляд вырабатывался у этой прослойки на протяжении трех поколений. — Вы думаете, они будут сочетать трудовое воспитание с пропагандой?

— Ну а кто помешает. — Свиридов немедленно почувствовал расположение к молодому человеку, ибо тот был куда беспомощней самого Свиридова. Фамилия мальчика-тюльпанчика была Сальников, вот никогда бы не подумал, глядя в список: такому надо что-нибудь вроде Голенищев-Кутузов. — Если допустить, что этот список не единственный, тогда вообще хорошо выходит: наша воспитательная программа — копать на дачах и слушать ветеранов. А еще кому-нибудь — пешие походы и лекции о международном положении. Тогда получается, что они так мобилизуют страну.

— А почему нам ветеранов? — улыбнулся Клементьев.

— Наверное, для реальных силовиков мы слишком лояльны, их бросают на какую-нибудь молодежь.

— А что? — сказал стоявший поблизости угрюмый черноволосый тип, ростом повыше Свиридова. — Вполне себе версия. Мы ж люди безобидные, так? Нам сказали — мы пришли. Меня, кстати, Григорием зовут, Григорий Абрамов.

В списке уже общались запросто, знакомились и включались в чужие разговоры без церемоний. Все поспешно представились: сефард оказался Аркадием Липским, режиссером эстрадных представлений, Абрамов служил в автосервисе, а беспомощного юношу звали Данилой, и работал он редактором в «Бессоннице».

— Непохоже, — усомнился Клементьев. — Я все-таки думаю, что это их первая попытка всех собрать и, что ли, сагитировать... Знаете, как ветерана приглашают к призывникам.

— И нас всех хотят рекрутировать туда? — не поверил Свиридов.

— Очень может быть.

— Не выпить ли для храбрости? — предложил Липский.

— Ни в коем случае, — резко отказался Клементьев. — И вам не советую. После — сколько угодно.

Свиридов обратил внимание на человека, которого хорошо знал в лицо, видел на нескольких премьерах, но представлен не был. Это был обозреватель какого-то FM — здесь же, в «Октябре», они пересекались раз десять и даже мимолетно кивали друг другу; странно было, что он тоже загремел в список — хотя мог находиться тут и по своим делам: не явился же он на дачу к Вулыху. В прочих залах шло кино, жизнь продолжалась, пока прокаженные прослушивали свою спецпропаганду. Свиридов все-таки решил подойти.

— Сережа! — обрадовался журналист. Ему было под пятьдесят, подвижное обезьянье лицо, шкиперская бородка. — Я все смотрю на вас и думаю — вы, не вы?

— Что, переменился?

— Да нет, просто что вам тут делать...

— Я по списку.

— Вона! — Журналист откровенно обрадовался. — И вас загребли?

— Ну, я пока еще не очень понял, куда... Простите ради бога, я не помню, как вас...

— Андрей Волошин меня зовут, «Столица-FM». Я еще на «Свободе» рассказывал про одну картину вашу, помните? Ну эту, где он просил-просил другой глобус и получил...

— А, мультик. — Свиридов сочинил его когда-то для Туркоса, между делом. Получилось смешно, нестыдно, они думали даже запузырить серию, но умер Татарский, и проект прекратился. — Там Леша больше придумал, чем я...

— Хорошая была история. Ну и что вы думаете про все это?

— Да я надеялся, вы мне сами сейчас расскажете...

— Подождите, надо посмотреть, что они нам тут расскажут. Я сначала думал — это идеальная модель общества, всякой твари по паре. Но что-то много киношников на сто восемьдесят человек, не находите? Значит, наверное, вякнули где-то что-то...

— Ну вы хоть вякнуть можете — там, на «Столице». А я-то где?

— Мало ли, в разговоре, по телефону.

— А, бросьте. Хотя вам положено, вы же за свободу...

— А вы нет? — мгновенно посерьезнел Волошин.

— Да и я за свободу, — успокоил Свиридов, — только кто ж ее когда видел...

— Ну, вы человек молодой, небось пешком под стол ходили в восемьдесят седьмом. А я видел. Да и потом видел. Даже на НТВ при Гусе было больше свободы. — Свиридов вспомнил, что Волошин действительно дружил с Лосевым, тем самым, что еще так недавно злорадствовал при свиридовском задержании на границе, и даже появлялся у него на программе в качестве эксперта. — Понимаете, всякий список составляется исключительно для ограничения. Начало свободы — отмена всяких списков, я из поколения, которое это отлично помнит. В восемьдесят пятом году — я только на иновещание пришел — все было по спискам: эти темы можно, эти нельзя. Этим пайки первой категории, этим второй. Эти люди Писенко, им можно побольше, а эти люди Лукашова, они церберы. И так далее. А потом человек стал что-то значить сам по себе, вне списка, но это было недолго.

Фон: шум, смех, разговоры, девки с голыми пупками. Свиридов не стал бы прописывать фона, с некоторых пор он все видел размыто, слишком был сосредоточен на списке, нагноившейся этой занозе.

— Я недавно у Леонтьева прочел, что начинается новая инвентаризация страны, — вспомнил он. — Надо все учитывать заново, вот и список...

— У Константина Леонтьева? — изумленно спросил Волошин.

— Константин умер, — пояснил Свиридов. — У Михаила.

— А... — протянул Волошин. — Что ж вы, батенька, дрянь такую читаете?

— Но идея-то здравая, нет?

— Идея идиотская, даже если бы была Константина. Инвентаризация страны при ЧКГБ — это капитализация курятника лисой. А волки с IPO помогают, для легальности. Наверное, за процент. Так не тащили ни при каком Ельцине, потому что по крайней мере знали пределы, и был задан вектор.

— Вектор и был — тащить...

— Ну, это вы не наговаривайте. Вектор был другой, все его знали, он не исключал, конечно, и некоторого «тащить», но к этому не сводился. Все, что было тогда утащено, сегодня работает, а все, что утаскивается сейчас, лежит на иностранных счетах, и мы этого больше не увидим. А разговоры про инвентаризацию — это операция прикрытия, в данном случае идейного. За отсутствием других идей. А по-нормальному это называется — взять на карандаш. Я только не понял пока, в какую графу мы у них попали.

— Наверное, воспитуемых, — сказал Свиридов.

— Если из сегодняшнего мероприятия исходить, то да. А если нет... Вы не хотите, кстати, на «Свободу» ко мне зайти, поговорить про все это дело?

— Говорить-то пока не о чем особо, — сказал Свиридов. Меньше всего он хотел портить себе жизнь выступлениями на «Свободе». Этак можно было и «Родненьких» лишиться.

— Наши пока тоже не очень хотят про это делать, — успокоил его Волошин. — Они говорят: проверьте, что за список. Мало времени прошло. Но я это раскопаю, не беспокойтесь. Если что узнаете — сообщайте, хорошо? Вот мобильный.

Свиридов внес его прямой дорогостоящий номер в телефонную книжку своей «Моторолы», и они отправились в пятый зал, где уже рассаживались списанты.

На красной бархатной сцене, подсвеченной красными, белыми и синими прожекторами густых госцветов, за длинным столом рассаживались люди в черном. Все они были почти неотличимы. Справа на столе громоздилась стопка книг в роскошных золоченых обложках. Ведущего Свиридов узнал — это был бородатый, осанистый, тенористый Кошмин с «Московии», в прошлом малоудачливый рокер, нашедший впоследствии Бога и теперь пропагандировавший всяческое «Любо».

— Дорогие друзья! — начал Кошмин высоким деловым голосом. — Прежде всего позвольте поприветствовать всех собравшихся и призвать вас к активному участию в дискуссии, потому что этот стол, прекрасный вот этот стол, который вы видите перед собой на сцене, — он постучал по нему кулаком, подчеркивая надежность стола, — он только кажется квадратным, а на деле он круглый, и я надеюсь, что мы все вместе и, так сказать, от души. — Что именно будет делаться вместе и от души, он не пояснил. — Мы собрались на презентацию второго выпуска книги, первый том которой уже стал, не побоюсь этого слова, сенсацией и безусловным фаворитом читательского спроса, это, как вы понимаете, «Русский проект», история которого достаточно известна. Вы знаете, конечно, что это, так сказать, загадочная рукопись, или, в компьютерный век живем, загадочный файл, поступивший всем руководителям центральных СМИ и наиболее выдающимся государственным деятелям и начинавшийся словом «Опомнитесь!». Вот, собственно, это слово стало в известном смысле девизом года, и уже сегодня список опомнившихся насчитывает многие сотни имен.

— Это не про нас ли? — шепнул Волошин.

— Были проведены, конечно, разыскания, — продолжал Кошмин. — Ясно, что книга блестящего, конечно, аналитического уровня, с таким геополитическим охватом, который мог сохраниться только в очень тайных, очень хорошо законспирированных аналитических отделах на самых верхних этажах. Глубина анализа, вы понимаете, смелость обобщений, начитанность огромная авторов в русской филисофии, в трудах Ивана Ильина, Сергея Нилуса, других великих церковных мыслителей — все это выдавало, конечно, людей в погонах, и в погонах с большими звездами. Но никто так и не обнаружил авторов, которых профессия научила не слишком засвечиваться в дискуссиях, потому что надо делать дело сейчас, а не тратить время на сотрясение воздуха. Вы знаете, конечно, тоже, что некоторые цитаты из «Русского проекта» попали в Федеральное послание президента... послание президента Федеральному собранию, — подобострастно исправился он, — и в том числе фрагменты, где цитируется Иван Ильин. Но это, так сказать, анализ, а нужны же и конкретные рекомендации по преодолению накопившейся отсталости, по возвращению России статуса геополитического центра региона, по осознанию России не как провинции Запада, а как самодостаточной альтернативы ему... И вот, дорогие участники, перед нами второй том «Русского проекта»! Вы можете задавать любые вопросы: перед вами не все, конечно, авторы, но те, что есть, ответят на ваши, конечно, вопросы...

Свиридов слышал о «Русском проекте». Этот трехцветный златотисненый том стоял на всех московских книжных прилавках и никому не был нужен даром, а стоил по полторы штуки упаковка («Проект» вручался в бархатном футляре с золоченым орлом). Всех геополитических откровений там было — нудное и подробное обоснование возврата к монархии с требованием, чтобы очередной президент дал старт династии. Все тайные аналитические отделы жрали хлеб даром, поскольку не могли предвидеть даже того, о чем догадывались ветераны, играющие в домино по дворам; утешаться оставалось тем, что таковы аналитические отделы во всем мире.

Начались выступления авторов «Русского проекта». Все они были построены на возврате к имманентным ценностям и проповедовали наихудшее поведение в предложенных обстоятельствах. Правота отождествлялась с хамством, идентичность — с кондовостью, органика — с невежеством, во всем этом не было ровно ничего нового. Пока русский царь удит рыбу, Европа может подождать. Потом Европа в мутной воде удит рыбу, а сыновей русского царя при ее молчаливом попустительстве сбрасывают в шахты. Особое внимание, как всегда, уделялось козням Англии и щупальцам спецслужб, работающих под гуманитарными прикрытиями. Особенно подробно выступал ветеран внешней разведки, костяной старик с идеально лысым пигментированным черепом, подробно развивавший тезис о крюке. Крюк (на котором удержалась Россия в смутную эру) был главным лексическим новшеством года, вошел в названия и фразеологизмы. Старик по третьему кругу заходил на одну и ту же мысль. Видимо, он чувствовал крюк глубже и страстнее, чем мог выразить.

— Это крюк... — повторял он. — Это тот загнутый прибор, глубоко вбитый, на котором повисло... все! И мы не можем... не можем позволить! Вы все, собравшиеся здесь...

Тут в его глазах внезапно мелькнуло что-то осмысленное; он понял, кажется, кто собрался.

— Вы все здесь собравшиеся! — закричал он страшным фальцетом. — Вы висите здесь, но нет благодарности! Нет чувства, что вы удерживаетесь все вот тут, тут! Что вас предохраняет только тончайшая, тончайшая... линейка, пленка! Когда безупречные люди, гениальные аналитики, лучшие умы, каждому по десять раз предлагали перебежать, и никто не перебежал, когда вот эти безупречные люди... здесь перед вами... вы должны осознавать, на чем вы висите! Вы пришли просто так, как домой приходят, в вас не видно сознания, вы смеете кушать! На вашем примере здесь сейчас будет показано... и вы, может быть, тогда! Тогда! — Он застучал по столу, так что не зря Кошмин проверял его надежность. Старик закашлялся и сел, повисла пауза.

— Может быть, кто-то хочет сказать? — не очень уверенно предположил ведущий.

Списочный состав молчал, напуганный предположением о том, что на его примере здесь сейчас будет показано.

— Я скажу, с вашего позволения, — из-за стола поднялся доселе молчавший длиннолицый штатский с зализанной прической. Если у прочих выступающих была стертая внешность, у него не было вовсе никакой — то есть пока он не встал, его вообще никто не замечал; встав, однако, он оказался почти двухметровым, очень, очень большим, как и всегда бывает с тайными сущностями, скрытыми до времени. — Я буду краток вообще-то, я только хочу сказать, что видел отдельные перемигивания, такие переглядывания, слышал соответствующие смешки. Я хотел бы сказать, что мы, люди спецподразделений, не очень, может быть, умеем говорить так, как этого бы хотелось иногда любителям всяких, значит, половых извращений, поклонникам анального фистинга и других так называемых развлечений. Все эти лимоны на ветках яблони и так далее. Но вопрос не в том, насколько развесисто мы говорим, а в том, что мы делаем и как мы понимаем государеву службу. Вот это понимание государевой службы я хотел бы донести, чтобы всякая перверсия, вся эта тут собравшаяся дрисня, чтобы вы не понимали о себе очень много, когда тут перед вами говорит человек, не умеющий, может быть, какие-то особенно яркие экзистенциализмы и подобный куннилингус тут из себя для вас изобразить. Мы тут собрались не клоуны, и я хотел это подчеркнуть. Я надеюсь, что вы это поняли и будете соответственно.

Он сел и мгновенно растворился в среде. Списанты потрясенно молчали.

— Спасибо за внимание, товарищи, — упавшим голосом сказал Кошмин. Кажется, он почувствовал, что упустил бразды и что ему никогда не научиться так вести оперативные мероприятия. — Вы можете пока быть свободны, а дальше будет доведено. Приобрести книгу желающие могут на выходе.

Некоторые приобретали. Волошин хихикал, прикрывая рот рукой. На выходе он и Свиридов столкнулись с Абрамовым.

— Пойдемте в сушницу посидим, — предложил Абрамов. Вид у него был встревоженный, но говорил он нарочито громко и весело.

— Да, пойдемте, — согласился Свиридов. Просто так расходиться было страшновато, а главное, он ничего не понимал.

В Москве бурно и кратковременно цвел консьюмеризм, в рестораны впервые на свиридовской памяти стало не попасть, на Новом Арбате особенно. Денег в какой-то момент стало больше, чем нужно на выживание, но меньше, чтобы заставить их работать, вложить в квартиры или дело, и очевидной сделалась невозможность перепрыгнуть в другой имущественный ряд: стало понятно, что все останутся там, где их застигло стабильностью. С тоски беспрерывно закупались и жрали. В сушницу войти не удалось — хвост очереди торчал из дверей. Волошин признался, что не помнит такого наплыва голодных с советских времен. Удовлетворились «Рахат-лукумом», набрали бессмысленно много, словно пытаясь себе доказать, что властны хотя бы над меню. Собственно, окружающий консьюмеризм диктовался теми же соображениями: утратив прочие признаки жизни, изо всех сил эксплуатировали последний — emereo ergo sum.

Здесь, в кафе, на мягких низких пуфах, расслабились, но вдруг напрягся Абрамов. Видно было, что его переполняет страх, зыбкая неуверенность, что он и вообще человек нервный, — но заговорил он бравурно, напористо:

— Ну и что, я вообще не понимаю, что такого!

— Не понимаете — и очень хорошо. Это приятель ваш? — спросил Волошин у Свиридова.

— Только что познакомились. Но, я думаю, в списке мы все уже... так сказать, приятели, — попытался примирить их Свиридов.

— Нет, нет. Даже если у одной стенки — все равно есть разногласия, и я совершенно не против обсудить. Общность участи не должна стирать грани. Так что, Григорий, вы полагаете — все в порядке вещей?

— Вот скажите вы мне, простому человеку, — проникновенно начал Абрамов. — Я в автосервисе мастер. Вот чего вам такого сейчас нельзя, что было можно при Ельцине там, при Горбачеве?

— Это жульнический вопрос, но я вам объясню, — кротко отвечал Волошин. — При Ельцине был веер возможностей, сейчас их нет.

— У кого он был? У вас? У меня никаких возможностей не было. У меня две дочери, сейчас у меня есть возможность их достойно кормить. Тогда у меня не было, я по семи работам бегал, и жена то же самое. Голосовать вы можете? Можете. И вы знаете, что люди действительно так голосуют, потому что восемьдесят процентов подтасовать нельзя — так?

Волошин кивал. Ему лень было спорить. При этом Свиридов отлично чувствовал, что Абрамов умен и нервен, что заговаривает он прежде всего себя — но заговаривает убедительно, выработав аргументы долгим опытом. У него сильно дергалось веко — то ли от страха разносных возражений, то ли от более глубокого ужаса, связанного, возможно, со списком.

— И я ничего ужасного не жду от этого списка. Я к этому отношусь как к призыву в армию, и мне вовсе необязательно думать, что меня там будут бить и изничтожать. Это все стереотипы, навязанности, мне смешно слушать это все, я служил — меня никто не бил, меня поди побей... Это же каждый сам позволяет с собой делать.

— Ну хорошо, очень хорошо! — повторял Волошин. — Нам-то вы зачем все это рассказываете, про свое исключительное счастье? Счастье не кричит о себе! — Он с удивительной легкостью умудрился записать Свиридова к себе в союзники, тогда как Абрамов, вот странность, был Свиридову скорее симпатичен: по крайней мере он пытался думать, тоже дело.

— А потому что я вижу, что вы все рассматриваете с точки зрения стереотипов! Для вас это обязательно конец и гибель, а я хочу понять, просто искренне понять: что вам не нравится? Что такого делается, что не нравится?

— Это вы для себя хотите сформулировать, — мягко сказал Свиридов. — Я вам, Гриша, помогу. Я тоже ничего особенно ужасного не чувствую, чувствую только, что все как бы стало безразлично, потому что ничье мнение уже не важно. Это раз. Второе...

— А в девяносто шестом было важно ваше мнение? — перебил Абрамов. — Еще наглей жулили, и что?

— Так ведь важность мнения выражается не в том, что его слушаются, — терпеливо объяснял Свиридов. — Ему просто позволяют быть, и не устраивают всей этой демагогии про лимоны и яблоки, про первертов и продажу, и что геополитически необходимо заткнуться... В девяностые по крайней мере было ясно, где добро и зло, при том, что власть вовсе не обязательно была добром. Она даже с ним не отождествлялась. Просто была система ценностей, и все. Сегодня ее нет, и правы те, кто ведет себя самым наглым образом.

— Не вижу я этого! — искренне уверял Гриша. — И не вижу, чтобы рулили дураки. Я вижу, что у меня впервые президент, за которого мне не стыдно. Он не пьет, не стреляет по парламенту и знает языки. А у вас принцип двоечника, вы простите, конечно: когда в школе бардак и директор запил, ему гораздо спокойнее. А сейчас директор не пьет и школу не раскрадывают, а значит, могут вызвать к доске. Вот и считайте, что вас — нас — вызвали к доске. Не двойку получать и не пороть, а реально спросить, что и как вы думаете...

— Вот эти крючники нас о чем-то хотели спросить? — спросил Волошин с непередаваемой брезгливостью.

— А почему нет! — отчаянно воскликнул Абрамов. — Просто они не очень умеют спрашивать, но нам же никто не мешал говорить?

— Никто, никто не мешал. Давайте вы, Гриша, лучше про девочек расскажете. У вас, вы говорите, две дочери. Это очень интересно.

...Свиридову с Волошиным оказалось по пути — журналист жил на Ленинском, Гриша откололся и поехал в свое Отрадное, где ему было так отрадно в трехкомнатной квартире продуваемого всеми ветрами блочного дома. На прощанье все обменялись телефонами, а Абрамов даже сообщил свой адрес — Декабристов, 25 и 25, запомнить очень просто.

— Странно, — сказал Волошин. — У меня тоже квартира двадцать пять.

— А дом?

— Дом девяносто один, по Ленинскому.

— Интересно, — сказал Абрамов. — Может, в списке все из квартир двадцать пять?

— Нет, у меня девяносто три, — признался Свиридов.

— А дом?

— Сорок пять, — соврал Свиридов. Он не хотел давать кому попало свой адрес, тем более, что Абрамов хвалился уникальной памятью.

— Очень типичный представитель, — ворчал в такси Волошин. — Такого пока жизнь рылом не ткнет — ничего не начнет понимать.

— Но, может, ему действительно стало лучше? Нельзя же всех по нам...

— Да ничего ему не стало лучше, просто атрофировались какие-то рецепторы, принюхался. Хорошо бы его ткнуть как следует. Это ведь именно такие всю жизнь говорили: зря не посадят, зря не скажут, просто так в Горький не сошлют... Бессмертный тип довольного человека.

— Вы не поняли, он себя уговаривает, а не вас!

— Так еще хуже. Что подлей — себе врать или другому?

— Тоже верно, — вздохнул Свиридов. — Ну а сегодняшнее-то мероприятие было зачем?

— Для ясности, — буркнул Волошин. — В общем, будьте на связи. Если что узнаю — сразу позвоню. Вам работать-то дают?

— Со «Спецназа» поперли, а шоу оставили.

— Вот свиньи! — возмутился Волошин. — Что же вы молчите?

— Да стыдно жаловаться, Андрей. Взрослый мужик...

— Ничего себе, интересно! Жаловаться ему стыдно! Вы это бросьте. Обязательно на неделе в эфир позову.

— Лучше работу подбросьте.

— И про это подумаем, — сказал Волошин, вылезая напротив улицы Стасовой.

9

В летней жизни списка, абсурдной, насыщенной, неопределенной, отчасти бардачной, вспоминавшейся потом с ностальгической нежностью, потому что следом настало угрюмое осенне-зимнее выжидание, — самым громким событием стала диспансеризация.

О ней стало известно внезапно. Никто не успел подготовиться. Вечером пятого августа позвонила Бодрова и бойко сообщила, что лично ей пришла повестка в поликлинику Двенадцатого управления. Что это за управление, она не знала, но всем списантам надлежало явиться туда шестого в девять утра.

— А что, вам на всех прислали? — неприязненно спросил Свиридов.

— Нет, но просто большинство получило, и я всех обзваниваю на случай, если почта не успела, — радостно отчиталась Бодрова. В ней кипел организационный азарт, она словно вернулась в пионерское детство. В очереди на гильотину она точно так же строила бы всех — бодрее! ровнее, товарищи! — и тем отвлеклась бы от ужаса смерти. — Я подумала, если пятьдесят человек получили, так надо всем, просто не всем успели доставить. Позвонила в эту поликлинику, там телефон указан, и они сказали, что да, всему списку желательно прибыть. На работу они дадут справку.

— Мне не нужна справка на работу, — сказал Свиридов. — Я просто не понимаю, зачем диспансеризация.

— Ну мы же никто не понимаем, — снисходительно пояснила Бодрова. — Откуда мы можем знать? Там скажут.

Бодрова во всех вопросах была на стороне составителей списка, потому что благодаря им получила статус. Это был своего рода стокгольмский синдром, всегда присущий старостам бараков.

Свиридов отчаянно не хотел на диспансеризацию. Он вообще не обращался к врачам, обходясь народной медициной, да и не болел ничем серьезней простуды или похмелья. Врачи представлялись ему силой враждебной, иррациональной и липкой: кто раз попадал в их лапы, назад уже не вырывался. В платной медицине существовал принцип домино: однажды Свиридов, гостя на даче у приятеля, рассадил ногу ржавым гвоздем. Нога опухла, он отправился к хирургу, но хирург, наложив повязку, отправил его на консультацию к трем дополнительным специалистам — ему не понравилось свиридовское плоскостопие, смутил конъюнктивит и прикус; Свиридов ни к кому не пошел, отек спал через три дня, но осадок остался. Вместе с тем оклик ветерана на встрече со спецслужбами изрядно его перепугал, а усугублять свое положение отлыниванием от общесписочных мероприятий он не хотел. Диспансеризация, что страшного? В армию не призовут, ему двадцать восемь, в лагерь не отправят — это делается без диспансеризации, — а что, если всех нас отобрали для секретной миссии?!

Отвратительней всего было вставать в семь утра. Поликлиника загадочного Двенадцатого управления располагалась за «Соколом», у черта на рогах, он добрался туда с пересадкой, опасаясь попасть в пробку на «жигуле» (Ленинградка наглухо стояла каждое утро) и обнаружил, что списанты явились обследоваться на удивление дружно. У некоторых были при себе повестки на бланке поликлиники с формулировкой «6 августа надлежит вам явиться». Это явно напоминало военкоматские формулировки; «приглашаем» звучало бы, конечно, цивильней, а с «надлежит» не поспоришь. Явиться надлежит и никуда не убежит. Поразительней всего было то, что человек десять пришли с узелками, в которых имелись, так сказать, находились, присутствовали согласно норматива примитивный сухпаек в виде чая, соли, китайской лапши, а также смена белья и котелок. Именно с таким набором обычно предписывалось явиться в военкомат.

— Господа, — спросил Свиридов у двух невысоких, пузеньких, почти одинаковых мужичков в клетчатых ковбойках. — А чего вы уже с вещами-то?

Мужички помолчали.

— А кто знает? — сказал наконец один, выбрасывая окурок «Дуката». — Может, сборы. Так, по виду-то, больше всего на сборы похоже.

— Не вызывали лет пятнадцать, вот и распустились все, — поддержал другой. — А теперь вспомнили, и марш-марш. Путин не даст на печке-то лежать, надо все же помнить, что мужики...

— А женщин почему? — не поверил Свиридов.

— Ну, мало ли — почему... Мож, они военнообязанные. Которые медики — те военнообязанные. Вот ты служил?

— Я на военной кафедре был, — объяснил Свиридов.

— Ну, эт не служба... Если мужик, то служи.

Мужички были того парад-планетского, абдрашито-миндадского типа, который Свиридов ненавидел с детства: простые, немногословные, статистическое большинство. Побыть настоящими мужчинами им было негде, и они с радостью ехали на военные сборы, где постигали мужское братство и чувствовали себя невдолбенно крутыми. Они любили порассуждать, что такое мужик, чего мужик должен и не должен, почему быть мужиком правильно, — Свиридов терпеть не мог слова «мужик», хуже был только «пацан». Как много всего я не люблю, о Господи, — но разве это не норма? Кто вообще сказал, что всех надо любить, особенно когда тебя, не спросимши, поместили в список живущих?

Троица Панкратов — Гусев — Бобров уже стояла у входа, лучась, как на плакате. Они добродушно подкалывали вновь прибывающих. То есть им казалось, что они добродушно подкалывают, — на самом деле они бычились и хамили, употребляя через слово «гыгы» и «бугага». Главной темой шуток служило предполагаемое превращение списантов в гигантский диверсионный отряд с последующим захватом Грузии. Казалось, что Гусев тут главный и затеял всю диспансеризацию по собственной инициативе.

— Эй, сценарист! — крикнул Бобров Свиридову. — Чего хмурый? Не хотим служить России?

— Чего вы хотите, я не знаю, — сказал Свиридов. — А я хочу, чтоб ты рот закрыл.

— Чего? — не понял Бобров и двинулся прямо к нему, распихивая списантов. — Ты чего сказал-то, сценарист?

— И уши промой, — сказал Свиридов. — Я тебе повторять замучаюсь.

— Ой, ребята, не ссорьтесь, — сказал высокий мужчина лет сорока, с привычно-страдальческим, как у старого язвенника, выражением лица. Свиридов потому и храбрился, что отлично понимал: здесь им с Бобровым подраться не дадут, много народу.

— Ты чего разговариваешь так? — спросил Бобров.

— А как?

— А грубо. — Бобров взял его за пуговицу. — Не надо со мной грубо разговаривать, ты не дома у себя.

— У меня дома хамов нету, — объяснил Свиридов.

— Ребята! — рослый язвенник уже вклинивался между ними, болезненно морщась. — Ну и так прессуют со всех сторон, так еще и вы тут...

— Нет, пусть он объяснит, че он так разговаривает, — гнул свое Бобров, явно радуясь при этом, что не придется обострять конфликт.

— Ты тут главный, что ли? — спрашивал Свиридов, снимая его цепкую лапу с пуговицы.

— А че, может, ты главный? — спрашивал в ответ Бобров.

— А я в главные не рвусь. Тут командиры без надобности.

Он прикидывал: его сил и нехитрых умений хватило бы засветить Боброву как следует хоть раз, а больше и не надо. Но рослый уже решительно встал между ними, подтянулись и пузанки: «Мужики, не заедайтесь, нечего, нечего».

— А то вон медицинская помощь близко, — кривовато улыбаясь, сказал Бобров. — Сразу и окажут. А, сценарист?

— Да я здоров вроде бы, — сказал Свиридов.

— Это пока, — сплюнув, сказал Бобров и отступил к своим. Гусев и Панкратов быстро начали что-то ему втолковывать, он отмахивался.

— Я Чумаков, Владимир, — представился рослый. — А вас я знаю, вы Свиридов, про вас в газете писали.

— Попал под лошадь, — усмехнулся Свиридов.

— А что, все равно польза. А то замалчивают, верно я говорю?

При всей рослости и кажущейся солидности Чумаков был робок, явно встревожен и все время переспрашивал, верно ли он говорит. Он успел рассказать Свиридову про супругу — такие люди всегда говорят «супруга» — и матушку, пенсионерку, жутко перепуганную всей этой историей. Матушка и так плохо ходит, а тут эти дела. Свиридов силился изобразить сочувствие, хотя чужие беды в последнее время его скорей злили, чем печалили, — своих некуда было девать, и жалкие истории прочих списантов давили на больную мозоль. По счастью, ровно в девять распахнулись двери поликлиники Двенадцатого управления — семиэтажного белого здания в стиле позднего совка, с мозаикой в вестибюле (могутная роженица, ее светлоглазый муж, так сказать, супруг, на пороге роддома — и с умилением машущая им вслед чета врачей, тоже явно собирающихся размножиться). Раздраженная тетка в халате неприветливо крикнула:

— Кто по вызову, на диспансеризацию, заходим!

Свиридов был потрясен: поликлиника в этот день работала исключительно на них. На дверях висело объявление — красным фломастером на бланке главврача: «6 августа поликлиника работает по спецобслуживанию. Срочная помощь на дому — тел. 151-36-85». Надо же, подумал Свиридов, как все серьезно-то.

— Шестое августа по-старому, преображение Господне, — сказала с заискивающей улыбкой худая очкастая женщина лет тридцати. Свиридов не помнил случая, чтобы кто-нибудь шестого августа не процитировал эти стихи, хотя у него этот день ассоциировался прежде всего с Хиросимой. Но очкастую ему было жалко, она явно принадлежала к вымирающему типажу полуинтеллигентов, отставших от своего берега и не приставших к чужому; в сущности, он и сам был этой же породы.

— Смягчи последней лаской женскою мне горечь рокового часа, — сказал он, не глядя на нее, дабы она не питала лишних надежд, принимая цитату за призыв. Он знал, что иногда простейший диалог типа «пароль — отзыв» значит больше любых утешений, и был вознагражден осторожным, царапающим поглаживанием по рукаву.

По коридору почти пробежал высокий бородач — такими изображают хирургов.

— Диспансеризуемых пригнали, Ксения Антоновна? — спросил он запускавшую их в вестибюль бабу в халате.

— По списку, Борис Львович! — рапортовала она.

Он кивнул и прошагал дальше. У него, наверное, все было хорошо. Бывают уверенные и веселые врачи, от которых пациенту легче, а бывают другие, не менее уверенные и веселые, при виде которых пациент немедленно смекает, что ему кранты. Чем первые отличаются от вторых — сказать невозможно, но первые умудряются транслировать больным свою энергию и силу, а вторые подчеркивают ее и тем окончательно отгораживаются от сирых и убогих. Это как-то на уровне жеста, взгляда (вставить в медицинский триллер): две категории врачей, один лечит, другой калечит, разницы в методах никакой. Ну, это все теперь из категории ЕБЖ — если буду жив. А жив я, кажется, не буду. Воображение всю жизнь спасало и кормило меня, а теперь оно — мое проклятие. Что живому хорошо, то мертвому смерть.

Диспансеризация была как диспансеризация — кровь, флюорография, пробег по специалистам с выкликанием списантов по алфавиту; как ни странно, примерно треть принесла спичечные коробки с дерьмом. Воистину, если завтра позовут на виселицу, половина припрется со своей веревкой; интересно, каких послаблений они рассчитывают добиться? Доктор, вот дерьмо; это вам, доктор! Может быть, теперь меня не на общие работы, а хоть в санчасть, хоть учетчиком, нормировщиком, придурком, — ведь я принес говно! Замечательный тест на выявление потенциально лояльных, срущих с опережением. Свиридова тоже спросили, при нем ли анализ, и после отрицательного ответа посмотрели неодобрительно. Впрочем, врачи вообще были недоброжелательны. Складывалось ощущение — как почти всегда на приемах в районных поликлиниках, — что их оторвали от чего-то бесконечно важного, куда более значимого, нежели обслуживание одинаковых, несчастных, дурно пахнущих людей. Всякий русский человек занят чем-то великим, а любую работу воспринимает как отвлечение, почему и ненавидит ее. Что он делает, глядя в пустоту? Мыслит мир. Этой молчаливой задумчивостью держится все. Врач не любит отвлекаться на пациентов, водопроводчик — на водопровод, учитель — на учеников; даже менты мутузят задержанного с явной брезгливостью, особенно злясь на то, что он отрывает их от главного. Но в случае со списантами вечная брезгливость врачей сопровождалась особой, дополнительной подозрительностью, словно именно им надлежало выявить общую тайну, главный критерий, сплотивший их всех в единый заговор. Окулист подозрительно долго проверял и перепроверял Свиридова, так что очередь зароптала, словно он был виноват в этой дотошности; хирург щупал и мял каждого так, словно норовил вывихнуть сустав; невропатолог с особенной яростью колотил молоточком по коленкам.

— Что-то мне не нравится ваш рефлекс, — сказал он Свиридову.

— А что такое? — испугался Свиридов.

— Сифилисом не болели? — не удостаивая его ответом, спрашивал невропатолог.

— Нет, — твердо сказал Свиридов.

— Ревматизмом?

— Нет.

— Аппендицит?

— Нет.

Невропатолог не поверил и осмотрел свиридовский живот на предмет шрама. Шрама не было.

— В общем, не нравится, — повторил он. Он был невысокий, лысеющий, пухлый, больше похожий на завскладом, и смотрел на Свиридова, как Коробочка на Чичикова: понимал, что его на чем-то нагревают, но никак не мог понять, на чем.

— И что мне делать? — спросил Свиридов.

— Это уж вам видней, — развел руками невропатолог. — Вы же в списке, не я.

— А что за список? — как можно беспечней спросил Свиридов.

Невропатолог выразительно посмотрел на него, пощипывая нижнюю губу, еще выразительнее кашлянул и сел к столу — вписывать что-то в карточку.

— Я тут вам пишу, что рекомендую лыжи, — буркнул он, не отрываясь. — У нас хорошая лыжная секция при управе, занятия три раза в месяц, москвичам скидка.

— Зачем? — не понял Свиридов.

— Вы что, не знаете? По итогам диспансеризации будут рекомендованы секции.

— Но мне некогда. Я работаю.

— Это уж не мое дело, — сказал невропатолог.

— Нет, минуточку, — возмутился Свиридов. Он теперь знал, что как в ране нельзя оставлять никакой грязи, так и ему теперь нельзя оставлять в собственной жизни никаких неясностей и недоговоренностей: все они немедленно будут истолкованы в наихудшем для него смысле. — Что именно вам не нравится в моем коленном рефлексе? Мы можем это прояснить?

Невропатолог поднял на него глаза.

— Вы специалист?

— Нет, но как-нибудь пойму.

— Это неспециалисту объяснять бесполезно.

— Понимаете, — проникновенно сказал Свиридов, — у нас вся беда в том, что никто ничего не объясняет. И поэтому люди делают ошибки. Им не объясняют, как должен выглядеть настоящий патриот, кто виноват в коррупции, куда мы движемся идеологически... И потому некоторые впадают, как Волга в Каспийское море, как поэт в неслыханную простоту, как шизофреник в кататонический ступор. Понимаете? Впадают и выпадают. А все потому, что нет адекватного объяснения, и многие остаются в недоумении, в недопонимании элементарных вещей. Которые, будучи объяснены, могли бы предотвратить довольно чудовищные последствия, разве не так?

Ему казалось, что сказанное достаточно абсурдно для попадания в стилистику, в какой прошли последние три недели его жизни. Алиса в стране чудес тоже все время думает, достаточно ли чуши она наворотила, чтобы быть принятой всерьез, но логика Алисы всегда хромает уже потому, что она логика.

— У психиатра были? — спросил невропатолог. Тактика у них у всех была простая: пока ты нормальный — они тебя морочат, а стоит тебе подделаться под их бред — записывают в психи. Свиридов должен был это предвидеть, конечно. Это нормальная тактика дворовой шпаны, у них на курсе был такой человек: если перед его матерными угрозами пасовали, он взвинчивал их до блатной концентрации, но если отвечали на его языке — тут же упрекал в бестактности.

— У психиатра, — очень спокойно сказал Свиридов, — я еще не был, как вы можете видеть из карты. Но я никогда не состоял на учете и прошу только ответить мне, в чем недостаточность моего коленного рефлекса.

— В его избыточности, — неприязненно ответил невропатолог. — Вы удовлетворены?

— Нет, конечно, — сказал Свиридов. — Да что поделаешь.

Он вышел и отправился к отоларингологу. Карту ему на руки не выдали — сестра потащила ее в соседний кабинет; секретность соблюдалась неукоснительно. Диспансеризация тянулась шестой час без перерыва — шутка ли, сто двадцать человек; многие списанты появились впервые. Со временем дотошность врачей не ослабевала, а напротив, возрастала, как учащаются навязчивые повторяющиеся действия у больного или усталого ребенка. Их подозрительность была сродни этим навязчивым ритуалам — они должны были выявить нечто важное, но, вот досада, не могли. Впрочем, Панкратову предложили госпитализацию — его провели по коридору прямо в приемный покой; он гнусно гыгыкал и бодрился. Свиридов не скрыл от себя, что чувствует глубочайшее удовлетворение.

— Осторожней там с сестричками, Макс! — крикнул ему Бобров.

— Бугага! — отозвался Панкратов, но чувствовалось, что ему крепко не по себе.

«Панкреатит», — прошелестело в очереди. Созвучие позабавило Свиридова.

Очередь разговаривала главным образом о медицине, ибо эта тема неисчерпаема. Если бы их позвали на футбол — они говорили бы о футболе, а так, понятно, о симптомах и самолечении. У каждого был сосед, умерший от ерунды — сковырнул прыщ, не долечил грипп; молодежь активно обсуждала последствия спортивных травм, средний возраст беседовал о суставах и молодеющем инсульте. Большинство, оказывается, пристально следило за малейшими переменами в состоянии организма, чутко реагировало на покалывания, держалось целебных диет. Никто не верил в кремлевскую (бренд, ничего больше); раздельная тоже успела себя скомпрометировать, в последнее время в моде была сальная, при которой в меню доминировало сало. Списанты были исключительно откровенны друг с другом: чего стыдиться-то, все свои, все равно уязвимы и, возможно, обречены. Широко обсуждались последствия употребления ксеникала, вплоть до жировых лужиц в экскрементах. В очереди к стоматологу спорили о ценах на протезы и дружно ругали «Мастердент».

Вот вы хотите, чтобы писали о современности, думал Свиридов, изо всех сил стараясь направить мысли подальше от диспансеризации, к спасительному островку профессии. Конкурсы сценариев, режиссеры алчут, продюсеры умоляют: современный сюжет! Но что об этой современности напишешь, какую глубину она предполагает? Давно уже все обесценили, свели к паркам, варкам, теркам. Страсти остались только в бандитском мире, ибо это последняя, прости Господи, зона, где существуют понятия; все остальные готовы идти куда угодно по первому сигналу и проходить диспансеризацию, стерилизацию, кастрацию, поголовную аппендэктомию, прививку, промывку мозгов, промывание желудка, санацию полости рта, далее по списку. Список стал главной формой жизни, литературы, любви, далее везде. Это уже не очередь — в очереди есть хотя бы иерархия, и все стоят за чем-то; здесь только список, подвергаемый разнообразным воздействиям и отобранный по неясному признаку. Что можно написать обо всех нас? Велик был бы тот, кто открыл бы причину нашего ужаса: чего мы так боимся, почему добровольно шествуем в мясорубку? В том, что это мясорубка, сомневаться уже не приходится: не для того же нас собрали, чтобы распихать по спортивным секциям. Что за страх? Откуда вечное чувство вины, с которым родишься? Такое бывает с недолюбленными детьми, уверенными, что с ними можно сделать что угодно; и если все мы недолюбленные дети, тогда понятно. Родина-таки крепко нас недолюбливает — вот парадокс, любимые редко вырастают благодарными, хрен чего от них дождешься, когда призовешь на выручку. А нелюбимые всегда готовы — они понимают всю хрупкость своего мира. У кого внутри хоть тончайшее подобие стержня — тому не так дико; но в нас же все перемолото, старым позвоночники переломали, а молодым негде их отрастить. Им там кажется, что так лучше: беспозвоночными легче править; но это же до первой встряски!

В сущности, чего я так боюсь? В печи-то не сожгут, в пещере не замуруют, что еще подскажут мне память и клаустрофобия? Тюрьма? — и в тюрьме люди живут, посвободней, чем на воле... Вот: я боюсь, что не имею права быть, что в моем появлении тут с самого начала есть роковая неправильность. Я сознаю это сам и больше всего боюсь, что скажут другие, вслух. Страна попавших не туда, общество ошибившихся местом, — придут, сгонят; это чувствуют все — умные и дураки, богатые и нищие, и даже те, кому нечего терять. Все мы боимся потому, что втайне сознаем преступность своего пребывания здесь; где же мое истинное место? И главное, где те прекрасные люди, которым все это — поля, тополя — принадлежит по праву? Что-то не вижу. Вижу только охрану, выпихивающую отсюда меня; но кому я должен уступить место? Сюжет: планета, откуда выгоняют всех пришельцев, но те, кем она населена, — не настоящее население. Это выродившаяся стража, вечно ждущая настоящего хозяина, как мессию; ведь у нас ровно та же история — стране никто не подходит, ею правят оставленные тут звероватые наместники захватчиков... где-то уже было, но не беда, аранжируем. Он пытался сочинять дальше, но мысли путались.

Диспансеризация все более превращалась в сонный кошмар, и когда она закончилась — никто уже в это не верил. Сбежавших, однако, не было. Списантов препроводили в актовый зал, до сих пор — со встречи нового, 200* года — расписанный снежинками и хвойными ветками. Вышел главврач — тот самый Борис Львович. Он садически долго откашливался, обводил всех ироническим взглядом, пил воду из мутно-желтого графина, один вид которого вызывал тошноту.

— Значит, меня просили кратко обрисовать вам перспективы районного здравоохранения, — сказал он насмешливо. — Что сказать, товарищи? Перспективы есть. За отчетный год мы детально обследовали 26 875 больных, у 87 процентов из которых выявлены заболевания разной степени тяжести. Более 70 процентов из этих больных, то есть примерно 65 процентов от общего числа, практически полностью излечены — ну, с незначительными остаточными явлениями, но я не стану грузить вас подробностями. Мы особенные сделали успехи в области, конечно, физиотерапии, в чем нам значительно, я подчеркиваю, значительно помог Минздрав, выделивший совершенно новые электроимпульсные аппараты «Радиус», чья эффективность — при лечении, скажем, ангин или катаральных явлений — на 26,5 процента выше, чем у традиционного УФО...

Никто не понимал, всерьез он все это рассказывает или утонченно издевается. Свиридов заметил, что Гусев тщательнейшим образом фиксирует цифры в особой книжечке.

— Но главное наше достижение, — сказал он с тяжелым вздохом, словно его вынуждали делиться сокровенным, — это, конечно, наши спортивные секции, о которых вы уже наслышаны. По результатам обследования вашего списка тридцати семи из вас мы можем рекомендовать — со скидкой, разумеется, потому что по медицинским показаниям, — регулярные занятия на нашей базе, плюс фитнес для всех со скидкой, если вы изъявите такое желание. Наш фитнес-центр работает на итальянском оборудовании, так что сами понимаете. Встает естественный вопрос об уклонении, и я отвечу в свою очередь уклончиво. Как говорится в школе, не обязательно, но желательно. На занятия в секции направлены: Драгоманова — биатлон, Дятликович — горные лыжи, Евтеева — теннис…

Свиридов с позорной дрожью в руках ждал, куда определят его, и был потрясён, услышав, что вместо рекомендованных невропатологом лыж он направлен в секцию фехтования, к которому сроду не чувствовал интереса. Гусев, Панкратов и Бобров упомянуты не были.

— Чумаков… ну, это неважно, извините. Все.

Рослый язвенник Чумаков с облегчением расхохотался.

— Ну, благодарю за сотрудничество, всего доброго, — попрощался Борис Львович и, не предложив задать вопросы, вечной своей побежкой покинул зал.

Свиридов еле сдерживал желание расхохотаться. Вероятно, это была реакция стыдного облегчения, миновавший шок; он уловил такую же блаженную улыбку на лице давешней училки, любительницы стихов, и обменялся понимающими взглядами. Переглянулся с ним и симпатичный коротышка с маленьким умным лицом и ёжиком седеющих, соль с перцем, но не редеющих волос.

— И чего думаете? — спросил коротышка.

Свиридов пожал плечами.

— Бред и бред. В диверсионную группу не верю, как хотите.

— Версийки есть. Вам куда сейчас?

Они вышли вместе. Над «Соколом» разливался пыльный розовый закат, упоительно пахло сухой травой, бензином, поздним московским летом. В арке сталинского дома напротив тоненькая девочка в белом платье с синими цветами чеканила мяч, и это зрелище уравновешивало собою почти все, о чём не хотелось ни говорить, ни думать. Свиридов испугался, что все слишком хорошо, поискал возможную порчу, дабы она не застигла врасплох, и поймал себя на новом страхе: не караулит ли за углом Бобров? Но Боброва след простыл, и это был дополнительный повод для счастья.

— Я, честно говоря, предупредил жену, что могу не вернуться, — сказал коротышка. — Зовут меня, кстати, Глазов, Глеб Евгеньевич.

Глазов, как выяснилось, работал в «Общественном мнении», а по первому образованию был этологом, то есть до социальной психологии изучал звериную. Большой разницы, по его словам, не было.

— Я у вас «Пару» читал, — сообщил он, заговорщицки подмигивая.

«Пара» была первым сценарием, который сам Свиридов считал приличным: история молодых супругов, вдруг начавших ссориться насмерть. Тут было, конечно, не без Альки. Девушку трясло от диких приступов беспричинной ненависти к возлюбленному, мирно сопевшему рядом, и она решила обратиться к регрессивному психотерапевту, гарантировавшему отыскание роковых причин в ее прошлой жизни. Как выяснилось, в этой мы общаемся в основном с тем, кого знали в прошлой, и доигрываем старые драмы. История лихо закручивалась и элегантно разрешалась, и это была единственная вещь, которую Свиридов напечатал в «Альманахе».

— Откуда вы ее взяли?

— А мне присылают «Альманах».

— Дело хорошее.

— И альманах ничего. В общем, я знаете что думаю? Что эта история немного похожа. Доигрывание давней драмы. Когда-то мы были, допустим, батальон и эффективно действовали вместе, а теперь нас собрали — и...

— Но там же в конце совсем иначе объясняется.

— Да нет, я так. Для развлечения. Если серьезно — это просто пример большой деградации. Бессмыслица на всех уровнях. Я вам как-нибудь подробней расскажу. Пойдемте выпьем?

— Давайте. Делать один черт нечего.

Они зашли в стекляшку напротив метро и взяли по двести.

— Как думаете, «Путинку» переименуют в честь преемника?

— Замучаются переименовывать, — предположил Свиридов. — Нельзя же марку менять каждые четыре года, или даже восемь. Представляете, что было бы с «Колой» при таком ребрендинге?

— Не скажите, — засмеялся Глазов, — самый цимес может оказаться в этой смене. Оформление все прежнее, а фамилия другая. Предыдущая становится раритетом, коллекционируется, продается за бешеные деньги...

— А есть у вас в «Общественном мнении» какие-то догадки? — со старательной небрежностью спросил Свиридов.

— У меня была идея сделать опрос — хотите ли вы попасть в список. Не дали, — сокрушенно признался Глазов. — Тема засекречена.

— То есть все серьезно?

— Не думаю. Понимаете, у одного старого автора — сейчас точно не вспомню, — ставился вопрос: каковы моральные стимулы в отсутствие идеологии? Существуют ли они? В каком-то смысле это самое интересное. Упирается в чистую антропологию: возможен ли человек без погонялки, палки, указки и тэ дэ. Выясняется, что невозможен. Именно поэтому после серых приходят черные. Человек — как поле: сам по себе культурными растениями не зарастет. Мы видим триумф сорняка, и это не государственная политика по сознательному оболваниванию, не-ет. Это следствие эпохи, когда любое воспитание было объявлено насилием. И в результате господствует чушь, потому что именно чушь становится самой победительной силой в обезглавленном обществе. Знаете один эксперимент Барановой? Это модный московский этолог, тридцать пять лет, а весь Запад на нее молится. Так вот: она занималась механизмом социального отбора у крыс. Берем стаю, смотрим, кого выбирают вожаком. Самого умного, сильного и обучаемого: мы ведь, прежде чем сбить крыс в стаю, изучаем их по отдельности. И вот у нее был любимчик, по кличке почему-то Чайковский, — то ли чай любил, то ли очень был музыкален, — не крыса, золото. Только что не говорил, и то пищал с человеческими интонациями. Дальше что она делает? Как только в стае из пятнадцати крыс определяется вожак, она берет его и рраз — изымает. В соседнюю комнату. В стае, естественно, снова начинается селекция. Но только на этот раз умные крысы — помня, что стало с правильным вожаком, — выбирают уже не самого умного и обучаемого, а самого жалкого и подлого, абсолютно тупую гниду, со страшным уровнем агрессии. У человека в девственном состоянии — если его не окультуривать на каждом шагу — примерно те же механизмы. Естественную селекцию у нас всякий раз рушат, а потому любая идея рано или поздно превращается в список.

— Но у вас нет догадок, по какому принципу он составлен?

— Догадки есть, но это все недодумано. Даже если я примерно опишу механизм, цель от меня пока скрыта. Или я не хочу про нее говорить.

— Не хотите — как хотите.

— Сформулирую — скажу, — пообещал Глазов. — Не хватает деталей. Вообще у всего этого уже тот плюс, что вот, знакомишься с хорошими людьми. Приходите к нам, с женой, если женаты.

— Почти, — соврал Свиридов, а впрочем, не так уж и соврал.

Вероятно, это был лучший день за время пребывания в списке — потому что нет большего счастья, чем грозившая и рассосавшаяся неприятность. С этого момента и до самого ноября счастья почти не было, или оно было так тесно сплавлено с подспудным отчаяньем, что помнилось не как счастье, а как тоска.

11

Следующим утром звонок Глазова вторгся в невнятный эротический сон, в котором Свиридов спасал незнакомую девушку от казни; спасти-то он спас, но с оттенком разочарования — хотелось посмотреть на казнь девушки. Она, кажется, тоже уже настроилась и потому слегка расстроилась. Тем не менее Глазову Свиридов обрадовался — вечер накануне был хороший, человек приятный.

— Здравствуйте, Глеб Евгеньевич.

— Не разбудил, Сережа?

— Так, почти.

— Ну простите. Дело в том, что Чумакова взяли.

Свиридов чуть не выронил мобилу.

— Как взяли? Кто?

— Непонятно кто. Арестован час назад у себя дома. Пришли участковый и двое в штатском. На сайте уже объявление висит про помощь семье, я сейчас поеду туда. Если хотите, давайте вместе.

— Где он живет?

— На Гиляровского. Давайте через час в метро «Рижская», в центре зала.

— Да, я сейчас.

Он вскочил, убрал кровать (от этой привычки — первым делом порядок — не отказывался никогда; откажешься — и распад подкрадывается незаметно), спустился в прохладный вестибюль «Профсоюзной» и через сорок минут был на месте. Глазов, деликатный человек, тоже приехал раньше времени.

— Он кем хоть работал-то?

— В Счетной палате аудитор.

— Странно. Я думал, они наглые, а он вроде тихий...

— Потому и взяли. Чтоб не выделялся.

— Вы от кого узнали?

— Семья сразу Бодровой позвонила, а она всех по цепочке. Ранним утром приехали, что-то в семь. Обыска не делали, забрали и все.

— Черт-те что. Значит, все-таки это список на посадку.

— Не торопитесь, могли взять и по аудиторским делам. Сейчас силовики грызутся...

— Ну утешайтесь.

— Сейчас, Сережа, не о том надо думать, за что взяли. Надо адвоката, семье помочь, детям, если есть... Сейчас-то и будет проверяться — может из этого списка получиться хоть подобие общества или все так и останутся стадом, бредущим на убой.

Около квартиры Чумакова — на шестом этаже белого точечного дома — уже курили и шептались списанты; было как на поминках. Наличествовал и Гусев — правда, без остальных. Впрочем, Панкратов с панкреатитом был уже нейтрализован. Гусев выглядел бледным и явно перепуганным.

Свиридова при виде этой спирохеты перекорежила вдруг такая ненависть, что он решительно шагнул прямо к нему и прошипел:

— Это вы его сдали, твари? За то, что вчера вступился за меня?

— Вы что, — одними губами прошептал Гусев, — вы с ума сошли... зачем... больное воображение...

— Не врать! — шепотом прикрикнул Свиридов. — Не врать, сука! Ты вчера донес, я знаю. Ты всех в книжку писал. Он твоего дружка осадил, а ты смотрел. Это вы его, суки, я точно знаю...

— Да ты... да что... да завтра любого, тебя, меня...

— Что меня, так это точно, — кивнул Свиридов. — Но если тебя, это будет очень правильно. И рано или поздно это будет железно, понял, издатель?

— Нашел время, — сказал Гусев и отвернулся.

Свиридов вслед за Глазовым вошел в квартиру — на удивление скромную и малогабаритную, если учесть ранг покойного. (Ой, что это я, а впрочем, оставь надежду всяк туда входящий. Если и выйдет, то лет через пять, безнадежно сломленным, седым, он и так не производит впечатления борца.) Из кухни доносились рыдания: жена? Но рыдала мать Чумакова, высокая тощая старуха, сидевшая на табуретке очень прямо и не утиравшая слез. Она выла на одной ноте, потом всхлипывала, замолкала и снова заводила вой. Жена — маленькая, полная и тоже очень бледная — подносила ей то воду, то валерьянку, то валокордин.

— Как вы думаете, что с ним сделают? — неожиданно низким голосом спрашивала старуха у каждого вновь прибывшего. Теперь ей что-то вполголоса объяснял Глазов, но она не слушала, выла, прерывалась и принималась выть опять, словно этот вой был важней любого ответа, ибо поддерживал жизнь в Чумакове.

— Я думаю, список ни при чем, — почти шептал Глазов. — Но мы все... всё зависящее... У меня есть очень сильный адвокат, я сегодня же созвонюсь...

Чумаков, как ни странно, жил скудно. Может, все откладывал, а может, дело было в том, что у него не было детей: где дети — там обычно хоть дешевые, но яркие игрушки... Вся квартира была в стиле отложенной жизни — это часто встречалось тогда: копим, копим и уж тогда наверстаем. И вот он накопил, а кто будет наверстывать — непонятно. Теперь все эти накопления сожрутся мгновенно — на адвоката, на лечение, когда выйдет... Вообще деньги сберегаются, когда возобновляются, — без движения скукоживаются, как сугроб в марте; Свиридов знал эту закономерность. Ничего здесь нельзя ни копить, ни откладывать — либо деньги отберут, либо тебя; получил — съешь.

Свиридов пробился к жене Чумакова, заметив, что на подоконнике, сложив руки на коленях, потерянно сидит вчерашняя училка; он кивнул ей и получил в ответ жалкую, кривозубую улыбку. У таких женщин всегда анемия и пахнет изо рта. «А у тебя, сволочь, чем пахнет изо рта? — прикрикнул он на себя. Уже вписался, за всеми примечаешь мерзость, как и положено в стаде?»

— Это все выяснится, — ему казалось, что бледная толстая жена гораздо сильней рослой и сильной старухи нуждается в утешении, потому что старуха — он не мог этого не заметить — немного еще и приторговывала горем. Она, вероятно, привыкла со своими болячками быть центром внимания и теперь не могла смириться, что максимум сочувствия достается Чумакову; а впрочем, ведь и это подлая мысль. Мы всегда жалеем тех, кто страдает тише, меньше действует на нервы. Жена Чумакова слушала молча, кивая, пытаясь даже улыбаться.

— Сейчас, вы же читали, проверка. Ну они и хватают. Это все демонстрация, пустой звук. Сейчас немыслимы посадки, не «Юкос», в конце концов...

— Он никого не сажал, — безнадежно ровным голосом сказала Чумакова. — Никого никогда. Он вообще не мог посадить. Ничего не брал. Если предлагали, не доносил. Надо было.

— Нет, не надо было. Взяли бы все равно, а так хоть совесть чиста. Вы увидите, он выйдет днями.

Дольше здесь находиться не было смысла. Свиридов кивнул Глазову:

— Вы пойдете?

— Нет, побуду. Подожду, пока адвокат подъедет. Введу в курс.

Оставаться было тошно, уходить одному — еще тошней. Свиридов курил на лестнице, ни на что не решаясь, когда к нему подошел слегка оплывший кучерявый брюнет лет тридцати пяти.

— Вы не родственник? — спросил он участливо.

— Нет, знакомый.

— Из списка? — со значением уточнил брюнет.

Свиридов поднял на него глаза и кивнул.

— Ну, теперь всех.

— Почему вы думаете?

— И вы так думаете, — сказал брюнет. — И все так думают. Не только в списке. Не обойдутся без этого, неужели непонятно?

— А вы тоже из Счетной палаты? — злясь на эти вечные карканья, зло спросил Свиридов.

— Нет, я из Института рыбоводства. Салтыков Алексей. Осетров спасаю. Нацпроект, слышали? Вымирают осетры.

— Ну так за что же вас?

— Какая разница. А вы кто будете?

— Я Свиридов, сценарист.

— А. Слыхал что-то. Ну, вас и подавно есть за что. Да всех есть за что. Жопа есть — за нее и берут, не согласны?

— Какая разница, — кисло сказал Свиридов. — Согласен, не согласен...

— Пойдемте выпьем, — предложил Салтыков. — Тягостно тут, и стыдно лезть. Пойдемте, тут есть место приличное... Я все равно работу прогулял. Надо же посмотреть, привыкнуть, как оно будет... На похороны ходят с той же целью, нес па, простите мой французский?

Некоторое время шли молча, заглянули в ближайшее кафе «Шашлычок» и заказали высокорослой белоруске за стойкой графинчик «Косогорова» и по салату оливье.

— Этак я сопьюсь, — хмуро сказал Свиридов.

— Не худший вариант, между прочим. — Салтыков ободрительно похлопал его по плечу. — В такие времена лучше быть алкашом, надежнее. Я даже читал где-то — Светлова, кажется... или не Светлова, не суть... вербовали в осведомители. Писательское начальство вызвало, говорит: вы же советский поэт, докладывайте о разговорах! А он сразу: понимаете, я алкоголик. И когда выпью — выбалтываю все. Удержать в тайне факт нашего сотрудничества не смогу, а тогда какой же от меня толк? Вся секретность в задницу. Они, понимаете... ну, будем...

Выпили.

— Они, — продолжал Салтыков, — могут быть рассмотрены как болезнь. Есть правило, что если у кого экзема, то рак практически исключен. Клин клином.

— Это называется «Кому суждено быть повешенным, тот не утонет», — вспомнил Свиридов.

— Точно, точно. Можно выбрать наименее травматичный вариант. Выбирая алкоголизм, вы избавляетесь от стукачества, от подозрения в нелояльности — потому что у алкоголика не может быть других страстей, кроме выпить...

— По-моему, то ли Германа, то ли еще кого-то прорабатывали, он что-то в ленинградском Доме кино крикнул антисоветское. Его вызвали на «Ленфильм», — заговорил Свиридов, — стали стыдить, шить дело, а он: простите, товарищи, не помню, был пьян, смешал коньяк с портвейном. Сразу со всех сторон сочувствие: как можно коньяк с портвейном? Какой хоть портвейн? «Южный»? Ну, после него только повышать! Что ж вы так, молодой человек, — ну и спустили на тормозах.

Оба чувствовали себя как на поминках: невыносимое напряжение разрешилось, имеется законный повод выпить за то, что в этот раз закопали не нас. На поминках, собственно, празднуют именно это, но редко признаются.

— Знаете, — Салтыков разлил по второй, — тоже не помню, у кого... В общем, если бы тогдашние партбоссы сообразили вовремя сесть по уголовной статье, политическую им бы уже не пришили. Тогда безопасней было — уголовка. Я думаю, что и сейчас, если бы кто из наших попался на краже, он бы сразу вылетел из списка и попал в другой.

— Ну, за кражу наверняка посадят, а тут еще бабка надвое...

— Вы думаете? — Салтыков мрачно уставился на Свиридова и покачал головой. — По-моему, вопрос времени. И только.

— То есть вы допускаете... массовые репрессии по полной программе?

— И вы допускаете, — просто сказал Салтыков. — Мы поэтому и пьем здесь.

— Нет, не думаю, — попробовал откреститься Свиридов. Ему казалось, что если он не признается в собственном непроходящем ужасе — этот ужас будет менее реален. — Для репрессий нужна как минимум идеология, а тут...

— А, бросьте. Что вы этот либеральный бред повторяете? Все ровно наоборот. Это для идеологии нужны репрессии, а сами они возможны без всякого повода. Я после Чумакова точно понял. Так даже и лучше.

— В смысле?

— В прямом. Они не средство, понимаете? Они самоцель. Мы сейчас наблюдаем самый чистый случай, на ровном месте. Экономика растет, стабильно все, как никогда, оппозиции близко не осталось. Только сумасшедший может в это время составлять расстрельные списки, нагонять страху, гонять несогласных... Ничего же не происходит, ни-че-го! Но им надо, и они будут. Потому что ничего другого не могут. У меня вообще есть теория — я вам сейчас расскажу коротко...

Свиридов усмехнулся. У всех была теория. Каждый придумывал России объяснение и сверхцель сообразно темпераменту, выстраивая такую модель, при которой от самого теоретика требовалось бы как можно меньше поступков и жертв.

— У человека одна главная задача, — начал Салтыков. — Забыть о смерти. Он готов от нее заслоняться любой ценой, придумывает миллион отвлечений — вся культура для этого, вся наука, что хотите. Но отвлекаться, как вы знаете, можно высокими способами, а можно низкими. Бетховен сочиняет «Па-па-па-пам!» — Салтыков напел, — Пушкин пишет «Я помню чудное», а дауны дрочат. Вы даунов наблюдали?

— В кино. В жизни редко.

— А я часто. В молодости думал, что надо делать добрые дела, а все остальное бессмысленно. Ходил в Дом ребенка, видел множество идиотов. Вот они и развлекаются. Дрочат по углам безо всякого стеснения. Это их единственное развлечение.

— Помню. Но не хотите же вы сказать, что Россия — такой даун?

— Именно это и хочу, — с удовольствием подтвердил Салтыков. — Есть самогипнозы высшего порядка, есть низшего. Здесь даунизм выбран добровольно, в результате проб и ошибок. Попробовали высший порядок, не пошло, неинтересно, — это как любера вести в кино на Антониони. Он посмотрит и опять выберет качалово, мочилово, групповое кричалово на стадионе, насилово в подъезде... В результате для отвлечения от смерти и прочей экзистенциальной проблематики выбран простейший вариант. Пункт а: произвольно делим всех на земщину и опричнину. Пункт б: опричнина ебет земщину. Жестоко, с наслаждением, с надрывом, с полным забвением приличий. Критерий выбора произволен: это могут быть, допустим, бояре и дворяне, а могут русские и евреи, буржуи и пролетарии, коммунисты и беспартийные... В настоящий момент мы видим триумф наслаждения как такового, с полным отказом от мотиваций: список составляется произвольно, и сверху недвусмысленно указывается: этих можно. Аллонз анфан де ля патри, извините мой французский.

Чувствовалось, что Салтыков ненавидит Родину и это ему очень нравится. Родина поистине решала все экзистенциальные проблемы Салтыкова, поскольку на нее можно было списать любые неудачи, дурную погоду и даже собственную смертность. В остальном мире, вероятно, никто никогда не умирал — или смерть была не так травматична, вследствие чего и отвлекаться от нее можно было менее брутальными развлечениями вроде того же Антониони; но здесь, чтобы избыть ужас чисто русского небытия, требовался беспримесный садомазохизм.

— Вообще вы только что описали нормальный механизм формирования элиты, — сказал Свиридов. — Элита на виду, по ней догадываются о тенденциях, она уязвимее, и формируется она чаще всего именно списком — скажем, списком толстожурнальных авторов при совке, списком «Звезд на льду» после совка...

— У элиты, во-первых, есть права, — назидательно возразил Салтыков. — Есть возможности.

— Ну и у нас есть, только мы их еще не знаем...

— А, не смешите. Право сесть, как у Чумакова?

— Чумаков не один, и мы не знаем, за что он сел...

— Ах. «Опять эта проклятая неизвестность», — знаете анекдот?

— Знаю, знаю. Мне его за последний месяц три раза рассказали.

— А кто виноват, что вы с первого не понимаете?

— Подождите, Леша. Почему обязательно права? Бывает элита интеллектуальная, бывает светская. У нее никогда никаких прав, только право быть на виду и подвергаться социальным изменениям в первую очередь... На ней как бы демонстрируется, что сейчас будет со всеми...

— Никогда не слышал о таком способе формирования элиты, но допустим, — буркнул Салтыков. — Понимать элиту как фокус-группу — это, знаете, что-то новое. Но допустим, что они сделали именно фокус-группу. Тогда, во-первых, категорически непонятен принцип отбора, что уже исключает всякую транслируемую мысль...

— Почему непонятен? Модель народа, говорил же Волошин...

— Ну какая модель народа, Сережа? Что вы свое сценарное образование никак не уймете, выдумываете сюжет, где нет сюжета? Где в этом списке крестьянство — в крестьянской стране, где сельское население до сих пор шестьдесят процентов?

— Может, они составляют модель городского. Сельское нерелевантно, ничего не решает, спивается...

— Ничего себе подход, шестьдесят процентов нерелевантны! Вы истребитель прямо! Дети тоже нерелевантны? Старики? Они что, один средний класс моделируют, в диапазоне от двадцати до пятидесяти? Но даже и это допустим, я сегодня добрый. Если бы тем самым транслировалась какая-то мысль, я бы понял. Но транслируется чистое истребление с предварительной диспансеризацией, и я не понимаю, что должно сделать население, которому показывают такую вещь. Я понимаю, когда сажают олигарха: остальные олигархи должны заткнуться и раздать часть активов на благотворительность. Но когда сажают Чумакова, что должны делать остальные чумаковы? Разбежаться из страны? Выброситься из окна? Какую цель они преследуют, кроме разделения и истребления, — у вас есть хотя бы догадка? По-моему, они просто пометили крестом людей, с которыми все можно: тут вам и идеальный выход для народной эмоции, и полная неспособность делать что-нибудь созидательное, все дела.

— Но деление и взаимное истребление существовали во всем мире. Вы наверняка знаете, что при Елизавете в Англии было еще кровавей, чем при Грозном...

— Господи, ну что вы повторяете эти зады?! Вы же не производите впечатления зомби, простите мой французский! Что вы, Мединского обчитались? Он тоже все доказывает с цифрами в зубах: мы не пьяницы, потому что американцы пьют больше. И не садисты, потому что при Кромвеле убили больше. Все эти оправдатели национальных матриц никак не возьмут в толк: да, убивали, да, больше, да, все вообще когда-нибудь умрут, и со статистической точки зрения между Грозным и любым европейским монархом нет принципиальной разницы, плюс Грозный рисовал и музицировал. Проблема в одном, передайте Мединскому, если встретится, — водка действовала, и отступления Салтыкова становились все многословнее. — Когда девственница-королева уничтожает, положим, Саутгемптона или Эссекса, она искореняет измену или окорачивает зарвавшегося фаворита, но в любом случае вытворяет все эти художества не на пустом месте. Людей варят в котлах, да, но не в массовом порядке, не коптят, не рубят, как туши, не участвуют в казнях лично, не пронзают допрашиваемых посохом, не выдумывают заговоров каждый год, не делят всю страну на англичан и неангличан, на ground-щину и ехсер-щину, простите мой английский... Во всех ужасах Елизаветы и Кромвеля, и даже во всех почти ужасах Робеспьера есть смысл и причина. Нигде так явно не прослеживается оргиастическое начало, радость ножа, как говорил Адамович, нигде нет такого упоения процессом при абсолютной мизерности цели — потому что чего он достиг, сука, своей земщиной и опричниной? Что он укрепил, какую вертикаль? Пуф, смутное время, ноль пользы. Страна в говне, народишко сам себя за волосы выволок. А теперь — святой, теперь — с нами иначе никак! Теперь Сталин. Общее место: взял страну с крестьянской лошадкой, оставил с космической ракеткой. Во-первых, сколько помню, это приписывается Черчиллю, а Черчилль вообще был человек не особенно доброжелательный к прочим нациям, он говаривал, что и Гитлер хорош для Германии, и Муссолини для Италии, и Честертон, кстати, приветствовал Муссолини — вы в курсе?

Свиридов кивнул, хотя мало знал о Муссолини и того меньше — о Честертоне; но Салтыков и не нуждался в подтверждениях.

— Это, знаете... еще по двести, да? Алло, еще по двести! — Белоруска хихикнула на его «алло» и поспешила налить. — Это как белый человек смотрит на игры туземцев, и естественно, чем больше туземцев перебьет очередной вождь, тем лучше для британской короны. Обратите внимание, в Англии всегда одобряют русскую диктатуру. Я вам больше скажу, ее и Штаты одобряют. Но это потому, что мы им когда-то, на миг, показались своими, — а теперь стали окончательно и бесповоротно выродками, чуждым народом, которому безнадежно прививать мораль. Себе бы такой власти в жисть не пожелали, но для дикарей то самое, бич Божий в натуральную величину.

Салтыков выпил и уставился на Свиридова.

— Смысл, смысла... Всем смысла! А мы живем во времена величайшего его выхолащивания, мы с вами уже вовсе ничем не виноваты, не посягали на власть, не колебали мировых струн, тихие обыватели. Вы видели мебель в квартире Чумакова?

— Видел, — кивнул Свиридов. Ему положено было обращать внимание на декорации, и он заметил обшарпанные шкафы из ДСП.

— Это похоже на магната? На тайного агента?

— Нет, пожалуй. У тайного агента или фанатика было бы совсем голо или бардак, а тут честная бедность. Жалкое зрелище.

— Ну! — кивнул Салтыков. — Я про что и говорю. Чистое спортлото. Ну, может, кого-то — с учетом заниженной сопротивляемости, потому что жертва должна быть жалкой. Ручки тоненькие, ножки тоненькие. Вы же видели эту семью. Как вам мамаша?

— Жалко мамашу.

— И вашу жалко. И мою жалко. Моей матери, между прочим, шестьдесят пять лет, я ранний ребенок. Вполне себе бойкая пенсионерка, подруг масса, женоклуб. Гордится моими успехами как я не знаю что. Особо гордиться нечем, но тем не менее. Фотографии — я и внучки, я и осетры. Очень жалко трогательную старуху и весь женоклуб. Но они от этого и получают особенное наслаждение — борца что же толку хватать? Он только того и ждет, он от этого кончает... А мы плачем, робеем, спиваемся вот тут с вами, обсуждаем участь, пища пищит... Они чаще всего берут семейных, вы заметили? Одиночки никому не нужны.

После этих слов Свиридов понял, что вся салтыковская ненависть к отчизне проистекала из страха за семью, бешеного и неотступного. Любить действительно можно что-нибудь одно — или семью, или Родину, и Родина все время угрожала семье. Надо бы узнать, не было ли у Чаадаева тайной страсти или большой семьи; семьи, кажется, не было, мать умерла, когда он был младенцем, что-то было с адресаткой философических писем, темная, бурная история... но скорей всего, виновато было нежное сложение, хронический страх всего, из-за которого он незадолго до смерти даже и доносил, доказывая благонадежность; вот о нем Свиридов читал, поскольку предполагался байопик о Пушкине и надо было знакомиться с материалом. Философическое письмо ему, кстати, понравилось — но слегка смутило именно удовольствием, с каким было написано; автор злился, досадовал, упрекал, но не страдал. Он был хорош на фоне России, такая Россия была нужна ему для самооценки. Вообще все картины мира, в которых во всем была виновата среда, отдавали оскорбительной простотой. Свиридов сам не понимал, отчего салтыковская вера в русскую самоистребительность ему противна; тошней всего было думать, что он стремится поскорей свернуть этот разговор из трусости, потому что Салтыков разглагольствовал все громче и рискованней, могли услышать, подслушать... Ужасно было это стремление объяснять все наиболее унизительным для себя и других образом, и ведь появилось оно недавно, только со времен списка, словно все попавшие туда лишились права на благородную мотивацию. Свиридов воспротивился заказу очередных двухсот граммов и позвонил Але. Этого ему хотелось больше всего, и отказывать себе он больше не мог.

— Приезжай, — неожиданно сказала она с грустной лаской, какой Свиридов давно уже не слышал в ее голосе; кажется, она тоже устала чему-то сопротивляться. Он попрощался с Салтыковым, быстро потерявшим к нему интерес и явно набравшимся, и отправился на «Киевскую», где они договорились встретиться. Аля уже была там — она редко приезжала вовремя, а тут дожидалась, и Свиридову увиделся в этом хороший знак. Стало быть, не ему одному несладко в разлуке. Они поднялись на площадь Европы и уселись под пестрый зонтик. Свиридов расслабился и сразу заговорил о том, как не может больше один, как измучился, как сходит с ума от страхов и призраков, — но начисто забыл, что расслабляться с Алей нельзя. Она любила его либо победителем, либо в худшем случае борцом.

— Сереж, — сказала она, и он обрадовался этому обращению, тоже редкому, не догадываясь, что за ним последует. — Мне кажется сейчас, что я никогда с тобой не съедусь.

Свиридов похолодел.

— Можно бы хоть сейчас без загадок, а?

— Сереж, ну а что такого сейчас? — спросила она грустно. — Что особенного? Тебя внесли в какой-то список, и это стало главным содержанием твоей жизни. Тебя не вызывают, не берут, с одной работы выгнали, другую предложили. Ты живешь как живешь, и никакой жизни у тебя больше нет. Я не костыль, Сережа. Я не могу съезжаться с человеком, который так зависит от ерунды. Я женщина, мне нужно плечо.

— Потрясающая пошлость, — сказал Свиридов.

— Ну да, пошлость, а ты чего ждал? Ты не знал об этом, может быть? Ты мечтал, что я буду тебе коней останавливать, нос вытирать? Я никогда не буду мужчине опорой, я сама, между прочим, две недели назад слетела с работы, но ты ведь не узнал об этом?

— Какого же черта ты молчала, Аль? Нельзя так — сама молчу и от других требую...

— Человек никого не имеет права собой грузить, — сказала она тихо.

— Кто тебе это внушил? Что за идиотский принцип? Да человек человеку постольку и нужен, поскольку он вообще способен его собой грузить, что-то ему про себя говорить, вообще перед ним открываться... Кто тебе внушил это человеконенавистничество, что никто никому не должен?!

— Человек человеку должен, — говорила она все так же тихо и монотонно, и он видел, что она мысленно не раз проговаривала эти слова, готовилась к встрече и торопила ее сейчас только для того, чтоб скорее разрубить узел. Ситуация была та самая, наихудшая: он был здесь в тягость, ей казалось, что он ее тянет на дно, что его несчастье заразительно. Всякая женщина хочет только одного — приземляться на четыре лапы. Он ненавидел ее в эту минуту. — Человек человеку должен много всего. Должен беречь, помогать, не грузить. Это мерзко, это, наконец, негигиенично — жаловаться женщине на свой страх. Ты меня используешь как прокладку. Ты сейчас мне десять минут рассказываешь, как тебе плохо и страшно и как я поэтому должна с тобой съехаться. А мне самой сейчас плохо и страшно, и мне нужен тот, на кого я могу опираться, тот, кто вытащит меня из этого.

— Люди только так друг друга и вытаскивают, Аль, — сказал он, отлично понимая всю бессмысленность разговора. — Тебе плохо, мне плохо, вместе нам лучше.

— Так вытаскивают друг друга не люди, а инфузории. Или прокаженные, как ты сам говоришь. Заразились и лежат, где-то я это читала, весь лагерь их ищет, а они под полом спрятались в санчасти и лежат, оба белые и блестящие, как личинки майского жука. Личинка майского жука называется хрущ.

Свиридов чувствовал, что отвратителен ей сейчас примерно так же, как этот самый хрущ, белый, блестящий и красноглазый, и ненавидел себя еще больше.

— А люди, Сережа, — закончила она, — должны быть друг другу не прокаженными, и не брызгать своим гноем на другого, и не прятаться под полом в санчасти. Вот из-за того, что вы всем списком трясетесь, с вами и можно сделать что угодно. А некоторые, судя по сайту, вообще получают от случившегося большое удовольствие. Только что я был никто, и вот я в списке.

— Тебе бы такого удовольствия, — сказал он сквозь зубы.

— А ты ничего не знаешь про мои удовольствия. И скажи мне за это спасибо.

— Ну спасибо, — сказал Свиридов. — Этого я примерно и ждал. Уж если ты разлюбишь, так теперь, и с полным сознанием своей красоты. Я прокаженный и под полом, а ты в шоколаде и ноги об меня вытираешь. Спасибо, спасибо. Это, знаешь, как маньяк девушке говорит, застегиваясь: посмотри на себя, на кого ты похожа...

— Я тебя не насиловала.

— Меня другие сейчас насилуют, а тебе не нравится, как я неэстетично ору.

— Ну что ты дурак такой? — Она ткнулась ему в грудь и разревелась. — Никто тебя не бросает, я просто говорю, что съезжаться не могу...

— Да не надо съезжаться, не надо мне твоей милостыни! — Он почувствовал, что твердыня подалась и надо развивать успех. — Я просто не понимаю, почему я всю жизнь обязан изображать восторг...

— Ты ничего не обязан, — сказала она, сразу успокоившись, точно при первой попытке огрызнуться перестала его жалеть. У нее это тоже было хорошо поставлено — быстрые переключения. — Никому ничего не обязан. Но и я не обязана жить в чужой роли, нет? Я могу быть с человеком, которому нужна я. Но тебе сейчас нужна не я, а кто угодно. Лишь бы сопли утирала. Посмотри, во что ты превратился. Ты кисель, ты жалуешься, ты ходишь к этим людям, которые тебе вообще неизвестно кто, и распространяешь идиотские слухи, которые они выдумывают. Тебе в голову не приходит, что можно просто жить. Просто жить и класть на все это.

— Да я рад бы жить! — взорвался он. — Я что, сам себе все это устроил? Я бы жил, но не дают...

— Вот когда не дадут, тогда и будешь истерить. А пока тебе все дают, и никаких проблем. Ты уже двадцать раз вещи собрал, а за тобой не идут и не идут, и не придут, можешь мне поверить...

— А Чумаков?

— Что Чумаков? В этом списке двести человек, одного взяли, и все с ума сошли. Завтра у кого-нибудь, не дай бог, СПИД случится, и ты будешь думать, что тебя тоже заразят? Нельзя же до такой степени идти у них на поводу, им же, кроме страха, ничего не нужно! Тебя за месяц превратили в котлету, а ты хочешь, чтобы я с тобой съезжалась. Я с тобой съедусь, когда ты опять человеком будешь. Если будешь. У меня чувство, что ты теперь нарочно начнешь сырки тырить в гастрономах, только бы взяли поскорей.

— Ладно, — сказал Свиридов. — Пойду я.

Он надеялся, естественно, что она его будет удерживать, но она кивнула и сама быстро пошла прочь, и правильно сделала — это до того его взбесило, что он затосковал по ней всерьез только через неделю. Лучшей анестезии, чем злоба, еще не придумано. Смотри стихотворение Эдуарда Асадова «Баллада о любви и ненависти», где летчик, замерзая во льдах, лишен всякого стимула ползти дальше, и тогда благородное воинское начальство устраивает ему прямой разговор с женой. Почему-то спасти его нельзя, он может выкарабкаться только сам, но прямую связь организовать можно. И жена, к полному удивлению благородного командира, ему говорит: это очень хорошо, что ты там пропадаешь в снегах, потому что я люблю другого (чуть ли даже не благородного командира). Это так на него действует, что он прополз, выполз, вырубился из льдов, порвал всю Арктику на британский флаг, но как-то вылез. И тогда она ему торжественно говорит: милый, ничего не было, но если б ты как следует не завелся... Мысль о том, что Алька все затеяла из педагогических целей, явилась ему довольно скоро, но он ее отогнал. Кто она такая, чтобы чему-то меня учить? Кто вообще решил, что человек обязан быть сильным? Наше представление о силе чаще всего связано с тупой грубостью, и ей нужно именно это; а я наконец позволю себе быть тем, кто я есть, слабым и мучающимся человеком среди деревянных, и благо списку, если он наконец содрал с меня коросту.

Вечером третьего августа ему позвонил Рома и сказал, что сейчас приедет.

12

Рома опять был под шофе. Кажется, в последнее время он вообще не просыхал, боясь, что в первую же пятиминутку трезвости рухнет вся его прекрасная новая жизнь, в которой он был уже не шоумен, а постановщик «Команды», член Общественной палаты и всемогущий любимец верхов. Его уже тошнило. Чтобы поддержать себя в состоянии растущей востребованности и всемогущества, нужно было не уходить в запой, как случалось, что греха таить, в юности, и не завязывать вовсе, а пить в строгой пропорции; и все остальное надо было делать так же, в четверть силы, балансируя на тончайшей грани. Пока ему удавалось соответствовать, но каждый грамм мог непоправимо испортить дело.

— Слушай, — сказал он и надолго замолчал, глядя на Свиридова в упор карими коровьими глазами.

— Я слушаю, — напомнил Свиридов.

— У тебя покурить нет? Косячок?

— Нет.

— Да не бзди, я не сдам, — широко улыбнулся Рома.

— Правда нет. — В последнее время Свиридов разучился поддерживать шутки.

— Хер с тобой, обойдусь. Слышь, Свиридов. Я тебе скажу сейчас вещь, которую говорить не имею права.

Он опять замолчал. Свиридов стоял у двери кухни, Гаранин сидел на табуретке. Гаранин смотрел все требовательней, снизу вверх, как следователь на картине «Допрос коммунистов».

— Знаешь, Ром, — сказал Свиридов, — я уже привык, что сейчас никто ничего не имеет права говорить. Все, кто говорят, делают большое одолжение. Я оценил.

Гаранин хлопнул себя по колену и расхохотался.

— Ладно, ладно. Хотел сделать обстановку, не вышло. Никакой тайны, Серый. Ни-ка-кой. Ты сейчас уссышься.

— Уже, — без улыбки сказал Свиридов.

— Ну гляди. Мне вообще довольно стыдно. Я бы еще время потянул, понимаешь? Потому что я тебе скажу, и ты будешь жестоко разочарован. Жес-то-ко.

— Хорошо, давай.

— Дело в том, — сказал Рома и замолк в третий раз. Свиридов не тормошил его больше. — Дело в том, что вот представь такую вещь. Представь себе, что ты пошел, я не знаю, поехал, или к тебе пошла... что у тебя, короче, девушка. И у вас первый раз. И девушка пошла в уборную и пукнула. И ты услышал, как она пукнула: тпррумпф! — Он изобразил девушкину оплошность, девичью неприятность, детскую неожиданность. — Ты можешь сколько угодно делать вид и вообще. Но можно ли тебя теперь вычеркнуть из списка людей, которые слышали, как эта девушка пукает?

Свиридов насторожился. Рома был пьяней, чем ему показалось. Логика его была извилиста. *Что я мог такого видеть и слышать, такого сверхтайного, полуприличного? Наверняка что-то про кого-то ляпнул, выдумал и ляпнул, как про эту обосравшуюся с медвежонком, но ведь список начался до того!*

— Нет, — сказал он осторожно. — Вычеркнуть меня из этого списка нельзя.

— Ну! — сказал Рома и протянул ему руку. — Вот ты все и понял.

— Ничего не понял, — честно сказал Свиридов, пожимая гаранинскую пятерню.

— Ты посмотрел «Команду», — назидательно сказал Гаранин. — Можно ли тебя вычеркнуть из списка людей, посмотревших «Команду»? Нет, это несмываемо. Ты с этим помрешь, и на могиле твоей будет написано: здесь лежит Сергей Свиридов, посмотревший «Команду». Это все, что я имел вам сказать, мой маленький друг, мое кисо.

— Ром, не смешно. Я был у Чумаковой, у которой мужа взяли. Ты не представляешь, в каком она состоянии.

— Тьфу, черт. — Рома встал и налил себе воды из-под крана. — Что я, не знаю? Я потому и приехал. Серый, вот матерью тебе клянусь, это ни при чем совершенно.

— Да, да. Ты сейчас скажешь, что это совпадение и что он в списке случайно.

— Да нет же, твою мать! Ни хера не случайно! — заорал Рома. Привык орать там у себя на Николиной горе, участок в гектар, сколько ни ори — соседей не перебудишь. — Они не знают, что делать, ты понимаешь, нет? Они ничего больше не умеют, кроме как брать. У них есть список, и они мастерятся кто во что горазд. Спускают на таможню — проверяет таможня. Сообщают на работу — одного из одной конторы выгоняют, другого в другом месте повышают. Этого идиота вообще берут. А другие делают диспансеризацию, потому что умеют только делать ди-сран-спан-снаб-спам-сериализацию... стерилизацию... блядь, нельзя столько пить. Ты понимаешь, такое чувство, что они только и ждали списка, чтобы начать действовать... чтобы делать то единственное, что умеют. Вот вообрази. — Ему явилась очередная метафора. — Вообрази, есть мужик и медведь. Деревянный деревенский идиотский тупой дурацкий прибор. Русский народный. Через него при определенных обстоятельствах течет вода, и мужик и медведь, приделанные к колесу, забивают гвоздь или болт или что они там на что забивают. Причем никакого гвоздя нет, у нас деревянное зодчество без единого гвоздя. Потом вода перестает течь, и все замирает, и никто ничего не предпринимает. Но потом вода опять начинает течь, так?! И мужик и медведь опять забивают гвоздь! Мужик и медведь не способны делать ничего другого! Что ж они, виноваты? Ну, виноваты. Но вообще нельзя же не пустить воду.

Он налил еще кружку, единым духом опорожнил ее, бросил в раковину и провел по лицу мокрой рукой.

— Серый, — сказал он вполне трезво. — Сосредоточься, так? Ты хорошо помнишь, как ходил на «Команду»?

— Хорошо.

— Помнишь, там стояла рамка?

— Да.

— И всех переписывали.

— Да.

— Там вас было триста человек. Они вас всех переписали. И все.

— Господи, — сказал ошеломленный Свиридов. — Но зачем?

— Таргет-гру-у-уппа! — ликующе протянул Рома. — Прикинь, они дали мне деньги на картину. Фонд народного кинематографа. Это их контора, они через нее крышуют и финансируют всякие свои проекты. Но они же не просто так дают бабки, так? Они, конечно, шестнадцать пишут, восемь в уме. Восемь они пилят, так? Но восемь дают. Я за восемь снимаю «Команду», кручусь, хуё-моё. Но им желательно видеть результат, ты понимаешь? Они спонсорнули патриотичное кино и хотят теперь видеть, как оно подействовало. Их интересует откат, отдача. Сколько призывников изъявило желание пойти и послужить Отечеству? Сколько выполнило демографическую программу и родило в первый же год? Сколько записалось в добровольные осведомители, которых каждый день приглашают на всех эскалаторах? Ну? Они составили список людей, посмотревших «Команду» в первую неделю. Сделали случайную выборку человек на триста — у вас там еще записались не все. Передали его по месту жительства, распространили на таможни, в почтовые отделения, на рабочие места. Они стали наблюдать, как искусство действует на жизнь, потому что вложили в искусство восемь зеленых лимонов. Это они изучили маркетинг, прикинь. Изучили маркетинг, выбрали сто восемьдесят человек из трехсот и стали по ним изучать, как патриотическое кино формирует им страну. Теперь понял?

— Нет, — еле выговорил Свиридов. — Не может быть, бред. Почему тогда взяли Чумакова?

— Ну а что они еще могут?! — завопил Рома. — Чего ты такой, блядь, тупой?! Они же не доложили там внизу, что это за список. У них же на всех уровнях долбаная секретность. Они спустили список и велели смотреть. А дальше кто во что горазд: ты не знаешь, как понравиться начальству? Один, чтобы ему понравиться, всех сажает, другой всех увольняет, третий устраивает гуманитарную помощь. Четвертый вообще приглашает всех по списку на встречу ветеранов спецслужб, думая, что это список на аккредитацию. И ни одна рука не знает, что делает другая. Ты допер?

— Идиотизм, — сказал Свиридов.

— Ну а чего ты хотел? Ты пойми: они все только и ждали, пока спустят список! И им совершенно неважно, список чего! Они же со скуки выли, прикинь. Сколько можно брать физиков за дружбу с китайцами?! А тут мы имеем большое благодатное поле. У нас есть сто восемьдесят человек непонятного назначения в оперативной разработке. Даже вот, видишь, медосмотр. Это, наверное, кто-то решил, что вы опергруппа, стал с вами заниматься физкультурой... — Рома беззвучно засмеялся, запрокинув лысую голову. — Блядь. Прости меня, Серый. Я не должен был тебя звать. Я ни хера не знал, что они вас всех перепишут. Если бы я знал, что они из-за этого пиленого бюджета будут контролировать, как моя картина действует на людей...

— Ну и как она действует? — поинтересовался Свиридов.

— Херово действует! — рявкнул Рома. — Практически никак. А ведь я тебе, Серый, честно скажу, что это не самая плохая картина. Я бы даже сказал, что процентов на семьдесят она хорошая. Дядя мой говорил, что если картина удалась процентов на двадцать, то это большая художественная удача. Так вот, для такого говна, как я, это охеренная художественная удача. Звезды ли так сошлись, хуё-моё, но это кино. А вы все, еб твою мать, вместо того чтобы вести себя как люди, как эти, блядь, дети, которых послали умирать... вы все боитесь неизвестно чего, вы обоссались уже с ног до головы, вы ссыте всеми частями тела! Вы могли сказать, как Федя Смурной: «Смерть придет — меня не будет!», и пойти брать высоту. Но из вас никто ни хера не сказал, вы тоже умеете только ссать, и это не моя, блядь, режиссерская недоработка, а ваша блядская привычка...

О своей картине Рома мог говорить только серьезно. Кажется, он верил, что движет мирами, и идея списка почти наверняка была его собственная.

— Ну спасибо, — выдавил Свиридов.

— Кушай на здоровье, — бросил Рома.

Некоторое время они молчали, глядя друг на друга. Свиридов вдруг почувствовал тайное преимущество перед

Ромой, чуть ли не моральную правоту — казалось, он давно забыл это чувство, и возвращение его было сладостно.

— И что с нами теперь будет? — спросил он наконец, не придумав ничего умней.

— Вопрос «что будет?», — сказал Рома, ухмыляясь, — мы всей страной можем теперь засунуть в жопу. Понятно только, что будет херово, причем и вам, и нам. Но понять, как именно будет херово, не может на данный момент никто, включая самого-самого. Могу тебе в утешение сказать, что через двадцать лет... ну тридцать... все вы будете занесены в другой список, типа отважные сопротивленцы или героические жертвы, это я не знаю. Поскольку некоторые к тому времени вымрут сами собой, можно будет списать как жертв. Но ты доживешь, тебе дадут снимать все что хочешь, ты к тому времени от страху будешь в глубоком маразме и снимешь такое говно, что народ окончательно убедится в правильности вашего загнобления. Это устраивает?

— Почему ж, устраивает, — сказал Свиридов. — А за границу нас будут выпускать?

— Кому ты на хрен усрался за границей?

— Да это не вопрос, Рома. Вопрос теперь — жопу спасти.

— А откуда я знаю? — спросил Рома. — Ты пойми. Вот я тебе сейчас, чтобы ты лучше понимал, объясню на самом наглядном примере. Но мне надо выпить, Серый. Неужели у тебя нет больше выпить?

— Есть ночной магазин через остановку.

— Ладно, обойдусь. — Рома снова потер лицо. — Вообрази такую вещь, еще проще, чем с медведем. Есть тело, у которого так много раз отрубали голову, что оно научилось существовать без головы. И даже, я думаю, это такая саморегуляция, потому что я же теперь в Общественной палате, ты понимаешь, да? Я — в Общественной палате! А когда я смотрю там на остальных, которые вообще ни хера не умеют, кроме как организовывать пионерский кружок «Поиск», — я понимаю, что это такой принцип. Есть организм, которому без головы хорошо. Но у него есть нервный центр, находящийся, допустим, в Кремле, или в администрации, или я не знаю где, который периодически посылает импульсы: работайте, блядь, лучше! Работайте больше! Иногда нагоняет страху, типа чтобы стало эффективнее, хотя бояться нечего и мы ничего не строим. Но все органы у этого тела функционируют, они просто не скоординированы и работают кто во что горазд. Понимаешь? Они не имеют цели, но руки, скажем, очень усиленно машут. Ноги идут на месте со страшной силой, высоко поднимают коленки, иногда кого-то лягают с правильной периодичностью. Сердце стучит, как прямо я не знаю, и скачет из груди. Желудок переваривает пищу, потому что он не может не переваривать. Жопа срет. Говно, то есть интеллигенция, воняет, и тоже усиленно. Вот этому телу поступила из нервного центра совершенно хаотическая команда: усилить! Глаза усиливают бдительность. Ноги усиливают шагание. Руки — хватание. Говно — вонянье. — Гаранин говорил и показывал; выходило похоже. А я-то все думал, кого или что мне все это напоминает. А оно напоминало пьяного Гаранина в моей кухне. — Мы получаем агрегат, работающий на полную мощность над взаимоисключающими задачами. Есть вы, то есть объект. И вам теперь всем будут с максимальной силой давать звездюлей, давать премии, давать работу, не знаю что еще давать, и все это по полной программе, потому что у этого тела больше нет никаких мозгов. Я не знаю, честно тебе скажу, почему их больше нету. У меня их тоже не очень много, я не мыслитель совершенно, вот как на духу. Очень может быть, что они когда-то были, но поскольку все осмысленные телодвижения рано или поздно приводили в жопу, то они и решили, что без смысла будет лучше. У них же при свободе и несвободе получается примерно одинаково. Теперь они решили вообще безо всего, безо всякого смысла, без добра и зла, и это страшно только для одной категории населения. Только вот для той несчастной категории, которую это тело как-то заметило. Ты про Малинина слышал чего-нибудь?

— Про певца?

— Нет, про издателя. Такой был контркультущик, издавал всякую муть. Акционист крутой, все время устраивал акции, что-то с Ренатой, что-то с Охлой, уже не помню. Человек из проклятых девяностых. И он, естественно, изменял сознание. Так он однажды чего-то такого выпил, что сознание покинуло его абсолютно. Приглашали экстрасенсов, всяко разно — нет, говорят, личность стерта как таковая. Он был нормальный, абсолютно, в том смысле, что ходил, и под себя, и вообще, иногда вставал по какому-то позыву, потом ложился, что-то ел, когда давали, — друзья к нему приходили, пальцами там щелкали, Слава, Слава, это типа мы, — но мозги атрофировались полностью, начисто. Понять, что он такого пил, оказалось нельзя, потому что он это пил один, но я думаю, что это же не в результате чего-то одного случилось. Это он по сумме так себя довел. Мне Попов рассказывал, он его снял и акцию сделал. Чтобы сбросились как-то на содействие, потому что родители его забрали из больницы, ему построили такой загончик, и он там ходил. А Попов это все снял, он мне хотел показать, но я отказался. На фиг мне грузиться, как он там ходит с загадочным выражением лица. И подавляющая часть населения, Серый, живет именно так, и никому не хуже. Просто некоторым казалось, что если не будет никакой идеи, то не будет списков ради идеи. А теперь оказалось, что идеи нет, а список есть. Но только если раньше вас бы всех чик-чирик или, наоборот, в наградной отдел, — то теперь вас сначала чик-чирик, потом в наградной отдел, потом паек, потом опять чик-чирик, потом диспансеризация и так далее. Фу, устал я от тебя, Серый.

Он действительно устал, его голая голова вспотела, и Свиридову стало его жалко. Он испугался, что Рома сейчас расслабится, окончательно увянет и останется ночевать, но он плохо знал Гаранина. Гаранин был, во-первых, неглуп, а во-вторых, у него был мощный резерв.

— Короче, я пойду, Серый, — сказал он спокойно и трезво, словно весь предыдущий горячечный бред был придуман и произнесен исключительно для того, чтобы Свиридову легче было воспринять открывшуюся истину. —

Я пойду, а ты там как хочешь, расскажи всем или никому не говори, потому что это уже не принципиально. А что с вами будет, я, Серый, понятия не имею. Малинин помер потом, а про вас и про нас ничего не известно. Но если тебя интересует мое мнение, кем лучше быть в настоящий момент — всадником без головы или вот пучочком цветочков, который попался этому всаднику, — то и на этот вопрос, Серый, у меня нет однозначного ответа, будь здоров.

Свиридов чувствовал, что надо еще о чем-то спросить, что сейчас, может быть, Рома выболтает самое главное, — но просить его о содействии в случае чего он стеснялся (Гаранин и так наверняка сделал больше, чем мог), а ситуация была ему ясна и дополнительных расспросов не требовала.

— Слушай, Ром, — спросил он наконец, когда Гаранин уже вышел в прихожую, — а если вдруг окажется, что это не тот список, а? Что это все-таки по другому признаку? Мало ли, обнаружится вдруг среди наших человек, который не видел твою картину?

— И что? — спросил Рома.

— Как — что? Что тогда-то?

— Серый, — сказал Рома и посмотрел на Свиридова с искренним состраданием, наморщив огромный лоб и выкатив карие глаза. — Как же ты не понял-то ничего, Серый, я же так перед тобой распинался. Я тебе сказал все, что можно, и даже часть того, что нельзя. А ты так и не въехал никуда, Серый. Как по-твоему, почему я тебе все это рассказал, хотя не имел особенного права?

— Чтобы я не наломал дров, наверное, — сказал Свиридов без особой уверенности.

— По хрену мне твои дрова. Я тебе это сказал, потому что это совершенно уже неважно, Серый. Это уже настолько же без разницы, как и причина, по которой Слава Малинин иногда вставал, а иногда садился. Ты понял? Теперь уже совершенно насрать, какой это список. И никто уже ничего не может сделать, потому что данная система неуправляема в принципе. Она может только составлять списки и поступать с ними как получится. И ни я, ни кто-либо другой изменить эту ситуацию не в состоянии. Но если я тебе лично смогу быть полезен, то само собой. Хотя, честно тебе сказать, вряд ли я смогу тебе быть полезен, как и вообще кому бы то ни было. Будь.

Некоторое время после его ухода Свиридов молча сидел на кухне, а потом ринулся к телефону.

— Андрей, — сказал он Волошину. — Извините, что поздно, но это действительно срочно.

13

— Ну да, и вы купились, естественно, — сказал Волошин, когда Свиридов в ночном «Сим-Симе» на Краснопресненской вывалил ему Ромину версию.

— Что значит — купился? По-моему, все так и есть. Какие еще могут быть варианты?

— Ну да, ну да. Член Общественной палаты приезжает к вам ночью, вбрасывает вброс, сливает слив, и вы с готовностью бежите распространять. Честное слово, я про вас лучше думал.

Свиридов ждал какой угодно реакции, но не этой.

— То есть... — Он все еще не мог прийти в себя, все-таки потрясений на одну ночь вышло многовато. — Вы хотите сказать, что он меня дурачил?!

— Разумеется! — воскликнул Волошин. — И судя по тому, что вы повелись, — дурачил очень успешно! Хотя лично я не понимаю, как можно повестись на такую простую клюкву.

— Слушайте, — не успокаивался Свиридов. — Но это же... Это все объясняет! И то, что мне тогда показалось, будто я уже мельком видел вас всех...

— Это как раз ничего не объясняет. Мне тоже с определенного возраста кажется, что я всех уже где-то видел. Вам двадцать восемь, первый кризис, мерещится, что все уже было.

— Но ведь мы все, все там были! На премьере!

— Далеко не факт. Были вы, был я, было, допустим, еще двадцать человек из двухсот. Кстати, всего списка мы не знаем и вряд ли узнаем. Но даже если допустить, что все двести были приглашены на премьеру «Команды», — вам не приходит в голову, почему они там оказались?

— Ну? Почему?

— Потому что потом объяснить все этой версией будет очень просто. Разослали пригласительные, все туда ломанулись — как же, престижное мероприятие... Но почему разослали именно им — это вам неинтересно?

— Андрей! — возмутился Свиридов. — Но ведь там випы сидели только в партере! А в списке — случайные люди, те, кто купили билеты на первый показ!

— Тоже не факт. Проведите проверку, расспросите весь список, тогда можно разговаривать. А пока это либо его личный пьяный бред, потому что его пробило на маньку величку от собственного взлета, либо версия прикрытия.

Волошину уже так нравилось чувствовать себя в списке, составленном по неясному критерию, что любое рациональное объяснение его не устраивало категорически. Разубеждать его было бесполезно. Даже если бы весь списочный состав поголовно представил ему билеты на премьерный показ «Компании», он выдумал бы версию, объяснявшую попадание всего списка на этот сеанс: вызвали же их всех на встречу с ветеранами ГБ, значит, в каждом отдельном случае подсуетились и тут.

— Это у вас манька величка, а не у него. Будет сейчас ГБ вам прицельно организовывать попадание двухсот человек на один фильм...

— Сергей, — мирно сказал Волошин. — Если вам спокойней думать так, ну и думайте. Каждый ведь обустраивает реальность сообразно своим потребностям. У вас такие, у меня другие, каждый умудряется сделать себе непротиворечиво. Вы только иногда задавайте себе простые вопросы, вроде вот таких. В кино ведь обычно ходят парами, так?

— Так! — Свиридов почувствовал, что почва — в который уж раз за вечер — уходит у него из-под ног.

— Но почему тогда в списке так мало семейных пар? Или просто пар? Вот вы — вы один туда ходили?

— Нет, с девушкой. — Свиридов лихорадочно соображал: на самом деле он должен был задать Роме именно этот простейший вопрос, но тормознул, потрясенный гаранинской откровенностью.

— Тем не менее ваша девушка почему-то не в списке, — ехидно заметил Волошин. — И вы сами сказали мне об этом.

— Подождите, подождите... Вулых был без жены... Клементьев был с сослуживцем... Надо просто прошерстить остальных...

— Ну прошерстите, — пожал плечами Волошин. — Посмотрим, чего нашерстите.

— Стоп, стоп... Это легко объясняется статистически... — Свиридов все цеплялся за Ромин вариант. — В амфитеатре мест шестьсот да еще в бельэтаже триста, это же «Октябрь»... И вполне естественно, что они выбрали одного человека из каждой пары! Иногда совпадало, как у Клементьева с сослуживцем, а иногда брался кто-то один. Зачем им брать всю пару? Можно же пометить одного и так наблюдать, охват будет больше...

— Можно, можно. Все можно. Вы, если захотите, все теперь будете объяснять именно так. Но позвольте вам заметить, что при этом раскладе людям, которых не было на сеансе, абсолютно неоткуда было бы взяться в списке! Это в принципе невозможно, потому что они не проходили сквозь рамку, — так?

— Да, естественно. А кто из наших там не был?

— Как минимум двое! — триумфально воскликнул Волошин. — Первый — мой коллега с «Маяка» Батюшкин. А второй — известный лично мне адвокат Борисов.

— Откуда вы знаете?

— А вот разговорились чисто случайно. Он сказал, что впервые посмотрел «Команду» на ди-ви-ди неделю назад и нашел картину чрезвычайно удачной. Чрезвычайно. Кипятком писал, — и Волошин взглянул на Свиридова с откровенным торжеством.

— Я это проверю, — сказал Свиридов. Он уже никому не верил.

— Проверяйте, — развел руками Волошин. — Но когда член Общественной палаты в следующий раз устроит вам ночной слив, не спешите выдергивать людей из постели.

14

Он не мог не поехать к Але. Это был последний шанс, контрольная проверка. Про гордость в этом случае следовало забыть. Весь следующий день он ждал, мучился, метался, садился сочинять, бросал, кое-как досуществовал до пяти вечера. Хотел сначала ехать без предупреждения — так, прозвонить на домашний, проверить, дома ли, — но не дай бог ворваться и кого-то застать, хуже не бывает. Он позвонил ей на мобильный.

— Алло, — ровно, безрадостно, безразлично.

— Это я.

— Ты определился?

— Надо увидеться.

— Зачем?

— Неважно. То есть важно, но при встрече. Где ты?

— Дома, где ж я могу быть...

— Черт тебя знает. Жди, я сейчас.

Он бессчетно раз бывал у нее дома, случалось — и ночевал там, но никогда еще с самого порога, да что — с подъезда, не погружался в такой крепкий настой безнадежности и грусти. Грустно было все — медленно густевшая небесная синева, скрип качелей, крики детей во дворе, брошенные старые машины вдоль ее длинного дома; или это он был невыносимо, расслабленно грустен, вот я, я не могу без тебя, делай со мной что захочешь. Но у себя он не чувствовал ничего подобного, а здесь подступало, накатывало — ничего не поделаешь, Свиридов улавливал чужие волны. Открыла ему Алина мать, впустила, ушла к себе; Свиридов пошел к Але и поразился, как она за эту неделю стала бледна, тиха и беспомощна. Она сидела в углу дивана, того детского дивана, который жалела выбросить и на котором перечитала когда-то всю домашнюю библиотеку, вообще не любила выбрасывать вещи, хотя с людьми рвала, как видим, легко и сразу.

— Аль, — сказал он.

— Чаю хочешь?

— Потом. Аль, дело срочное. Мне надо проверить одну штуку.

— Проверяй.

Она встала, потянулась, открыла балкон, закурила.

— Слушай, у меня был Гаранин.

— Поздравляю.

— Он объяснил, в чем дело со списком.

— Ну? — безо всякого интереса.

— Он сказал, что это бред. Что это список людей, посмотревших «Команду» в первые три дня, не весь, а выборка, около половины. Включая випов, которых он пригласил сам. Таргет-группа, короче.

Она с усмешкой оглянулась на него.

— Забавно.

— Да куда забавней. Я просто хотел спросить: ты не там? Не в списке?

— А, — сказала она, — цель приезда.

— Ну хватит, Алька. Я и так приехал бы.

— Да-да, конечно. Мог по телефону спросить.

— Не хочу по телефону. Там некоторые попали прямо парами, а некоторые поодиночке, все-таки отбор. Объясни мне, ты в списке или нет?

— В списке, — сказала она очень просто.

Свиридов покачнулся и прислонился к стене.

— А чего ты молчала?!

— А какая разница?

— Нет, ну ничего себе! Человек с ума сходит, его с работы выгоняют, слежка какая-то начинается, черт-те что, а ты тоже в списке и молчишь! Как ты узнала вообще?!

— Я раньше тебя узнала. Ты вернулся, я уже в курсе была.

— Откуда?

— Из ДЭЗа приходили. Площадь перерасчитывали, вдруг мы недоплачиваем.

— И все?

— Да какое все. С работы погнали через две недели.

— Слушай! — Он сел на диван. — Ну Алька же! Почему, почему?! Я все тебе всегда говорю, а ты что, вообще за человека меня не считаешь?

— Ты говоришь, а я не говорю. Это не твоя проблема.

Он все еще не мог прийти в себя.

— А чего ты на сайте не отметилась?

— А что мне за радость отмечаться на сайте? Это как в общаге, чужие испарения кругом. У меня пока своя квартира.

— Блин. И на что ты живешь?

— Бебиситером устроилась. С понижением, но платят.

— Но это не твое дело, Алька!

— Как раз мое. По профессии не берут пока.

— Но неужели бы я тебя не привел куда-то?

— Ты себя привести не можешь, где уж мне.

— Аль. — Свиридов изо всех сил старался говорить спокойно; он хотел подойти, обнять ее, но чувствовал, как она не подпускает. — Аль, ради бога. Давай спокойно. Ты действительно считаешь, что человек не имеет права рассказывать другому о своих проблемах?

— Если хочет — имеет. А я не хочу. Вот что человек не имеет права требовать, чтобы другой выворачивался наизнанку, — это я тебе, Сережа, точно скажу.

— Но я же не виноват, что там оказался!

— Ты виноват, что там записался. И что поехал с ними на дачу. И что месяц с ними пьешь, обсуждая, куда и почему вас записали. Вас записали, и вы смирились, и стали жить, как будто целиком теперь этим исчерпываетесь. Вот я чего терпеть не могу, Сережа. Человек, которого я люблю, так вести себя не может. Я никогда не буду жить с человеком из списка.

Она говорила это спокойно, даже вяло, но с невыразимой брезгливостью. Свиридов чувствовал, что ей плохо, что она беспомощна и одинока, но и в одиночестве, в поражении, в упадке сил по-прежнему неподкупна; что он может горы жалостных и негодующих фраз нагородить в свое оправдание, но не сдвинет ее с места. Грех его был неискупим: он был в списке — и ничего не почувствовал. Почему? А по тому самому. Был в списке, и страх забил ему все чувствилища, все поры: он не почувствовал, что она испугана, напряжена, теряет работу, устраивается, отчиявается, бедствует. Все силы уходили на собственный ужас, он жрал их, высасывал и теперь проглядел Альку — ради которой все.

— Ладно, я виноват. Прости.

— Да какое прости, Сережа! Ты не виноват, и прощать тебя не за что. Я просто... я, если хочешь, благодарна этому списку. Я очень близка была к тому, чтобы остаться с тобой надолго. Мы стали бы жить, и тут случилось бы что-то, и я поняла бы, что это чужая жизнь. А уже не разлепишься. Ты не плохой, не злой, ты ни в чем вообще не виноват. Но я как увидела, что ты записался... все, понимаешь? Как лампочка треснула. Ты же сам себя туда внес, и теперь на тебя будут распространяться все закономерности, которые они выдумают.

— На тебя, положим, они тоже распространились.

— И что? Я поменяла работу, и что они сделают? Да хоть бы и сделали — я им не соучастница. А ты вписался, и в этом все дело. Ты теперь с ними, ты приклеился. Я не буду, не могу жить со списком.

— По-моему, ты себя уговариваешь. И не так уж тебе отлично без меня.

— Да мне очень плохо без тебя, Сережа! Очень! — Она вернулась с балкона и села рядом с ним на диван. — Я же привязчива все-таки, хотя ничего такого себе не позволяю. Но я не буду с тобой, Сережа, и не пущу тебя больше в свою жизнь. Еще и потому, Сережа, что ты меня бросил и приехал только через неделю. И только потому, что Гаранин тебе все объяснил.

— Я?! — Этой несправедливости Свиридов уже не мог вынести. — Я тебя бросил?! У тебя язык поворачивается мне это сказать?!

— Да, Сережа. Это ты меня бросил. Это ты мог ко мне приехать на другой день и не приехал. А приехал ты, Сережа, когда Гаранин тебя посетил со своей, Сережа, благой вестью. И поэтому я никогда к тебе, Сережа, не вернусь, как бы плохо мне ни было, ты понял?

Он понял, да. Он понял, что теперь ей нужен был универсальный виновник, и этим универсальным виновником был он. Глупости — все эти разговоры про плечо, которое так ей необходимо; не плечо ей нужно, а тот, на кого можно все свалить. Нечуткость — он, одиночество — он, с работы выгнали — он... Каждый по-своему избывал травму списка. Он метался и пил с кем попало, обсуждая причины, — а она нашла себе громоотвод, следила за Свиридовым со стороны, подмечала и копила его ошибки, измывалась над его трусостью... Конечно, кто ж еще виноват! Он должен был все это время гробиться, спасая ее, — а он смел думать о себе! Действительно, слава богу, что не остался с ней. Обойдусь.

— Аль, — выговорил он после паузы. — Откуда в тебе это сознание своей всегдашней правоты, а? Нет, погоди, я договорю, мы с тобой теперь долго не поговорим. Смотри: я не такой дурак, не пацан, мне двадцать восемь лет, я что-то умею. А тебе двадцать три года, и ты думаешь, что ты в сто раз умнее и храбрее меня. Я не понимаю, откуда эта уверенность? Это врожденное или воспитанное?

— Воспитанное, — сказала она. — Плохо воспитанное, но стараюсь.

— Но пойми: сомнение в своем праве всех судить — это норма, Аля, норма. Если у кого-то нет этой нормы, он урод, рядом с ним люди пачками дохнут.

— Не надо, Сережа. Я знаю, с кем дохнут. Ты влез в трясину и меня туда тащишь. Ты хотя бы спросил себя раз в жизни — чего ты боишься? Вот чего? Что они с тобой сделают? Не надо мне только про пугливое воображение, про то, что ты этим страхом пишешь и без него не можешь. Все ты можешь, он тебе не помогает, а мешает писать. Ты на все уже готов, я же помню, как ты мне звонил после этого своего урода, который учебник тебе заказал. Вот когда все треснуло, а ты и не почувствовал ничего.

Он мог бы многое ей возразить, но это не имело смысла: тут была пропасть, которую не перепрыгнешь. И ведь он чувствовал в ней то, что она называла твердой землей, а он — глухотой, даже не человеческой, а метафизической; но сперва гнал эти мысли, а потом надеялся, что этим-то они и дополнят друг друга. Он будет за двоих предвидеть, она за двоих бодриться... В том и беда, что никто никого не дополняет, жить можно только с двойником, а не с негативом, и правильно все было придумано в «Паре» — вот же предсказал на свою голову: героиня там вообразила, да и психолог напел, что она ненавидит мужа за страшную рану, нанесенную в прежней жизни, столь страшную, что не может ее даже вспомнить. А потом вспомнила, и оказалось, что она и тогда его точно так же ненавидела, и не доигрывает она с ним старую драму, а переигрывает ее по второму кругу, ибо на свете ничто не доигрывается — все повторяется, горбатого могила исправит.

Но так невыносимо печален был весь ее облик, и дом, и синий вечер за окнами, такой тоской звучали скрипучие качели во дворе, так робко, почти бесшумно двигалась ее мать за стеной, что злоба Свиридова погасла, не разгоревшись; ему было жаль ее до слез, до судорог, и жалость эта была безвыходна, отвергаема, замкнута на себя. Август, август пришел, какое ужасное время. Теперь будет темнеть все раньше. Что я буду делать один?

— Ну ладно, — сказал Свиридов. — Если надумаешь, позвони.

— Я не надумаю, Сережа, но спасибо.

Он вышел из комнаты, и Алина мать так же бесшумно ему открыла дверь, и бесшумный лифт увез его в бесшумный синий двор, откуда исчезли вдруг все звуки: тоска затопила их. Он не мог ехать к себе и отправился к матери.

Свиридов ждал чего угодно — упреков, расспросов, новых сетований на его неудачливость, — но мать была безупречно настроена на его волну в тот синий вечер. Все друг друга понимали и все сознавали, что сделать ничего нельзя.

— Ешь, — она поставила перед ним суп, и он стал есть, как в детстве. Она сидела напротив и рассказывала ему, что тут приключилось без него: у соседки слева из дома ушел десятилетний сын, поймали на вокзале, хотел сбежать к отцу в Петербург; соседке слева во время гипертонического криза вызвали скорую, мать к ней бегала откачивать, отпаивать таблетками, а скорая приехала на следующее утро, когда все уже было нормально; других историй здесь не происходило.

— Бедный ты мой, — сказала мать, глядя на него, подсела поближе и стала гладить его по голове.

Свиридов понял, что он не один на свете и что этого не изменит никакой список.

— Выкарабкаемся, мать, — сказал он.

— Бедный ты мой, — повторила она.

— Ну бедный. Это, может, и к лучшему. Зачем тебе другой?

— Незачем, незачем. Мой — самый лучший. Галчиха галчонку говорит — ты мой беленький, ежиха ежонку говорит — ты мой гладенький.

15

Господи, почему бы тебе не разомкнуть меня?

Ведь я знаю много всего.

Иди к цветку Виктории Регине, иди в простор, и передай привет от герцогини дель Аква-Тор...

Издевались над дешевой экзотикой, а почему? Что есть выше этих недоступных, прекрасных стран, мест, где мы не бывали, слов, которых не слышали.

Господи, почему бы тебе не отвлечь мое внимание от меня и от гнусных вещей, на которых я сосредоточен в последнее время?

Почему бы тебе не переключить меня на цветы, зеркальные водопады, гигантские древесные паразиты с гнилостным запахом, с названием Раффлезия Арнольди?

О сад, сад.

Господи, почему бы тебе не переориентировать меня с того, я вижу и знаю, на то, что я помню неизвестно откуда, на твои, например, пустыни и закаты? В раннем детстве в журнале «Пиф» я видел такой закат: огромная пустыня и над ней полосатое небо. Так ли уж много на свете вещей, в которых я слышал отзвуки этой небывалой действительности?

> *Блещет вода в колодце чистом, как недра горна.*
> *На раскаленном камне сохнут кофейные зерна.*
> *Красные тени зноя косо плывут над садом*
> *Свесив язык, пустыня загнанно дышит рядом.*
>
> *Вечер картины зноя мягкою кистью смажет.*
> *Ночь поперек порога сонной овчаркой ляжет*.*

Почему бы тебе не направить мой взор на это?

На бесконечные торговые ряды, на безвестные города, на огромные пустые пространства, на то, о чем одна из са-

---

*Песня Новеллы Матвеевой.

мых странных твоих дочерей сказала: «На пустынном прилавке заката».

Как я знаю этот пустынный прилавок, закрывающийся рынок в портовом городе, где я чужак; где в последнем ряду, в последней лавке, в последний час меня ждет волшебная закономерность.

Почему тебе не кинуть мне хоть одну закономерность, чтобы я убедился в твоем присутствии. Почему ты подсовываешь мне одно взаимоисключающее, амбивалентное, толкуемое и так и сяк.

Почему ты не хочешь вернуть мне обещания моих первых дней, когда каждый закат между домами доказывал мне тебя.

Раскрой меня, Господи.

> *Я жду и жду: Господь меня раскроет,*
> *как форточку в конторской духоте,*
> *как заспанную книгу, столько лет*
> *служившую подставкой для бегоний;*
> *пробьет, как брешь*
> *в задристанном невольниками трюме.*
>
> *Спускайтесь вниз, цинготная шпана,*
> *по сосенке отобранная с бору,*
> *рябой фасолью сыпьтесь по канатам —*
> *мою пробоину попробуйте заткнуть*
> *мешками, досками, друг другом!*
>
> *Я так хочу, чтоб он меня раскрыл*
> *Своим шершавым устричным ножом*.*

Раскрой меня, Господи, или я не знаю.

---

* Стихи Игоря Караулова.

ЧАСТЬ ТРЕТЬЯ
СПИСОК БЛАГОДЕЯНИЙ

1

Переломным моментом в истории списка стало сентябрьское увольнение замминистра финансов Жухова, приглашенного на премьеру лично Ромой, поскольку именно Жухов устроил решающий четырехмиллионный транш, позволивший возобновить съемки. Он был на премьере и входил в список, о чем не знал никто, включая Жухова. Он узнал об этом случайно, от министра, впоброс, посмеялся и забыл, а на следующий день его уволили.

Как известно, правитель может столкнуться с реальностью лишь случайно, внезапно испытав на себе ужасы бесправия. После этого опыта он клянется все изменить, едва судьба забросит его обратно во власть, — но, оказавшись там, обещание немедленно забывает, ибо статус человека во власти перевешивает любой опыт, полученный за ее пределами. Человек, который переживает бесправие, и человек, чьим соизволением оно допускается, — две принципиально разные сущности, у них разный опыт, и при восстановлении статуса часть памяти стирается автоматически. Так же обстоит дело с воздыхателями, которых отбросили, простили и приблизили: плавая в счастье прощения, они и помыслить не могут, что предмет их обожаний способен на жестокие поступки. Выбирая между памятью и осязаемой реальностью, любой выберет то, что осязаемей, а память сочтет аберрацией; вот почему любой Гарун-аль-Рашид по возвращении на трон первым делом уничтожает следы паломничества в народ.

С Жуховым бы, несомненно, так и случилось, — но возвращение во власть затягивалось, на работу не звали; увольнение объяснили предельно корректно — упраздняется все направление, которое он курировал, создается новое Федеральное агентство, там он, безусловно, получит одну из высших должностей... но все это, конечно, не утешало. Министр лично обещал Жухову разведать ситуацию со списком, но через три дня позвонил, сам изумленный, и сказал, что все засекречено, силовой блок, ничего не можем. Министр теперь разговаривал с Жуховым бегло и неприязненно, словно боясь заразиться, — и Жухов, понимавший, что к этому идет давно, вынужден был осознать вставший перед ним выбор. Либо он тихо ждет ареста, которого уже дождался один его коллега, — либо предпринимает нечто, этот арест осложняющее. Особого компромата на коллег он не знал, журналистам не верил и силу разоблачений оценивал трезво. Сегодня можно было что угодно написать про первых лиц — и это способствовало им только к украшенью, но даже отличная характеристика и пожизненная репутация отличника не спасли бы споткнувшегося. Путь у него был один — в оппозицию; статусные люди были там теперь в дефиците. Он быстро набрал бы авторитет и даже, чем черт не шутит, основал партию. Дальше можно было всем этим распоряжаться по усмотрению: либо он мог явиться в администрацию и сказать — вот партия, пользуйтесь и владейте (как сделал, по слухам, создатель известного оппозиционного канала), а мог бы, смотря по обстоятельствам, сыграть ва-банк, и хотя это ничего бы не изменило в раскладе, но на время подарило бы неприкосновенность. Жухов понял, что действовать надо быстро; в Минфине это умели. Через два дня он уже все знал про spisok180.narod.ru, а на третий звонил Бодровой по контактному телефону.

Он предложил собраться у него на даче — не рублевской, а на даче жены, в пятидесяти километрах от Москвы по Нуворишке, как давно уже звали Новорижское, — но Бодрова гордо заметила, что список давно перевалил за сто пятьдесят человек и желающих не вместит никакая дача, а потому будет лучше, если он скромно, не особенно себя афишируя, присоединится к очередному их походу. Бодрова вошла во вкус, бесконечно организуя походы. Можно сказать, это стало ее главной жизнью, куда более интересной, чем жизнь бухгалтера на фабрике «Большевик». Вдобавок Бодрову из «Большевика» выживали — недавно перекупивший их концерн «Крафт Фудз» все назойливей заговаривал о переводе всего производства под Владимир, и менеджмента, чтобы не отрываться, туда же; а кто из москвичей не захочет под Владимир — так под Владимиром полно желающих на любые вакансии. Все это было, конечно, связано со списком: не будь она в списке, никто б не тронул пожилую заслуженную работницу с долгим опытом обхода законодательства, но вот ей так ужасно не повезло, и она, привыкнув из всего извлекать выгоду, решила стать лидером хоть тут. У нее получилось. Теперь она командовала уже и замминистром.

Десятого сентября собралось не меньше сотни списантов — Бодрова анонсировала на сайте интересного гостя. Предполагалось пройти от платформы Снегири до Лужков. Желтеющий лес сбегал с высокой насыпи, тропа петляла, пни пахли уксусом. Первый привал сделали через два часа после старта, когда список растянулся на добрый километр. На огромной поляне развели костер (Свиридов наловчился это делать отлично). Выложили бутерброды и термосы, Свиридов извлек упаковку копченой грудинки, нашедшуюся в мешке Тэссы (накануне отослал ей колонку с изложением Роминой версии — честно отрабатывал мешок).

— Дорогие друзья! — зычным культмассовым голосом обратилась Бодрова к списку. — Наши ряды пополнил уважаемый Жухов Виктор Борисович, в недавнем прошлом заместитель министра финансов России!

Жухов Виктор Борисович, незаметно и одиноко шедший в хвосте со свежесломанной и нервно оструганной палочкой, встал и поклонился. Это был рослый мужчина с залысинами, внешностью классический благородный отец, велеречивый и трусоватый.

— Теперь Виктор Борисович пополнил, так сказать, наши ряды, — повторила Бодрова. Ей нравилось это выражение. — И так как он их, так сказать, пополнил, то мы горячо его приветствуем и охотно, конечно, принимаем его в наши ряды.

Она часто захлопала, списанты вяло поддержали.

— А теперь, дорогие друзья, Жухов Виктор Борисович, я думаю, скажет нам несколько слов, какие он сам найдет, — несколько смешавшись, закончила Бодрова и села к костру.

— Гм, дорогие друзья, — начал Жухов, покашливая. — Я вообще-то мог бы назвать нас товарищами по несчастью, но думаю, что никакого несчастья нет.

Он неуверенно улыбнулся и обвел списантов преданным взглядом.

— Я думаю, что позорная практика составления списков, в которые попадают все не только оппозиционные, но даже и просто думающие люди, продлится недолго и является следствием испуга. Мне кажется, что сейчас нет оснований никого подозревать или включать, и, так сказать, предъявлять. Мне кажется, мы все едины в том, что страна движется верным курсом, в единственно правильном направлении, что сегодня, так сказать, благодаря ли конъюнктуре, благодаря ли, так сказать, дальновидности, но лично мне впервые за нее не стыдно и не обидно. — На словах «не стыдно» голос его вдруг окреп, он выпростался из долгого неуверенного периода, словно из жидкой грязи вдруг высунулся кулак, отчетливо погрозил и растворился снова.

— Слава России! — хором заорали Гусев, Бобров и Панкратов, лежавшие под старой сосной. Панкратов был бледен после больницы, и глазки его воровато бегали. Интересно, что с ним там делали? Хорошо бы клизму... Заорав, все трое тотчас вскочили и взметнули к плечам кулаки, типа рот фронт.

— Слава России, — не очень уверенно повторил Жухов.

— А остальные что лежат? — рявкнул Гусев. — Никто не слышит, что ли?! Слава России!

Никто, однако, не пошевелился. Свиридов очень этому обрадовался. Список явно осознал свое отчаянное положение и обрел на этом временную храбрость — вопрос, насколько ее хватит, но прогресс несомненен.

Гусев чувствовал, что надо спасать положение. Выручил его Бобров.

— Шутка, — крикнул он. — Гыгы бугага. Разрешаю расслабиться.

Они уселись под сосну.

— Продолжайте, пожалуйста, — вежливо сказал Клементьев.

Жухов продолжил. Это была типичная аппаратная речь, путаная и осторожная, пробирающаяся между захлебывающей лояльностью и осторожным несогласием: борьба прекрасного с отличным, злые бояре, идеологические перестраховки, поиски врага, уверения в преданности. Все в этой речи свидетельствовало о твердом убеждении, что каждый второй списант немедленно передаст послание по инстанции, и от Жухова зависело сформулировать послание к власти аккуратно, но убедительно. Я горячо разделяю уверенность, признаю заслуги и поддерживаю все пункты плана. Я четко осознаю, что конфликты ведомств не могут быть выгодны никому, и призываю всех погасить амбиции. Но поскольку есть отдельные охотники на ведьм, способные видеть то, чего нет, то особенно и отдельно подчеркиваю, что не должно быть ни малейшего, никакой, что мы не можем позволять себе считать врагами всех, у кого просто бурлит мысль. И он готов всем опытом, всем влиянием помочь тем, кто оказался вытеснен в несогласные — хотя горячо и искренне готов согласиться и соглашается, и будет соглашаться, если будет сейчас услышан и понят.

— Жухов! — крикнул Бобров из-под сосны. — Зачем вы лжете?

— Что вы сказали? — У Жухова был один выход — сделать вид, что недослышал.

— Чо, чо! В очо! — крикнул Панкратов.

— Зачем вы тут хвостом вертите, Жухов? — нагло орал Гусев. — Вы думаете, мы не знаем ничего?! Такие, как вы, в девяностые годы пенсионеров голодом морили и пенсии прокручивали в «Бэнк оф Нью-Йорк»!

— Кто вас послал, молодые люди? — с достоинством спросил Жухов. Он был старый боец и умел переводить стрелки.

— Это мы тебя сейчас пошлем, мразь! — крикнул Бобров, не трогаясь, однако, с места. — Девяностые годы кончились, Жухов! Иди на площадь Трех вокзалов, встань на колени перед народом, кто-нибудь, может быть, и подаст!

— А мы хотим жить в достойной стране! — заорал Панкратов и дал петуха.

— Иди лесом, Жухов! Проповедуй птицам! — крикнул Гусев.

— Бугага! — грянула вся троица и заулюлюкала.

Списанты молчали. Гусев понял, что придется заходить на второй круг.

— Долой позорные девяностые!

— Долой гламурного людоеда!

— Жухов, твоего сына видели в гей-клубе!

Это взорвало Жухова. Он решительно шагнул к троице, но на пути у него оказался Клементьев. Он встал и решительно остановил опального зама.

— Подождите, Виктор Борисович. Мы разберемся.

Он повернулся к троице:

— Проваливайте, ребята.

— Сам проваливай, старпер! — крикнул Бобров, вскакивая.

— Как ты сказал? — очень спокойно переспросил Клементьев.

— Эй, эй, — вступил Свиридов. Он улавливал настроения списка и чувствовал, что троицу подонков сейчас погонят ссаными тряпками. — Защитники пенсионеров, полегче.

Бобров понял, что не попал в таргет-аудиторию, и несколько смешался.

— Гламурный фашист Свиридов! — крикнул Гусев. — Ты травишь пенсионеров собаками!

— Э! — крикнул невысокий широкоплечий кавказец, которого Свиридов прежде не видел. — Ты базар фильтруй, понял? Тут фашистов нет, все равные!

— Товарищи, товарищи, — хлопотала Бодрова.

— Да они выпили, — крикнул женский голос. — Нажрались и скандалят.

— Пошли отсюда! — крикнул из-под старой березы подросток; совершенный ребенок, он-то как сюда попал...

— Дайте человеку говорить!

— Хамить дома будете!

Этого троица не ожидала. Они не учли простейшего обстоятельства: запуганный, фрустрированный список немедленно ощутил себя более весомым и защищенным, едва к нему присоединился опальный заместитель министра. Это всех списантов делало если не замами, то по крайней мере референтами. Взывать к гражданской совести, пугать бугагаканьем и апеллировать к опыту проклятых девяностых тут было бесполезно.

— Еще встретимся, — сплюнул Гусев и покинул собрание. Панкратов и Бобров последовали за ним.

Акции Жухова значительно поднялись. Все плотнее стянулись к костру и чувствовали теплое единство, как всегда бывает при изгнании меньшинства.

— Главное, все ложь! — напирал Жухов. — Все ложь, товарищи! Я был депутатом Госдумы и голосовал против ельцинских пенсий, специально требовал слова, есть протоколы, товарищи! И о дефолте я предупреждал еще Виктор Степаныча, это есть в его книге, можно было избежать...

До Лужков шли весело, возвращались в сумерках уютной электричкой. Лес за окном темнел, небо густо лиловело, за стеклом почти ничего уже не было видно — проявлялись только отражения. Так и с годами: все меньше видишь мир, все больше — себя, темнеет потому что. Свиридов уселся на одну лавку с Клементьевым, кротким юношей Сальниковым и автослесарем Абрамовым. Жухов демократично ехал той же электричкой, курил в тамбуре с кавказцем, объяснял ему несовершенства миграционного законодательства.

— Как хотите, — сказал Свиридов, — но я не верю ни одному слову этого челдобречка.

— Точно! — неожиданно горячо поддержал его Абрамов. — На нас в рай въехать хочет.

— Если его еще не послали нарочно, — вступил Сальников.

— Да нет, какое, я вижу — он струсил, — рубил правду Абрамов. — Глаза туда-сюда, туда-сюда, щеки трясутся. Струсил. Но чего он хочет, какую он оппозицию развел? Вот тебе лично, — он ткнул пальцем в Сальникова как наиболее покладистого. — Тебе лично чем стало хуже? Чего ты не можешь сейчас, что мог при Ельцине?

— Я при Ельцине вообще мало что мог, — виновато улыбнулся Сальников, — мне было двенадцать лет...

— Ну хорошо, родители твои что не могут?

— Всё могут, — испуганно сказал Сальников, желая защитить родителей.

— Ну, я много чего не могу, — возразил Свиридов. — Мы уже спорили про это, Гриш...

— Нет, ты послушай! Чего тебе не живется, какая диктатура? Ты ее видел, диктатуру? За границу хочешь — езжай! Сына хочешь в лицей — давай! Кричать «ура» тебя никто не заставляет! Чего вам все не живется, я не знаю? Где свербит?

Он явно под кого-то работал — скорее всего под Гармаша в «Двенадцати», самом позорном кинопровале в долгой зрительской практике Свиридова. Сейчас он заговорит о детях, о том, что детям хорошо, а это главное, и любой, кто недоволен, — личный враг его детей. Но вагон настороженно молчал, и Лачинская, сидевшая сзади, попросила Абрамова говорить потише, и он сунул руки в карманы, а на лоб надвинул кепку.

— Эх, сейчас приеду домой, — сказал он мечтательно, — наверну борща! Борща, с говядинкой. Светка замечательно варит. Со сметанкой наверну, еще сальца возьму, на черный хлебушек положу и сверху горчичкой. Ах, хорошо! Анисовой ледяной рюмочку — ап! И борща!

В голосе его зазвенела такая злоба, что Свиридов не позавидовал борщу.

— А футбол потом посмотришь? — спросил Волошин из правого ряда, где играл в магнитные шахматы с кротким дедком.

— И футбол посмотрю! — отозвался Абрамов.

— А дрыхнуть завалишься?

— Ой, завалюсь! Суббота!

— А храпеть будешь? Чтоб ядрено?

— Ой, буду! — с ненавистью крикнул Абрамов.

— Хорошо тебе, Гриша, — сказал Волошин.

— А тебе чем плохо, Андрюша?

— Да и мне хорошо, Гриша! Приеду домой, покушаю, покакаю, покушаю, покакаю! Хорошо работает организм, никогда так не работал! Газов пущу много, полно у меня газов, прямо газпром в животе!

Неожиданно Абрамов расхохотался.

— Затейник ты, Андрюша!

— Да не говори, — отозвался Волошин.

Дальше ехали молча, подремывая.

Поздним вечером Свиридову позвонила Тэсса. Он уже засыпал и вскочил с бьющимся сердцем, опасаясь ужасного — ничего другого давно не ждал; что-то дрожало в спине, в шее, перед глазами все кружилось, пересохло во рту.

— Сережа, — сказала она с ласковыми, но железными интонациями, — твоя последняя колонка — не то. Я не буду это отсылать.

— Почему? — спросил Свиридов. Он был настроен на обломы, но не здесь. Здесь-то все должно быть железно.

— Это неправда, Сережа. Ты сам знаешь, что неправда.

В последней колонке Свиридов рассказывал — с небольшими поправками, усмешками и упрощениями, — версию Ромы Гаранина.

— Напротив, я всех опросил, до кого дотянулся. Тэсса, все они посмотрели «Команду» как минимум в первую неделю.

— Это не может быть критерий, Сережа. И прости, но эта колонка написана хуже первых. Я не могу оплатить. И я не буду участвовать распространение версия Гаранин.

Она сердилась, нервничала и начинала игнорировать падежи. Еще чего, падежи. Гастарбайтер не хочет арбайтен, позволяйт себе игнорирен требованья, не хочет, чтобы его махт фрай. Свиридов послал бы ее от всей души, но не мог себе позволить отказываться от работодателя.

— Хорошо, — сказал он. — Я перепишу.

Свободная пресса, что вы хотите.

— Я хочу, чтобы ты понял, Сережа, — повторяла Тэсса, не в силах ограничиться его простым согласием. Ей надо было, чтобы он проникся. — Пойми, ты сценарист, я объясню тебе в твоих словах, чтобы быть понятной. На вас всех есть сценарий, эта ложь — часть сценарий, я не понимаю, как ты не видишь логик...

— Я вижу, Тэсса, — попытался объяснить он. — Но по-моему, при этой версии гораздо наглядней, как здесь устроено...

237

— Я знаю, как здесь наглядней! — сказала она очень убедительно. — Ты не можешь видеть из списка, но я могу. Я жду колонка завтра не позднее полдень.

— Вас устроит, если это будет о Жухове?

— О да, — радостно сказала Тэсса. — Ты видел его? Как он? По-моему, это настоящий, как это, мужик.

— Йа, натюрлихь, — сказал Свиридов. — Сукин сын камаринский мужик без штанов по улице бежит, знаете, как это говорится?

Но колонку написал, не отказав себе в удовольствии составить последнюю фразу по принципу акростиха: «Жара уходит. Хороша осень, весело и дружно, изнуренные, опадают тополя».

Сделал гадость — сердцу радость.

2

Сценарий начал осуществляться быстрей, чем Свиридов успел его додумать. Страшно сказать, все, происходившее теперь, начинало напоминать сценарий, самый примитивный, хуже сериального, — как будто все насмотрелись дурного фильма о тридцатых и теперь, в новых декорациях, неподходящими силами разыгрывали древний сюжет. Лица у артистов были неподходящие, таким «Дом-3» вести, а не допрашивать, да и допрашиваемые были гламурны, пустотны, мало пригодны для страданий — нет той начинки, нечем мучиться; но играли, потому что другого не умели. Двадцатого сентября Жухов представился списку и предложил план действий, а через пять дней Свиридову на мобильник позвонил следователь. Номер не определился, и это не предвещало ничего хорошего.

— Сергей Владимирович? — сказал приветливый товарищеский голос, и Свиридов сразу понял, кто говорит. Надо было, конечно, завязать с придумыванием этого сценария, потому что реальность слишком послушно следовала за его лобовыми ходами.

— Да.

— Это двенадцатое управление ФСБ, старший следователь Калюжный.

Двенадцатое, отметил Свиридов, чувствуя, что опять проваливается в болото. И поликлиника была — двенадцатого.

— Слушаю вас.

— Нам давно бы надо познакомиться, не находите?

— Не нахожу, — нагло сказал Свиридов. Страх в первый момент выражался у него так — он наглел.

— Ну а я нахожу, — беззлобно сказал Калюжный. Судя по голосу, ему было лет тридцать пять, максимум сорок. — Будете настаивать на официальной повестке или так договоримся?

— Повестку хорошо бы, — Свиридов хорошо помнил, что с ФСБ надо все делать официально, это их сковывает. Назначат встречу на улице и кокнут в подворотне, в семидесятые бывало.

— Ну чего бюрократизм-то разводить, Сергей Владимирович? Я ведь могу ее прямо на «Родненьких» прислать. Как вы думаете, останетесь вы там после этого работать или нет?

— А что, собственно... — Свиридов даже задохнулся от злости. — Что вы имеете против работы на «Родненьких»? Я что-нибудь противозаконное там делаю?

— Ничего противозаконного, Сергей Владимирович. Просто мы хотим побыстрей увидеться, а вы не хотите нам помочь. А вам, по-моему, в вашем положении совсем не нужно так разговаривать с доброжелательным, между прочим, человеком.

Калюжный говорил устало, словно только что с трудом разоблачил парочку упорно запиравшихся шпионов из Британского совета: они совсем уж закосили под тамбовцев, однако их выдало частое употребление артикля the, — но не забывал вовремя переходить на «мы». Я хочу увидеться, но это нужно нам, таинственным и многочисленным, могущим многое.

— А какое у меня положение? — севшим голосом спросил Свиридов.

— А вот про это мы и хотим поговорить, — радостно сказал Калюжный.

Ага, понял Свиридов. Раскрывают карты, дожили. Странным образом это его успокоило.

— Когда зайти? — спросил он.

— Да я сам подъеду, — ласково предложил Калюжный. — Вы в Останкине завтра будете? Вот и хорошо, у метро «Алексеевская» есть кафе «Му-му», там в пятнадцать я вас наберу и подойду.

Интересно, подумал Свиридов, почему он не зовет меня на Лубянку? Может, не хочет лишний раз пугать? Может, мы тайные агенты, о которых не должны знать даже его лубянские коллеги? И он начал выдумывать продолжение, но насчет мотивов Калюжного обижался, конечно, — уязвленные люди всегда надеются, а надеяться не надо. Надежда, робкая надежда загнанных — вещество, которое мы выделяем и которым они питаются; ввергнуть нас в жопу и кинуть намек на спасение, а у нас уже и надежды полная пазуха. Пазуху вытрясти, надежду сожрать, нас выбросить. Свиридов уже готов был думать, что это он тайный агент, раз ему назначают встречу в людном «Му-му», где наверняка не возьмут, — а остальные мразь, шваль, лагерная пыль. Наверное, не надо им говорить, что мне так повезло, что меня вызывает сам следователь Калюжный. Но внутрисписочная солидарность была еще превыше всего, надо же нам чем-то отвечать на их вызовы! Да и главное — в списке он был сейчас, это реальность, а тайный агент — еще под вопросом, завтра выяснится.

— Андрей, — сказал он (звонил, разумеется, по домашнему — мобильный теперь уж точно прослушивается). — Надо поговорить.

Это был пароль — ясно, что, раз дело не телефонное, Волошин выкроит час. Если бы он сам не состоял в списке, у него вряд ли нашлось бы время заниматься этой темой, но сейчас все касалось его самого. Они встретились во внутреннем дворике огромного сталинского дома, на третьем этаже которого размещалась редакция «Киноглаза».

— Мне из ФСБ звонили, — без предисловий ляпнул Свиридов.

— Нормально, — пожал плечами Волошин.

— Вам еще нет?

— Мне — нет. — В ответе Волошина угадывалось гнусное самодовольство той же природы: мне, может, еще повезло, я не все. Свиридов представил, как список будет теперь созваниваться: вас вызывали? нет? а меня уже... У вас нога отгнила? А икаете?

— И что вы посоветуете?

— Значит, прежде всего: ничего не подписывайте. Они будут обязательно требовать, чтобы вы подписали что угодно: неразглашение, финансовую ведомость, черта, дьявола, — помните, что подтверждать ничего нельзя.

— А протокол?

— Никаких протоколов, только собственноручные показания. И без адвоката они не имеют права вас официально допрашивать. Правда, у них есть сейчас такой финт — называется «разъяснительная беседа», при этом адвокат не положен. Он, естественно, будет предлагать вам сотрудничество, это всегда так делается, а теперь они обнаглели окончательно. Соглашайтесь, ничего страшного, каждый законопослушный гражданин обязан доносить о фактах террора там или о намерениях, нормально. Но опять-таки чтобы это нигде не было зафиксировано: то, что он запишет на магнитофон или скрытую камеру, в суде доказательством не является.

— Почему?

— Добыто с нарушением закона. Нужна санкция.

Про санкцию Свиридов не понял и вообще не очень представлял, кого им стесняться: захотят — допросят, положив на любые формальности. Он заранее признавал за ними все права, а жалкое сопротивление только подчеркнет их прекрасную невозмутимость. О чем спорить с неживой природой?

— Главное — постарайтесь вытянуть из них как можно больше. В Израиле знаете как допрашивают в аэропорту? Вразброс, по десять раз, повторяют одни и те же вопросы, вдруг проколетесь. Я однажды сыну из Тель-Авива вез прекрасный пистолет: представляете, нашел время и место! Меня трясли полчаса, а вся группа ждала. Так что спрашивайте об одном и том же — он начнет раздражаться и в чем-нибудь да проговорится.

— Попробую, — сказал Свиридов. Он начал понимать, зачем Волошину все эти приемчики, знание законов и ссылка на права: даже мышь, играя в кошки-мышки, может ощутить себя равным партнером. — Надо нам придумать что-нибудь кодовое для телефона, а то я к вам не набегаюсь.

— Ну давайте, исходя из этой вашей метафоры с проказой, — предложил Волошин. — Если мне завтра позвонят, я вам свистну и скажу, что появились симптомы.

— И последнее. — Говорить об этом Свиридов не хотел, но предосторожности лишними не бывали, особенно в «их положении», определить которое он бы затруднился. — Если я в шесть не перезвоню, значит, меня это. — Он из суеверия не хотел говорить «взяли». — Вы тогда матери отзвоните, что ли, и вообще шумите, о'кей?

Волошин со значением кивнул и внес в коммуникатор телефон матери.

Домой Свиридову не хотелось. Общение со списантами стало уже потребностью, в которой он себе пока не признавался — стыдно, и что-то окончательное, капитулянтское было бы в таком признании. Раб болезни, фи, тьфу. Но падать духом накануне решающего, может, разговора с той самой инстанцией, которая так причудливо им распорядилась, было уж вовсе недальновидно, и он, перебрав варианты, остановился на Борисове. Адвокат, хоть бы и цивилист, был теперь кстати.

К удивлению Свиридова, Борисов откликнулся мгновенно.

— А давайте, — легко согласился он. — Вы где?

— Я недалеко от «Маяка».

— Ну тогда в рюмочной напротив. Я «Маяка» не люблю, пафос. А в рюмочной меня знают.

Непонятно было, зачем Борисову нужно знакомство в рюмочной: место самое плебейское, точка встречи подгулявшей богемы и местных алкашей, позволяющая алкашам чувствовать себя немного богемой, а богеме приобщаться к народу; Свиридов не любил таких смешений, ценя чистоту жанра, но Борисову как адвокату положено уважать показуху — вот он и стремился в это заведение с сомнамбулическими завсегдатаями по углам и бюстом Чайковского на полке с водками. Не то чтобы Чайковский любил водку — он, как мы знаем, любил другое, — но напротив была Консерватория, и томные девы со скрипками не брезговали рюмкой-другой в обществе сальноволосых спутников.

Борисов появился через двадцать минут.

— На Малой Бронной живу, — пояснил он скромно.

— Неплохо живете.

— Да, не жалуюсь.

Он взял два лобио, цыпленка в сметане, водку и пиво. Свиридов был сыт после «Маяка» и ограничился чаем.

— А что ж не пьете?

— Да я это... в каком настроении пьешь — то и активизируется. А у меня плохое.

— Случилось что?

Свиридов коротко рассказал про звонок Калюжного.

— Как и следовало ожидать, — бодро сказал Борисов. — Ваше здоровье.

— Да, может понадобиться.

— Не думаю. — Борисов потер ручки и приступил к лобио. — Ничего страшного, не парьтесь, как говорится.

— Я не парюсь. Я не очень представляю, как себя вести.

— Как можно меньше говорите, вот и все. Отвечайте строго на вопрос. Ничего лишнего. Каждое лишнее слово дает им зацепку, они могут из этого целое дело сплести. Но плести дела против вас — это в их замыслы пока не входит, так что ничего страшного.

— А вы откуда знаете про их замыслы?

— Ну, — Борисов поднял на него глаза и перестал есть. — Я же не вчера родился. Некоторый опыт. Знание истории.

— А в истории было?

— Сколько раз. Но все же совершенствуется, понимаете? Мы имеем дело со скромной новой технологией, и только. Нам надо некоторое количество законопослушных граждан, но осложнений с Западом нам не надо, не надо скандала, арестов, шума... Мы ж не звери, так? Нам достаточно всех поместить в списки, и люди не будут рыпаться. Самый страшный страх — «Меня посчитали», помните мультик?

— Помню. Я еще помню, когда присваивали ИНН. Говорили — антихристова печать.

— Вот, вы и сами все понимаете. Ваше здоровье. — Борисов вкусно крякнул.

— Но тогда это ужас, — Свиридов привычно выстраивал сюжет, и он уже послушно ветвился. — Антихрист всегда начинает с того, что составляет списки. Надо взять общий перечень, разбить его, всех вписать в разные перечни и развести навеки, только раньше хоть по убеждениям, а теперь...

— Ну и слава богу! — воскликнул Борисов. — По убеждениям гораздо хуже. С циниками можно договориться.

— Не думаю. По-моему, договориться можно с теми, у кого убеждения. А циник даже спорить не будет. Если ты ему пока не мешаешь, он тебя, может, не тронет. А будешь мешать — раздавит без дискуссий, и все.

— Никого они не будут давить. Им это не нужно. Я же говорю — новая технология. Не надо никого сажать, давить, прессовать... Достаточно внести в список. Вы помните этот скандал с этим, ну как его, еврейская фамилия...

— Помню, — сказал Свиридов. — Нагибать и мучить.

— Вот, точно. Это, кстати, пример словесного мастерства: фамилию все забыли, а нагибать и мучить — осталось. Так вот, не надо больше ни нагибать, ни мучить. Внесли в список — и все, и сам ходишь тихонький.

— Но тогда я не понимаю. — Свиридова раздражало, что Борисов непрерывно жрет: речь шла, в конце концов, о серьезных вещах, нельзя же под цыпленка. — Почему нас всего двести, или сколько там, сто восемьдесят?

— Ну а шахтинцев сколько было? Вы слыхали про Шахтинское дело?

— Что-то слыхал.

— Ну а я не что-то, нас учили. — (Ах ты самодовольная харя.) — И Промпартии было всего человек тридцать, и шахтинцев человек двадцать. Сначала всегда полигон, малые группы, а потом уж распространяется на всех... Надо пример подать. Погодите, очень скоро сами начнут составлять списки друг на друга. В тридцать седьмом ведь сажали сами? И в сорок девятом? Всё своими руками. Вот они подали пример, а дальше — увидите. Уже сейчас — все эти «Одноклассники», «Однокурсники», «Сокамерники»... Что такое, по-вашему? Структурирование общества в отсутствии структуры, и многие, кстати, всерьез полагают, что за этим стоит та же контора. Всех на карандаш.

— Да, я слышал.

— И наш список вполне в этом русле.

— Ну, что в наш кто-то запишется добровольно — я не очень верю, — сказал Свиридов.

— Серьезно? — Борисов хлопнул еще рюмку и подмигнул. — На ловца и зверь. С самого начала хотел вас предупредить, что в список я затесался сугубо добровольно.

Свиридова в последнее время трудно было удивить, но тут он опешил.

— Как это можно?

— Очень просто. Вписался к вам сам.

— С какой стати? Доносить о настроениях? То есть простите, но естественно предположить...

— Ничего, ничего. Я уже привык, что всем вашим мерещится. Нет, конечно. У них наверняка есть кому доносить, да и не в этом суть. Мне просто кажется, что чем сидеть и дожидаться, пока тебя впишут, — лучше сыграть на опережение и вписать себя самому.

— Странная позиция.

— Ну, в наше время только странные позиции и срабатывают. Вас, конечно, учили, что маховик репрессий — штука непредсказуемая, что тут правильной стратегии нет... Это абсолютная глупость, к сожалению. Абсолютная. Выдумка специально для тех, кто перестанет барахтаться. — Борисов разрезал цыпленка, вывалял куски в соусе, смешал все в тарелке — картошку, салат, белое мясо, — и аппетитно зажевал, не переставая изъясняться. — На самом деле мышление наше грешит индуктивностью, непростительной мелочностью. Мы пытаемся судить о доме по кирпичам, а надо по чертежу; привыкли, что ни один замысел не реализуется, и рассматриваем мир, как будто он вовсе без замысла. А замысел несомненно есть, только в России все всегда с небольшим сдвигом, как бы по диагонали. Если вычислить градус этого сдвига, можно угадать.

— Вы вычислили? — ехидно спросил Свиридов.

— Ну почти.

— Но о других списках пока ничего неизвестно.

— Это пока. Кому-то неизвестно о нашем, и потом — поймите, список ведь и предполагает сосредоточение на своем ближнем круге. Остальные становятся просто неинтересны. Всем только и дела, что до своего окружения и ближайшего будущего.

— Ха, — сказал Свиридов. — Это уже не так глупо.

— А я и говорю, что они не дураки. Возникает несколько социальных страт, принципиально новая система общественного управления в бесклассовом, скажем так, обществе. Списками вообще очень просто рулить: надо только всех разбить не по профессиональному, не по возрастному, не по имущественному признаку, вообще ни по какому. Профессия больше роли не играет, выродилась, все делают более или менее одно и то же. Имущественно — народился нейтральный класс, который никогда не перерастет своего уровня: то же, что при совке. Пол — бюджетники, потолок — топ-менеджеры, но в целом более или менее монолитно. Потребители, условно говоря. Возраст — тоже нет большой разницы, есть старики, дети и все остальные. Вы вот в списке сильно чувствуете возрастную разницу?

— Нет, — признался Свиридов.

— Ну и нормально. Значит, признака, по которому разбивать, уже нет — все нерелевантно. Ну, можно там — по национальному, но мы же против фашизма, и потом, кто тут нерусский? Гастарбайтеры разве что, а все остальное получается антисемитизм. Мы это пока не можем, держим в резерве. В результате мы бьем общество на страты безо всякого признака, и ничего больше не делаем, и все ведут себя, как зайчики. А некоторые особо умные, вроде меня, вписываются сами, чтобы не осложнять жизнь составителям.

— Я только не понимаю, в чем ваша выгода.

— Ну во-первых, я уже при деле. Ничего не жду, все уже случилось. А во-вторых, знаете, опыт показывает, — Борисов снова подмигнул, — что лучше попасть в тот список, который составляют они сами. Потому что когда процесс пойдет снизу — сами знаете, дворовые активисты, ЖЭКи, соседи, которым нравится ваша квартира и не нравится ваше поведение, — будет уже не так приятно. У власти имущественных претензий нет, у нее и так все в руках. А у соседей они могут быть, не находите? Так что если уж выбирать себе крышу — в России всегда лучше ходить не под рэкетиром, а под государством.

Странным образом Борисов достиг цели — если действительно имел в виду успокоить Свиридова. Свиридов не то чтобы успокоился, но вызов к следователю Калюжному показался ему значительно меньшим злом, чем собеседование с Вечной Любой. Государство ужасно, нет слов, но другой защиты от народа не бывает.

— «Ужасно государство, однако лишь оно мне от тебя поможет. Да-да, оно нужно́», — словно прочитав его мысли, процитировал Борисов.

— Это кто?

— Не догадаетесь. Это Лимонов, ранний, года семьдесят третьего. «Противен мне и этот, противен мне и тот, и я противен многим — однако всяк живет. Никто не убивает другого напрямик, а только лишь ругает за то, что тот возник. Ужасно государство...» и так далее.

— А другие знают, что вы добровольно?

— Кто-то знает, кто-то нет. Я ведь, как вы заметили, в основном отвечаю на прямые вопросы и при этом не вру. Вот и вам советую завтра: отвечайте прямо. Не врите. Но не рассказывайте больше, чем спросят.

Легко сказать.

Тем не менее назавтра Свиридов вышел из дому вполне бодро, презрительно глянул в сторону Вечной Любы, уже занявшей пост на лавке, и после очередных «Родненьких» (лесбийская связь матери с дочерью) прибыл к месту допроса. Он старался не представлять будущий разговор с Калюжным — все будет иначе, мы знаем, — и усердно направлял мысли в другую сторону. Например: идет как бы борьба за нравственность, но «Родненькие» с их старательно извращаемыми, стремительно деградирующими сюжетами странным образом идут в авангарде этой борьбы. Их ведущий, Борис Шелепин, — злая пародия на человека: бритый вытянутый череп, угодливый оскал, моргание, кивки после каждого слова собеседника, внезапный истерический визг, однако в финале каждой программы он непременно орет: «Любите друг друга!», и что-нибудь еще о морали, и массовка сопливится в платки. Чем извращенней, тем моральней, в чем тут штука? — штука в том, что именно Борис Шелепин и позволяет зрителю чувствовать себя человеком нормы, здоровым представителем большинства. Нам не за что больше уважать себя — только за отсутствие инцеста; позитивный критерий нормы отсутствует, а точкой отсчета является Шелепин. И тогда этот его финальный вопль, от которого Свиридова только что не рвало, так же трогателен, как приказание долго жить, исходящее от обреченного. Ксюшу держат за тем же. Где же, однако, наш друг? Но не успел Свиридов занять место у окна, как зазвонил мобильник, и неопределимый Калюжный тепло спросил:

— Пришли, Сергей Владимирович?

Все спокойствие ухнуло в бездну.

— Да, я у окна.

— Ага, вижу. Сейчас.

Подошел высокий, в сером мягком пиджаке, мужчина с кружкой кваса: волосы гладко зачесаны назад, выражение бодрое, подбородок вперед, — такой легко поддержит разговор о гольфе и покере, так же легко врежет, так выглядели, должно быть, дипломаты из первого поколения красной профессуры; где их таких берут? Но Свиридову за всем этим лоском померещилась не только неотесанность, но и тайная неуверенность: быстрый, оскользающийся взгляд, которым Калюжный постреливал по сторонам, чуть ли не опасаясь слежки. У него и самого, кажется, все было не очень хорошо. Он не знал, как себя вести с человеком из списка. Ладно, хватит самоутешений, то, что он минуту молчит, еще не признак неуверенности. Это может быть и давлением, это им и является.

— Ну здравствуйте, Сергей Владимирович. — Рукопожатие. Прекрасный знак — как с равным. — Меня зовут Георгий Иванович.

— Очень приятно.

— Ну, приятно или неприятно, — улыбнулся Калюжный, — а дело придется иметь со мной. Я куратор списка, прошу любить и жаловать. — (Вот как, у списка теперь куратор!) — Так что со всеми проблемами, пожалуйста, ко мне.

— Есть проблема, Георгий Иванович, — сказал Свиридов, дивясь собственному самообладанию. — Вот я работал на сериале «Спецназ своих не бросает», знаете?

Калюжный кивнул.

— Нареканий не имел, все, как говорится, штатно. И вдруг меня увольняют — без объяснения причин, просто потому, что я в списке. Это как расценить, Георгий Иванович?

— Ну это же не мы вас уволили, Сергей Владимирович. Правильно?

— Правильно, Георгий Иванович. Но список-то вы составили.

— Почему вы так думаете?

— А что ж, не вы? — спросил Свиридов, делая большие глаза.

— А что это вы не кушаете ничего, Сергей Владимирович? — спросил Калюжный.

— Да я кушал, Георгий Иванович. Вы мне скажите лучше про список.

— Это вы мне лучше скажите про список, — вздохнул Калюжный. — Вы же, наверное, должны знать, за что вы туда попали.

— А я не знаю, Георгий Иванович.

— А вы подумайте, Сергей Владимирович.

— Второй месяц думаю, Георгий Иванович.

— Ну еще подумайте. Вы же с голоду не умираете, правильно? Есть работа, никто не мешает. Если вас кто-то будет обижать, вы нам доводите. Лично мне. А если вас уволил работодатель, то не надо нас демонизировать. Это же не мы, правильно? Мы же не можем ему позвонить и сказать: вот, восстановите, пожалуйста, Свиридова Сергея Владимировича. Они подумают сразу, что вы наш человек. Вам это надо?

— А вы скажите, что я не ваш человек.

— А зачем это, Сергей Владимирович? Вы что же, хотите, чтоб было телефонное право?

— Нет, — сказал Свиридов. — Телефонного права не хочу совершенно.

— Вот и мы не хотим. А насчет списочка вы все-таки подумайте. Вы лучше нас должны это знать.

Господи, мелькнуло у Свиридова. Под гипнозом что-то сделал, теперь не помнит.

— Не знаю, Георгий Иванович, — сказал он.

— Ну, как хотите. Хотя для вас, Сергей Владимирович, лучше было бы сказать.

— Это я вам должен сказать?! — поразился Свиридов.

— Вы должны понять, — тихо сказал Калюжный. — Подумать и понять. И тогда, может быть, обстоятельства изменятся.

— Мои обстоятельства?

— И ваши, и вообще.

Замолчали.

— Хорошо, — после паузы сказал Свиридов. — Допустим, я понял. Мои действия?

— Самые простые действия, Сергей Владимирович. Вот телефончик, — Калюжный протянул ему визитку, как положено, со щитом; Двенадцатое управление, старший следователь, указан мобильный. — Как надумаете, так сразу и позвоните.

— А если неправильно надумаю?

— А что мы с вами гадаем, Сергей Владимирович? Вы же пока вообще никакой вины за собой знать не хотите. Чисты, как снег зимой. Разговаривать не о чем. Мы давайте не будем гадать на кофейной гуще, а конкретно посмотрим. Вы посмотрите, мы подумаем.

Интересно, знают они про Тэссу? Вероятно, нет. Вряд ли читают по-немецки, а мы договорились: издает меня только по-немецки. Но где гарантия, что Тэсса не от них?

— А зачем вы людей ко мне подсылаете? — снова дивясь своей дерзости, но и наслаждаясь игрой, спросил Свиридов. У всего должна быть компенсация — хоть бы и у страха.

Можно было ожидать, что Калюжный наигранно или искренне спросит — каких людей? — и возникнет поле для каких-никаких догадок; но Калюжный был из поколения нового, к играм не склонного.

— Когда надо будет, Сергей Владимирович, — сказал он, не переставая улыбаться, — все расскажем. Но сначала и вы должны помочь. И себе, и нам. А тогда уже можно задавать вопросы, правильно? В общем, если вас кто-то обидит, — а вас могут обидеть, — вы сразу звоните.

Это предупреждение Свиридову не понравилось совсем.

— Вы мне угрожаете, Георгий Иванович?

— Я помочь тебе хочу, дубина, — очень тихо сказал Калюжный. И громко добавил: — Так что звоните, Сергей Владимирович. Договорились?

Свиридов молча кивнул. Если они все пишут и он вынужден шептаться, лучше не выражать согласия словами.

3

Полчаса он просидел в «Му-му», пока не понял, что его опять развели как лоха.

В местных Раскольниковых — в том числе никого не убивших — изначально сидит мечта о Порфирии Петровиче, который отнесется к нам горячо, сочувственно, нежно. Следователь-психоаналитик, понимающий палач, из тех, что, замахиваясь топором, отечески произносят: «Сами же мне потом спасибо скажете!». Никаких Порфириев нет — или есть, но главная их задача, понятно, не психоаналитическая. Наслаждаются, загоняя нас в ямы. Никаких других интенций. Он ничего обо мне не знает. У него ничего на меня нет. Он ждет, пока я придумаю сам, и вся задача списка предельно проста: чтобы каждый осознал себя виновным. Они умеют манипулировать только теми, кто изначально виноват; только виновные смогут прощать им все, а прощать придется многое.

И ведь никто не скажет ни слова против. По какому праву? Все замараны. Научились терпеть — сначала по мелочам, потом все дальше, и в этом размывании критериев я поучаствовал по самое не волнуйся. «Родненькие» — это что ж, не размывание? Да после этого можно что угодно. Мы не имеем права с них спросить, вот в чем дело. Здесь получилось так, что не осталось невиноватых. И когда они захотели отстроить наконец всю эту гниль, все добровольно пошли в бараки: кто сказал, что барак не получается из бардака? Только из него и получается: давно пора, заслужили. А вина сформулируется, есть из чего выбрать за мои двадцать восемь.

Одна умная старуха сказала Альке, когда они вместе были у нее в гостях: милочка, никогда не устраивайте сцен будущему мужу. Наслаждайтесь ситуацией, когда он приходит виноватый. Культивируйте чувство вины — нет более удобного сожителя, чем такой супруг. Он не обратит внимания на пересоленный суп, а то и на его отсутствие. Он все вам простит заранее, включая измену. Им не важно, в чем мы виноваты. Им нужно, чтобы мы были виноваты, только и всего; не конкретная вина, но сам факт. С другим населением они попросту не могут иметь дело: невиновный с них тут же спросит, а ответить им нечего. Мы должны придумать себе вину, они до этого уже не снисходят; и я как идиот кинусь это делать, потому что на какой-то момент он изобразил сочувствие, о Господи, сострадание. Но с какой вообще стати? Почему всякий родившийся здесь по определению виноват?

Впрочем, почему здесь? Ведь все мы умрем, а за что? Все постареем, потеряем силы, любовь, талант. За что? Чем виноваты? Не надо врать про переход в новое качество, на примере отца я отлично видел этот переход в новое качество. Допереходился, пока не ушел в него совсем, в страшный мир грунта, песка, подземных вод, химических элементов, в жуткую прорву беспамятства; и вот с этого момента почувствовал я себя беззащитным, а значит — виноватым. Как ушел отец, так и началось. В чем он был виноват? А ведь это с ним сделала не ФСБ, никто ничего с ним не сделал, — это ход вещей, просто у нас он чуть откровеннее выглядит. Кто ни родится — все приговорены. А всё, чем мы, сволочи, занимаемся, — это и есть поиск формулировок, вся литература об этом, всё вообще. Пишем коллективный обвинительный акт, и когда составителю списков окончательно надоест, он нам его предъявит: это про вас? Да. Всех утопить.

Ненавижу, ах, ах, ах, как ненавижу. Это было почти веселое чувство: он понял. Контора внушает всем чувство вины, но не этим ли занимается каждый поп, призывающий покаяться? Если не внушать нам каждую минуту, что мы грешны, — о, как мы спросили бы с этого Бога! Но мы грешны, грешны. Он успел обвинить нас прежде, чем мы его о чем-нибудь спросим. Министерство вины, вот как это должно называться; истина в вине. И два дня он прожил в этом веселом гневе.

За гневом настал период сентиментальности. Нормальная эволюция пищи, вторая стадия вызревания: переход из состояния борца в состояние борща, поедаемой жертвы. Вероятно, третьим будет равнодушие, «спокойствие ведомых под обух», чтобы не мешать процессу заглатывания даже слезами, молча поглотиться, не привлекая внимания прочих; стадия гнева нужна, чтобы объект был вкусней («когда же вследствие раздражения печень его увеличится...»), а стадия сентиментальности ласкает слух поглотителя. Свиридова самого удивляло, до какой степени он набит цитатами — и до чего ни одна из них ничему его не научила. Столько знать и ничего не сделать, проходя уже миллион раз до него пройденное и усвоенное, — надо было уметь, конечно. Но ведь суть не в предупреждении — если бы книги умели предупреждать, мир давно развивался бы вертикально. Суть в особенно ценной реакции узнавания — «Но сладок нам лишь узнаванья миг», как сказано в еще одной цитате, смысла которой он прежде не понимал. Теперь он опознавал все, о чем столько раз читал и слышал, и все это было с ним самим, и он ясно понимал, что будет дальше, — но ничего не предпринимал, все глубже проваливаясь в воронку. Почему он ничего не делал? Потому что в побеге из готового сюжета было предательство, и расплата за него могла оказаться стократно страшней предначертанной участи. Сюжет: герою предстоит арест, он мучительно пытается избежать его — чтобы добегаться уже до гильотины. Впрочем, и вся литература по этой схеме: кто честно навстречу участи — тот еще как-то, кое-как, а кто в сторону, вбок, заячьими петлями — тому амба, не создавай проблем автору.

Свиридов отчетливо помнил миг перехода из ярости в жалость: он стоял в сберкассе, снимал деньги с книжки. Начался октябрь, за окном сыпал мелкий дождь. Очередь была бесконечная — пять окон, работают в двух, в одном принимают платежи, в другом осуществляется все остальное; снимали многие — как раз начались подорожания еды, пенсий не хватало. В углу старуха развлекала чужого мальчика: каких домашних животных ты знаешь? Мальчик не знал домашних животных. А как же овечка, коровка? И почему они называются домашними? Потому что живут рядом с человеком... Ну как же, смотри: коровка, овечка... Мальчику было бесконечно скучно, старуха этого не видела и все гнула свое; наверное, из бывших учительниц, которым некого и нечему больше учить, а привычка осталась; осталась даже любовь к деткам, которые ее и тогда-то терпеть не могли, а теперь и подавно. Она предъявляла ему бесконечные инвентаризационные списки своего давно исчезнувшего мира, в котором были коровка, овечка, живущие рядом со строгим, но справедливым человеком; были яблоко, груша, слива — список фруктов, клубничка, малинка и невесть как затесавшийся в компанию арбуз — перечень ягод... Она все перечисляла и перечисляла эти пропавшие предметы, картинки из выцветших букварей, а ведь никаких коровок, овечек, арбузов, яблок давно нет, все обман, восковая подделка, все работы давным-давно сводятся к катанию бесконечных, неотличимых тачек с урановой рудой, из которой лепят малинку, клубничку... В самом деле, куда-то все делось. Нет больше ни человека, ни самозабвенно служащих ему домашних животных — а она все рассказывает, бедная старуха с испуганным лицом. Обычно в очереди соблюдался вечный закон всякого списка — ты ненавидел всех, кто стоит впереди, и презирал всех, кто стоит сзади; единственным способом уберечься от равно гибельных эмоций был выход из очереди, но тогда Свиридов не снял бы денег. Стоя в сберкассе, Свиридов перестал ненавидеть и чуть не расплакался. Это не означало, конечно, что он стал лучше — такие жалкие самоутешения он отметал с порога. Это значило лишь, что он вступил в следующий этап пищевой переработки — сменил гнев на жалость. Это тоже была болезнь.

Жалость распространялась и на себя. У него было теперь много времени, он гулял — главным образом по местам своего детства. Детство было скудное, невыездное — сначала не особенно выпускали, потом не было денег. Поэтому наша Франция была вот тут — в этом внутреннем дворе он читал французов, и в местных пятиэтажках в самом деле было что-то от зеленых и серых построек Второй империи. Наша Германия была чуть дальше, здесь читались немцы, главным образом романтики. А здесь начиналось абсолютное чудо — между домами открывался широкий золотисто-алый закат, на фоне которого дымила далекая заводская труба ЖБИ, отвратительных железобетонных изделий, смотревшаяся, однако, трубою далекого судна. Этот широко разлившийся меж домами закат напоминал о прекраснейшем, обещал все сразу — туда помещались тропики, полярные области, океаны и водопады; но и дома, и закат, и детские площадки во дворах не имели теперь смысла. Свиридов шел мимо и ничего не узнавал: местность была та самая, но чувства вызывала иные. Он был здесь уже не хозяином, волшебно преобразующим мир, но жалким, из милости терпимым посетителем, и дома, которые в детстве столько для него значили, смотрели равнодушно: тебя не будет, а нам хоть бы что. Не сказать, чтобы он в детстве об этом не догадывался, — но допускал, что им будет хотя бы жалко.

Ни одна игра, ни одно превращение из числа тех, которыми творцы-недоумки пытаются расцветить и обуютить этот мир, не имели больше смысла: реальность стояла голой, как октябрьское дерево, враз лишившись всего, ради чего ее стоило терпеть. Ушли искусственные смыслы, вчитанные и привнесенные ради адаптации. Разве любил бы он университетский сад с его грязными свинцовыми яблоками, если бы не представлял себе, что это английский сад, в котором учитель рисования гуляет с влюбленной ученицей? Но и английский сад, и ученица, и Вторая империя, и океаны, и водопады были теперь картонными, грубо вырезанными и небрежно раскрашенными. Первое дуновение настоящего страха уничтожило их сразу же — чего же они все стоили, если один несчастный список обесценил их в момент, как ребенок разламывает игрушку?

Страх тем-то и был страшен, что не просто лишал все радости смысла и права на существование — мало ли, так же действует рутина, усталость, одиночество, нужное подчеркнуть, — но до бесконечности расширял поле мерзости, заставляя предполагать неограниченное количество ужасного. Мир похож на дробь, где в числителе — лучшее, а в знаменателе — худшее, что мы можем вообразить; страх — радикальнейшее средство свести эту дробь к исчезающе малой, трепещуще жалкой величине. Свиридов теперь и подумать не мог о том, чтобы с ним случилось что-нибудь хорошее, но ассортимент ужасного был богат и разнообразен, и старый добрый способ — представить себя мертвым — не помогал, ибо все это были вещи хуже смерти. Всего досадней была беспричинность, незаслуженность расплаты. Ведь я ничего не сделал, даже обидно. Страх сокращает жизнь — не в том смысле, что укорачивает, а — редуцирует: одержимый страхом перестает воспринимать летучую прелесть бытия, нюансы и привкусы. Как одержимый болью, он неспособен к радости, — но у боли хоть то преимущество, что она отрубает и мысли, кроме самых простых. Страх же не отнимает способности фантазировать — ты можешь представлять миллионы вариантов, но только ужасных; перебирать бесконечные воспоминания — но только постыдные. Боль отнимает способность смотреть по сторонам, фиксирует на себе — страх заставляет поминутно оглядываться и видеть сплошное страдание, которого осенью и так слишком много. Он ходил и жалел все подряд — листья, собак, траву под первым снегом, — и ни в чем не чувствовал ответной жалости.

Кроме того, у Свиридова завелась ворона.

Когда у вас заводится существо много ничтожнее вас, от которого вы сильно зависите, — это тревожный симптом, причем из предпоследних; ему наверняка предшествовало несколько других, трусливо пропущенных. Глубина вашего падения и соответственно терминальность симптома напрямую зависит от соотношения между вами и существом: если оно тоже человек, вы почти в норме, если собака-кошка-мышка — дело серьезно, но поправимо, следующая ступень — птица, а я знал человека, который любил каракатицу и всерьез уверял, что она платит ему взаимностью. Предпоследняя стадия — насекомое: у Тэффи, отлично понимавшей в этих делах, описан случай человека, от беспросветного эмигрантского одиночества привязавшегося к мухе. Но надежда сохраняется и тут — пока вы не начнете привязываться к неодушевленным предметам, как героиня той же Тэффи, сходившей с ума от потери красного куска сургуча. Даже если у такого человека все вдруг обернется к лучшему, он уже потерян. У Свиридова был шанс, потому что он пока подружился с вороной.

Он не был уверен, что это одна и та же ворона. У нее не было особых примет. Она была большая, громкая, необъяснимо внимательная к нему, — но, может, к нему прилетали три или четыре вороны, которые просто одинаково себя вели, а почему, он не догадывался. Поскольку у Свиридова не было балкона, ворона прилетала к нему на широкий жестяной карниз и скреблась по нему когтями, переступая вдоль кухонного окна. Что она там высматривала на подоконнике — Свиридов не понимал: сыра он на окне не держал, да и не был уверен, что вороны любят сыр; сала не было; сам он пока не представлял интереса для вороны, потому что на живых они, кажется, не нападают. Другой бы — да и сам Свиридов в другое время — увидел в появлении вороны дурную примету, но в наоборотном мире отчаяния все меняет знак, и все, что раньше пугало, выглядит обнадеживающим. Пока мы только боимся свалиться в бездну, нас отвращает все мрачное, зато когда уже свалились — количество мрачного в окружающем мире только радует, доказывая нашу типичность; вот почему здоровые ненавидят общаться с увечными, а больного хлебом не корми, дай поговорить именно с больным. Свиридову, которым никто всерьез не занимался, даже государство временно отвело взгляд, — в радость было регулярное внимание вороны. Ей было до него дело. Она о чем-то сигнализировала, еврейская птица. Что-то сдвинулось в его зависшей судьбе, и она пыталась об этом сказать, оглядывая Свиридова с требовательным и, казалось, одобрительным интересом.

Она появлялась обычно около полудня, некоторое время качалась на липе напротив, потом перебиралась на карниз и принималась со скрежетом и цоканьем мерить его когтистыми, кожисто-черными лапами. Она не стучала в окно клювом, не уставлялась на Свиридова круглым блестящим глазом и вообще не снисходила до готических пошлостей. Иногда только она взглядывала на него словно искоса, а по большей части расхаживала туда-сюда, опустив клюв, словно высматривая что-то на карнизе. Она была похожа на старика, бродящего туда-сюда с руками за спиной, сгорбленного, никому не нужного, изо всех сил делающего вид, что он ужасно занят, тогда как на самом деле ему нечем занять бесконечный пенсионный день. Свиридову приходили теперь в голову только такие безрадостные сравнения. Иногда он для разнообразия шугал ворону, и она с неохотой, чуть ли не с иронией снималась с места и возвращалась на липу. Часов в пять она прилетала и опять искоса наблюдала, а если пропускала свидание, Свиридов начинал нервничать. Ему казалось, что теперь он не нужен даже вороне.

Скоро, впрочем, он перестал фиксироваться на ней, потому что появилась Валя Голикова.

4

Ей было жалко всех — больных, убогих, старых, нищих, одиноких, семейных, живых, мертвых, потому что к состоянию одиноких, больных или уж наверняка мертвых рано или поздно придут все. Наверное, она даже радовалась этому, потому что это давало Вале Голиковой повод жалеть их, а больше она ничего не умела.

Если бы когда-нибудь Свиридову сказали, что Валя Голикова станет лидером списка и уж по крайней мере любимицей списантов, он рассмеялся бы предсказателю в лицо. Предсказателем оказался Соболев, биохимик. Ехали вместе со встречи на жуховской даче, где много и беспорядочно пили, болтали, тайком хихикали над хозяйкой, привычной, конечно, к людям совершенно другого круга, а теперь вынужденной принимать списантов. Что поделать, муж низвергся и вознестись теперь мог, только принеся в жертву сотню ничтожеств — либо сложив их к ногам покровителей, вот, я разоблачил, либо использовав в своей игре, дающей шанс по крайней мере не сесть. Приходилось терпеть списантов, как Софья Андреевна терпела темных, тоже зачем-то нужных графу — а без графа не было бы ни денег, ни славы, и вообще какая жизнь без него? Списанты приезжали на дачу, ели шашлык, слушали разговоры хозяина о том, что еще немного — и вся показуха рухнет; разговоры были тем смешней, что сам он еще полгода назад выстраивал всю эту показуху, был ее привычной частью и помыслить не мог о подобных дерзостях. Как все люди, добравшиеся до определенного этажа, Жухов умел быть любым, хотя и не всегда был равно убедителен; перед списантами он даже брал гитару, совершенно забытую со времен МГИМО, и исполнял собственные песни, сочиненные в студенчестве, — что-то о Боге и ангелах. Это было смешно, но списку нравилось: бывший замминистра перед ними приплясывал, как дворянин, ушедший в народ. Жухов пытался заинтересованно общаться — о детях, о трудностях их воспитания и трудоустройства; с интонациями благородного вдовца ругал социалку. Жена по-простому разносила напитки, но говорить со списантами ей было решительно не о чем. Она молча улыбалась направо-налево.

Соболев не пил, он был за рулем. Заметив, что он собирается отчаливать, Свиридов напросился с ним, прочие остались допивать и дослушивать песни жуховской молодости.

— Лидер из него, конечно, никакой, — сказал Соболев.

— Знаете, на кого он похож? — вспомнил Свиридов. — Я помню, был матч — «Спартак» против «Баварии», 1:5, короче. И один мой друг — он все говорил, что есть шансы на ничью. Сейчас такой-то сносит нашего, и пенальти, наши воодушевляются и забивают еще два, потом еще пенальти... Очень убедительно выходило: пять минут до свистка, а он фантазирует. Так и Жухов: титан на глиняных ногах, одно выступление, выйдут из берегов, всенародный ответ... Я не очень понимаю, зачем ему это.

— Тоже мне бином, — сказал Соболев. — Если его посадят просто так, это взяли коррупционера. А если теперь, когда за ним список, это расправа с оппозицией и предмет торга. Я даже не уверен, честно говоря, что он был в списке.

— В смысле?

— А вот так. Его взяли, уволили, он в ауте. Под него явно копают, какая-то история с дачей, с приватизацией, с солнцевскими — неважно. Захотят — найдут, сейчас на всех есть. Тут он видит список. Слухи о нем ходят, зачем список — никто не знает, теперь уже, боюсь, даже тот, кто его действительно составил. А дальше все само собой: он гонимый, мы гонимые, он к нам подсасывается — и вперед.

— Да ну. Не думаю. Это же в его обстоятельствах очень отягчает.

— А у него выбора нет. Либо сядет за воровство — и, судя по компромату ру, есть за что, — либо прогремит как оппозиция. Отягчающее обстоятельство — это же о двух концах. Кому надо наверх — тому отягчающее, а кто хочет быстрей на дно, чтобы оттолкнуться, — тому даже в плюс.

— Да кого он может возглавить?

— Он-то? — Соболев обогнал на своем «ниссане» классическую блондинку в джипе и выругался. — Он-то никого, но тут у нас симбиоз. Отшельник и роза — помните?

— В общих чертах.

— Ну сказка такая. Актиния на раке передвигается. Мы ему нужны, чтоб получился оппозиционер. А он нам — чтоб себя уважать. Вот, мы гвардия Жухова. Мы не просто список, мы оппозиция. Статус повышается. А возглавлять ему не надо, нет. На фиг такой лидер, пробу ставить негде.

— Ну, получше Гусева с Бобровым.

— Ненамного. А что, кстати, Гусев с Бобровым? У них и так шансов не было. Кого им возглавлять? Дворовую команду? — так и там побьют через день. Не-ет, тут будет человек серьезный...

— Кто же?

— Валя Голикова.

Свиридов заметил Валю Голикову давно — она смотрела на него с тихим обожанием, и он уже было возгордился, — но Валя была, так сказать, не совсем в его вкусе. После Альки он тосковал, но не был еще готов снисходить до Вали. Маленькая, кучерявая, худая, вздернутый нос, круглые карие глаза — если б ею заняться, приодеть, была бы вполне, но ей было словно не до косметики, не до форса вообще. Она кем-то работала в американском фонде по содействию детям с врожденными патологиями, благотворительная организация, один раз прикрытая в прошлом году и восстановленная под новым названием; тогда взялись закрывать все иностранное, благотворительное и неправительственное, приняли драконовские правила регистрации, все дела, — но их не прикрыли, спасли связи наверху и заступничество самого Филимонова, титана ельцинских времен. Может, за то и в список угодила.

— Валя? — изумился Свиридов. — С каких щей?

— Очень просто. В любом сообществе лидер кто? Вот по-вашему?

— Все зависит.

— Ничего не зависит. Вы же сценарист, должны знать. Я химик, и то знаю.

— Ну делитесь.

— Побеждает тот, — назидательно сказал Соболев, — кто дает лестную идентификацию. Один говорит — вы лузеры, второй — вы святые и великомученики. У кого больше шансов возглавить?

— У второго.

— Лыжники, догадался Штирлиц! — Соболев самодовольно ухмыльнулся в усы и обогнал еще один джип; водил лихо, даже и нагло.

— Ну, это не для всех сообществ. Только для уязвленных, вроде вот нашего.

— Для любого, абсолютно. Помните это мероприятие, в «Октябре»? С ветеранами спецслужб?

— Такое не забывается.

— Вот ровно той же природы. Ведь лузеры, в чистом виде. Все просрали. Не просрали бы — ничего бы не было. Надо ж не только диссиду хватать и спекулянтов ловить, надо придумывать что-нибудь, чтобы люди не закисли. Они и сейчас лузеры, даром что своих везде наставили. Это же случайно вышло, что их человек пролез.

— Ну уж, ну уж.

— Ладно, все свои. Ну и придумали потом аттракцион невиданной верности. Тоже лестный вариант. И эти — помните про крюк? Все удержалось на нас, как на крюке. Это почему? Потому что из всех остальных что-то получилось, они куда-то развились, преобразовались, — только эти остались, как были, потому что ничего другого не могут. Только мешать всем, у кого хоть что-то получается. Отсюда крюк. Если старая гнутая кочерга ни на что больше не годна, кроме как мешать — в данном случае мешать дрова в камине, — она может воспринимать себя как крюк, на котором все держится, и ей отлично.

— А Голикова-то что дает?

— А вот это очень интересно. Смотрите сюда. Я этот тип знаю, их полно. Голикова не предлагает никакой идейной базы. Идейная база вообще больше не хиляет, можете забыть. К безыдейной власти не может быть идейной оппозиции. Но Голикова помогает бедным, и это раз. Она за милосердие, это два-с. Она всех нас представляет благородными жертвами, это три-с. Вы не знаете, а я давно заметил. Она часть народа уже склонила в доноры, других в волонтеры, и список на это очень горячо ведется. А теперь — я ведь смотрю, я присматриваюсь! Она на все жуховские тусовки ездит. И все, что он говорит, аккуратно переводит на другой язык. Вы заметили, как она Бодрову потеснила?

— Я как-то не слежу...

— А за чем еще следить-то, милый? Тут же такой полигон, социолог обзавидуется. Надо хоть что-то познавательное извлечь, раз уж в список попали.

— Кстати, как вы думаете, за что? — привычно спросил Свиридов.

— Какая в жопу разница, — сказал Соболев, которому всегда все было ясно, позитивист, сангвиник, желудок в полном порядке. — Мы никогда не узнаем, да теперь уже и все равно. Процесс пошел, и возглавит его Валя Голикова, помяните мое слово.

С Валей Голиковой у Свиридова все получилось само собой — он начал поглядывать на нее с любопытством, заговорил, отвез к себе, и она осталась у него с такой же легкостью и естественностью, с какой рассказывала о волонтерстве. В этом не виделось и тени рисовки, хотя все, о чем она говорила, было для нормального человека невыносимо. Она искренне уверяла Свиридова, что делает все это не для детей, а для себя, что доверять можно только эгоизму, что альтруисты отсеиваются первыми и что мать Тереза решала в Индии исключительно личные проблемы.

— Сейчас же письма опубликовали. Она сомневалась в Боге и надеялась эти сомнения там заглушить.

— И получилось?

— По-моему, нет.

С ней было легко. Не сказать, чтобы Свиридову очень нравилось с ней спать, но после Альки надо было заполнять пустоту. Не было, как с Алькой, — восторженного умиления, радости, что вот она такая, что независимость, воля, одиночество, ум и всепонимание видны в каждой ее черте, хотя бы и в пальцах, длинных, сильных пальцах музыкантши; да и во всем решительно, что уж душу травить. Валя Голикова по сравнению с ней была проще, мельче, жиже, и пахло от нее ребенком, а не женщиной. Голикова развелась еще в прошлом году и с тех пор, говорила она с той же детской простотой, никого не было, вообще.

— Последний раз был очень смешной. Мишка пришел, сказал, что уходит. Зашел отдать ключи. Очень такой театральный жест, в его духе. И говорит: давай, что ли, напоследок... И вот не поверишь — я вообще не представляла, что так бывает: оба ревем.

— Как в анекдоте.

— Анекдот, да. Ебу и плачу. — Мат у нее звучал по-детски, необидно и не возбуждающе, так некоторые пьют водку, как воду, без выражения. — И я спрашиваю его: ну что ты, Мишка? Я же тебя не гоню, оставайся, будем считать, ничего не было. А он говорит: нельзя, я ей слово дал. Я тебя люблю, но ей дал слово. На самом деле никого он не любит, конечно.

— А сейчас у них что?

— Откуда я знаю? Я его с тех пор не встречала, как отрезало.

Ей было двадцать пять лет, и свиридовская квартира благодаря ей стала приходить в чувство. Алька не думала об уюте, вносила неуют с собой — Валя наводила чистоту и солидность. Альку не хотелось называть Алей — Валю и представить нельзя было Валькой, не потому, что она важничала, но потому, что аккуратным домашним детям не идут клички. Она окружала Свиридова заботой, которой он не помнил с детства: сама звонила, что хочет приехать, привозила еду, готовила, восторженно читала свеженаписанное. О своих делах она рассказывала скупо:

— Слушай, дай мне хоть с тобой отдохнуть от всего этого.

Большая часть ее свободного времени, однако, была теперь занята делами списка: одному она помогала пристроить ребенка к хорошему репетитору, другой обещала врача, третьему подыскивала работу. Увольнения к этому времени стали обычной практикой, без работы сидела треть списка, но Валю выгнать никто не мог — ее работодатели не боялись новых веяний. Хорошо в России быть порядочным человеком, имея американское гражданство! Это было похоже на семейную жизнь без любви — уютно, и гораздо меньше трагедий. С Алькой все время получались стычки, а с Валей Голиковой Свиридов чувствовал себя как в теплой ванне. Иногда, напиваясь, он хотел позвонить Альке, но всякий раз сдерживался: ни к чему.

Мать Голиковой тоже развелась и была, конечно, учительницей — кем еще она могла быть? Свиридов заехал к ним один раз, все было уютно, опрятно и жалко. Заходила соседка, на что-то жаловалась, — видимо, Валина мать была жилеткой для всего подъезда, и Валя унаследовала амплуа.

— Валя, — не выдержал он однажды. — Что ты грузишься всеми этими делами? Все равно сын Бураковой — балбес, и его выгонят после первой сессии, даже если поступит. А ты ему репетитора. И Смирнова никто не восстановит на работе, никто не будет в инкассаторах держать списанта. Чего ты носишься, я не понимаю?

— Мне нетрудно, — отвечала она, глядя на него серьезными детскими глазами.

— Ну нетрудно, а зачем все-таки?

— А что я еще могу делать? Мне же надо что-то делать, правильно? Ты пишешь, я не умею.

Он был раздражен, на нерве — они только что посмотрели тяжелый и нудный отечественный фильм о любви, в котором десантник и шлюха (шлюха тоже своего рода десантник — физподготовка, тату, не зря ей так шел его тельник) постоянно бросали друг друга и обретали опять, все это на фоне резкой музыки, ручной камерой, с рваным монтажом и беспрерывными погромами в кадре: десантник то бил соперника, то громил подпольный ночной клуб, то резал себе вены и только что не вспарывал экран — все прочее в пределах досягаемости уже было разрушено. Больше всего, однако, доставала не скрипучая скрипка, не перманентный разгром и даже не однообразие звериных соитий, из-за которых незачем было крушить столько реквизита — так развлечься можно было и с куклой; бесила бессмысленность, полная беспричинность всех этих притяжений и отталкиваний. Не сказать, чтобы все это было ложью, Свиридов встречал такие пары, в которых обоим не хватало ума, и потому все доступные развлечения сводились к беспрерывным приходам-уходам: ничего сверхтонкого — просто совместная жизнь требует хоть минимального мозга, а эти умели только бегать туда-сюда; но откуда претензия на трагизм — Свиридов решительно не понимал. Это могла быть комедия, он бы взялся. Его звали на премьеру, но он не пошел, памятуя о версии Гаранина — мало ли, вдруг теперь проверка таргет-группы стала нормой, теперь их, чего доброго, перепишет Минобороны, финансировавшее боевые сцены, одних кирпичей сколько разбито. Они смотрели картину в темном зале Дворца молодежи, директор которого, хоть и не списант, был незадолго перед тем арестован в Германии и ожидал экстрадиции; вообще кого-нибудь громкого брали уже ежедневно, и всегда за дело, и тенденция обозначалась с убийственной ясностью, что добавляло нервозности. Смысла, смысла не было ни в чем, вот беда: резкая музыка, много битой посуды, каждый день аресты, и все непонятно к чему. И никакая Валя Голикова не могла придать этому смысла: Алька могла, а она не могла.

Но к Альке было нельзя. В середине октября Свиридов вдруг увидел ее на проспекте Мира, хотел броситься к ней — и остановился: она шла медленно, слепо раздвигая толпу, и вокруг нее стояла такая густая, физически ощутимая аура одиночества и несчастья, почти античного в своей завершенности, что нарушить эту замкнутость — значило оскорбить ее.

5

Калюжный вызывал всех, требуя только одного: признания. Списанты не знали, в чем признаваться. Строго говоря, требовал — не совсем то слово. Он умолял, настаивал, предлагал добром. Создавалось впечатление, что цель списка была религиозная, метафизическая: добиться признания виновности, какой угодно, неважно, — и тут же выпустить готовенького из когтей: дальше он все сделает сам.

Чайников признался, что он изменяет жене.

Бухтин рассказал, что сдает квартиру и не платит налоги.

Сомов мастурбировал, иногда при помощи Интернета, то есть не подумайте, не мышью, а то вы сами не понимаете. Он долго не признавался, понадобилось несколько встреч, он даже начал находить в них некоторое удовольствие и временно перестал мастурбировать.

Черемухин вожделел к однокласснице дочери.

Садов любил давить перед зеркалом прыщи, вредная привычка, осталась с детства.

Григорьев ненавидел более удачливого брата, тоже с детства.

Ложкин желал падения цен на нефть, чтобы начали уже что-нибудь делать. Однажды он поделился этим соображением в очереди к банкомату, и присутствующие, отмечает он, единогласно отвергли его злопыхательское пожелание.

Все это было не то.

Пришла Валя, осталась ночевать, рассказывала, что Гусев нанял автобус и повез часть списка в альтернативный поход под лозунгом «Слава России». Автобус был крутой, навороченный, с вайфаем, принадлежал гусевскому другу и был специально для похода расписан в цвета национального флага. Позвали не всех, Гусев лично обзвонил только тех, кто показался ему благонадежным, — а может, наоборот, самых нелояльных: ангела ведь поощряют, когда он приводит к Богу самые жирные, грешные души, а праведников там и так хоть соли. Свиридову он не позвонил, и Свиридов не знал, хорошо это или плохо. Наверное, хорошо: чем меньше в жизни трешься о Гусева, тем лучше. Большая часть приглашенных ехать отказалась, но некоторые собрались, захватив детей. Валя поехала больше из любопытства. Гусев, Бобров и Панкратов всю дорогу пили. Приехали в Михайловское, шел дождь, с еловых лап текло, а домик такой маленький, оказывается, я же не была никогда, а экскурсовод такой жалкий, Сереж, ты не представляешь! И главное, все эти люди, все местные, они так радовались, что приехали из Москвы! Каждый обещал показать дуб, который на Лукоморье. И ты знаешь, мне впервые его стало жалко, в смысле Пушкина, потому что привыкли: великий. А какой великий, маленький, совершенно несчастный, и от него так мало осталось! Жалкие какие-то местные школы, Гусев на них жертвовал, говорил там с детьми, с интонациями маньяка, заманивающего девочек, — а школы расписаны еще в советское время, Пушкин с котом под дубом, Господи, какое бедное все! Все потрескалось, все никому не нужно, и ты знаешь, я так живо представила, как он выходит к ним под дождем, к ним ко всем, кто там живет, к учителям этим несчастным, и говорит — здравствуй, мой бедный народ, сейчас я расскажу тебе сказку о царе Салтане!

Она и здесь умудрялась всех жалеть.

— А цель этого похода Гусев не объяснил?

— Ну не знаю. Наверное, замаливает грехи. Или воспитывает список, надо же бороться с Жуховым. Перетягивание списка. Но он сам какой-то напуганный, я же вижу. И весь день говорит, что список для него — случайность, скоро его вычеркнут. Даже ко мне подошел и сказал: Валя, не бойтесь, я временно. Участвуйте, говорит, в моих акциях, пожалуйста. Это зачтется. Вы увидите, что меня вычеркнут, обязательно. Еще извинятся.

— Да, все так говорили. Вас за дело, а меня случайно.

— Мне даже жалко его стало.

— Ну жалей, жалей. Тебе всех жалко.

— Нет, тебя не жалко...

И этот кухонный запах от ее волос, в другое время казалось бы уютным, но теперь... И пухленький животик при общей худобе, и манера уютно засыпать сразу после — самочка накушалась. Иногда она предлагала приехать, но он ссылался на работу. Дело было не в работе, хотя на «Родненьких» ее прибавилось — открывались провинциальные филиалы на местных телестудиях. Вечерами Свиридов пил со списантами, понимая, что впадает в зависимость от этих попоек, давая клятвы навеки от них отказаться, сидеть дома и писать свое, — но писать свое было невозможно, нервы натягивались, пугал каждый шорох, въехавшая во двор милицейская машина выбивала из колеи на час. Он часами раскладывал пасьянсы, чаще всего бесконечного «Паука», и заметил, что если результат выходит больше тысячи, хоть на единицу, происходит что-то приятное — прибавляют денег на «Родненьких» за высокий рейтинг, Тэсса заказывает вместо одной колонки две и платит соответственно, звонит полузабытый заказчик и предлагает халтуру. Халтуры было много — люди привычно требовали зрелищ, но под действием этих зрелищ даже профи постепенно разучивались писать, так что деградация встала на поток. Если же результат был хоть на единицу меньше тысячи — дела не ладились, настроение падало, и ломался «жигуль». Пасьянс «Паук» управлял теперь жизнью Свиридова, и он уже не мог выйти из дому, не добившись тысячи. Он стал опаздывать. Через две недели такой жизни он стер «Паука», но потом возобновил, потому что без него было еще хуже. Эту зависимость могла вытеснить только другая — попойки со списантами и гадания на кофейной гуще о причинах и перспективах; все они до смерти надоели друг другу, как ссыльные в одной деревне, но, как те же ссыльные, не могли не сходиться по вечерам — гадать и перемывать друг другу кости. Все эти посиделки впоследствии слились для Свиридова в одну бесконечную, с незаметно меняющимися, но почти неотличимыми персонажами. Макеев, курносый, с бачками, директор по персоналу чего-то там; фотограф Трубников, огромный, с бритым черепом, тяжело переживающий уход молодой жены, постоянной натурщицы, уехавшей за границу; добрый Клементьев, злой Волошин, застенчивый Шаповалов, еще какие-то люди, общим числом не более десятка. Список давно уже разбился на кружки, но обсуждал одно и то же. Наиболее частой темой было роковое «кто стучит».

— Нет, что Гусев — это я, как хотите, не верю, — говорил Свиридов, качая тяжелой головой. Он и не знал, что может пить так часто. — Не верю и не верю.

— Боже мой, это очень просто. Вот как раз наличие Гусева меня и убеждает в том, что я уловил принцип, — сказал Макеев, самодовольно прищуриваясь.

— Что исключение подтверждает правило? Но это, знаете, верно только для природных структур, а в искусственных...

— Вот подумайте, подумайте, — снисходительно подбодрил Макеев. — Для чего нужно исключение в структуре вроде списка?

— Чтобы подчеркивать? — предполагал Свиридов. — Оттенять?

— Во дурак, а?! — воскликнул Макеев, и из него немедленно выперло макеевское, директорское по персоналу. — Ближе надо быть к земле, ближе! Исключение нужно исключительно для того, чтобы рапортовать о правилах! Чтобы доносить куда следует, кто и о чем тут говорит.

— Но тогда почему он? Он настолько выделяется, что на него проще всего подумать...

— Именно так. И-мен-но! — Макеев гордился стройностью версии. — Они там думают не на один ход и не на три, а ровно на два, это главная примета всех их замыслов. Их хватает, чтобы обманывать самые примитивные ожидания. Следите за рукой. Гусев — тот, на кого подумают все. Следовательно, шпионом должен быть НЕ Гусев. Следовательно, Гусев — не шпион. И тут-то мы обманываем ожидания, делая шпионом именно того, на кого не подумает никто, потому что он слишком очевиден! Заметьте, они всегда нас ловят на этом. Мы думаем, что things can't go so bad. Well, they can! На этом строятся все их замыслы: до какого-то момента люди просто не верят, что все может быть вот так, вот настолько, вот уж прямо до такой степени. Но оно может и должно, и не может быть никак иначе!

Свиридов припомнил манеры Гусева и согласился: сыграть такое невозможно. Человек, который так себя ведет, попросту обязан чувствовать за собой глубоко эшелонированную поддержку и административный ресурс. Это не воспитывается и не покупается, а дается принадлежностью к системе. Другого объяснения гусевского пребывания в списке не было. И насчет главной ошибки — вечной попытки увидеть сложность там, где ее нет, — Макеев был, пожалуй, прав. Обида была в том, что говорит это Макеев, с которым всегда так отвратительно было соглашаться, — но ничего не поделаешь, иногда гнусные замыслы понятней гнусным типам, почему в разведку и контрразведку всегда и отбирали противных.

— Может быть, вы и правы, — признал Свиридов.

— «Может быть!» — передразнил Макеев. — Не может не быть!

Разумеется, с ним надо было соглашаться только безоговорочно.

— Но мне кажется, — говорил Шаповалов, взявшийся неизвестно откуда, а может, это и с самого начала был Шаповалов, тяжеловесный, сырой, одинокий программист, — что принцип строго статистический. Срез общества, ничего больше.

— Нерепрезентативно, — с трудом выговаривал Свиридов. — А-атсутствует пролетариат.

— Но он и в жизни отсутствует. Это же общество, а не население. В населении его, может, две трети, но в обществе... Много вы знаете пролетариев?

— Ну давайте считать, — начинал Свиридов. — Есть врачи?

— Есть, двое.

— Учителя? Военные? Ассенизаторы?

— Нет, я не в смысле только профессий, — исправлялся Шаповалов. — А в смысле доходов...

— Олигархи? Рублевка?

— Нет, но в пределах... высоко вы берете, вот что. В пределах как бы среднего...

— Но тогда какой смысл? Какие процессы происходят в этом среднем, чтобы их стоило моделировать?

— У меня в последнее время желудок плохо работает, — признавался Шаповалов. — Нервное.

Откуда-то брался Клементьев, или он уже был? Кажется, это он говорил о списке как зародыше гражданского общества. Вот тебе и зародыш, желудок уже не работает, а вы говорите.

— Чего бы я не дал, чтобы выйти отсюда, — жаловался Свиридов Клементьеву. — Из этого круга, из этого воздуха. Не примите на свой счет, я очень рад, что с вами познакомился. Но в целом...

— Знаете, Сережа, — говорил Клементьев. — Я бы на вашем месте не торопился с выводами... и выходами... В первое время невыносимо, это знают все, но потом люди привыкают. Адаптируются. Наступает особая солидарность, вырабатывается снизу. Все историки Блокады, скажем, об этом пишут. Я довольно много читал по истории. — Солидные, тихие люди вроде Клементьева редко читали художественное, а зря. Художественное бывает точнее истории. — В первое время — как вообще на войне — доносили все друг на друга, сильны были предвоенные рефлексы, много еще всякой гадости... Но потом обвыклись, научились переносить, заново наросло человеческое — штука в том, чтобы перетерпеть. На какой-нибудь пятый месяц наступает почти комфорт. Трудно поверить, но в окопах бывало комфортно. Или вот говорят — застой. При застое, я-то помню, у людей были механизмы. Были трудности, да, — но были и механизмы преодоления. И это было не так страшно, смею вас уверить...

— Это при условии, — вступил вдруг Трубников, — что мучения не нарастают.

— Ну, ничто слишком ужасное не может длиться слишком долго, — улыбнулся Клементьев. — Из какого-то фильма, не помню.

— Это неправда, — серьезно сказал Трубников, — и вы знаете, что неправда. Есть люди, которым доставляет наслаждение мучить других, а наслаждение требует новизны. Человек не может уморить себя сам, можно искусственно поддерживать в нем жизнь и мучить его, и он ничего не сможет сделать. Ресурс организма велик, практически бесконечен.

Заиграла громкая, яростная музыка, из-за бархатной занавеси выбежала толстая танцовщица и принялась вращать глазами и бедрами. В «Самарканде» почти не было народу, и она сосредоточила усилия на их троице. Если присмотреться, ей было за сорок. Трубников молчал, не желая перекрикивать музыку. Подкатился кругленький татарин, везя тележку. На подносе шипело и брызгалось мясо. Татарин стремительно разложил его по тарелкам и увез поднос.

— Видите, — невозмутимо продолжал Трубников, когда музыка смолкла и танцовщица, в последний раз дернув задом, убежала за бархат. — Вас можно поджаривать на медленном огне, и кажется, что ничего ужаснее этого быть не может. А можно вдруг при этом включить громкую веселую музыку, такую, чтобы била в уши, и это будет дополнительное страдание, которого вы не предполагали. Можно вас поливать в это время кислотой. А можно сделать так, что перед вами в это время будет танцевать ваша мать, или ваша дочь. Еще можно сделать так, чтобы ее на ваших глазах терзали крючьями, не переставая вас поджаривать. Такое было, вы же читали исторические сочинения. А можно у одного столба жечь вас, а у другого жену, тоже было. В России особенно. Видите, диапазон большой, возможностей — космос.

У Свиридова пропал всякий аппетит. Клементьев смотрел в скатерть.

— С интересными мыслями вы живете, — сказал он наконец.

— Все с ними живут, только не все признаются. Кто об этом не думает — просто не информирован. Бывает полный паралич, с сохранением всей ясности сознания, и годами, десятилетиями. А меня часто мучают клаустрофобные сны — особенно когда простужен и задыхаюсь. Впрочем, иногда и безо всякой простуды. Снится, что положили в какую-то колоду и сжали ее обручами на железных винтах, открыть нельзя, но и умереть сразу нельзя — я буду там лежать, пока не задохнусь, а задыхаться буду долго. Регулярно такое снится.

— Это сердечное, — сказал Клементьев.

— Если бы сердечное, то хорошо. Это значило бы, что скоро. Но я еще в себе чувствую жизни лет на тридцать. Только во сне бывает такое отчаяние, наяву его как-то глушишь, — но, вероятно, оно и есть то настоящее, что рано или поздно настигнет. Рассудок-то почти всегда отказывает, вообще структура хрупкая. И когда с людьми сижу — я тоже почти всегда представляю: что с ними будет, если их пытать? С собой-то я это все время представляю, но бывает и с другими. Поэтому я точно знаю, что все эти прекрасные вещи, о которых вы говорите, — они ненадолго. Солидарность там, механизмы... Это значит, что просто прижали не до конца, человек и притерпелся. Он быстро притерпевается, человек — зверюшка адаптивная. А если наращивать, то никакой солидарности. В конце все с ума сойдут, а перед этим еще друг друга искусают. Причем они будут делать хитро — одних пытать больше, других меньше, чтобы и не возникло никакой солидарности. Вот в Ленинграде, вы говорите: в Ленинграде голод и холод действовали одинаково почти на всех. А они нам устроят такой Ленинград, что у одних голод, у других холод, у третьих отняли крышу над головой... Все будет разнообразно, не сомневайтесь. Двести человек — на них нетрудно придумать разное мучительство. У нас это любят. И никакой солидарности.

— Да почему любят? — не выдержал Свиридов. — С чего вы взяли, что столько садистов-любителей?

— Психотип такой, — равнодушно пояснил Трубников. — Походите в сети по садо-мазо-сообществам, почитайте рассказы, посмотрите рисунки... Вы увидите, что почти все — либо русскими руками, либо на русском материале, в неумелых английских переводах. У нас это очень любят и умеют. Просто раньше как-то распространяли это на весь народ, а теперь на один список.

— Де Сад, между прочим, был француз, — вступился Свиридов за отечество.

— А Захер-Мазох — австриец, — кивнул Трубников. — У нас бы на них никто внимания не обратил, у нас такие фокусы разыгрывались в каждой второй избе. Если не в каждой первой.

Выходили на улицу и некоторое время стояли, отыскивая тему, цепляясь за остатки разговора, вместе было тошно, по домам — страшно.

— Я хотел бы писать знаете как? — мечтательно сказал Свиридов. — Мне кажется, сейчас нужен особый стиль. Как бы подводишь, подводишь к главному, ходишь вокруг него — уже внушая читателю, что все так и будет вокруг да около, — после чего наносишь удар в яйца. Это на каком-то уровне — сам не знаю почему — совпадает с главной стилистикой момента: тебе все уже намекает, что будет именно так, не иначе. Ты все надеешься, позволяешь себе варианты. После чего тебе говорят: да-да, все именно так. И все, чему учили, правда, и все, что ты предвидел, тоже. Не рыпайся.

— Ну в общих чертах да, — вяло сказал Клементьев. Он, кажется, терял интерес к разговору. Словесность его никогда не занимала, из всех искусств важнейшим он считал телевидение как вершину прогресса. — Это сейчас общий стиль.

— Я даже знаю, почему, — предположил Трубников. — Они сначала объясняют, чтобы все среагировали. Намекают так и сяк. А потом — кто не спрятался, я не виноват. Как с Ходором. И весь список, между прочим, — намек кому-то.

— Обидно быть намеком, — буркнул Свиридов.

— Персонажем, я бы сказал, — трубил Трубников.

— Кстати, — оживился Клементьев. — Я вспомнил, что мне эта манера напоминает. Вы, Сережа, если правда будете писать, имейте в виду. Есть такая фраза — «Накрылся женской половой пиздой». Произносится с паузами. Женская... половая... ну все, человек уже думает — сейчас будет синоним, как это...

— Эвфемизм, — подсказал Свиридов.

— Точно. И тут: пизда. Вот за это его так и любят, кстати, — у него ведь все речи в этом духе. Долго подводит, потом как рубанет, — и сразу: свой, родной!

— Хороший у нас народ, — вдруг сказал Трубников. — Веселый! Ко всему привык, из всего хохму сделал. Иначе бы совсем никак. Женская половая пизда! Никогда не слышал.

— Как это вы такой чистый сохранились? — изумился Клементьев.

— А вот так! Нет, это бесподобно! — Трубников ударил себя по ляжкам и расхохотался. Рослый, очкастый, с лысым бугристым черепом, — бил себя по ляжкам и хохотал. — Точно так! Женская половая пизда!

Свиридов с Клементьевым переглядывались в тоскливом недоумении.

6

Половая жизнь списка была между тем бурной и лихорадочной, как всегда бывает в сообществах, достаточно запуганных, чтобы почувствовать близость смерти, но недостаточно измотанных, чтобы ощутить безразличие к жизни. В «Жерминале» читаем о паре, засыпанной в шахте. В первый день совокуплялись очень интенсивно, на второй были едва живы, на третий девушка умерла, а герой рехнулся.

В списке трахались все со всеми, как в коммуне прокаженных; конечно, с известного момента прокаженным уже не до секса, поэтому они стараются взять свое, пока не развалились окончательно. Пик сексуальной активности списка совпал с концом сентября, когда в природе все замирает в последнем напряжении, цветет последней прелестью, чтобы в ближайшие две недели лавинообразно осыпаться.

Сейчас будет песнь торжествующей любви.

Григорий Лурье трахался с Мариной Калининой. Разговаривать ему нравилось больше, чем трахаться: не то чтобы в свои сорок пять он подыссяк, но слишком грубый, требующий физических и технических навыков акт представлялся ему скучней душевной коммуникации. Настоящий секс — это, согласитесь, душами. Если бы можно было душой починить крышу на даче или ввинтить лампочку, Лурье не было бы равных. Нерукастое, языкастое племя. Всю свою жизнь как есть рассказал Марине Калининой, простой доброй девушке, и много мудрых мыслей. Марина Калинина тоже ему рассказала мудрость жизни, какую знала: как однажды с ней случилась истерика от несчастной любви, три дня плакала и все, и повезли из Москвы к деревенской тетке заговаривать. Тетка дунула, плюнула, и перестала Марина плакать, и три дня смеялась, но тут уж никто заговорить не мог: как-то так прошло.

Константин Глебов, собою гот, мистик, скальд (он произносил «скайльд»), трахался с Татьяной Гуляевой, с которой соседствовал в списке и находил в том провиденциальный смысл. Валгалла, Валгалла, северные люди. В свободное от работы время писал исторические фэнтези про воинов Света, ненавидевших мирную жизнь. Волки любят свежую кровь. Пошлой жизнью живем, один лишь только желудок. По воскресеньям, сволочи, все ездят в «Ашан», по будням ходят в «Апшу». Брезжит свет свободы над Родиной, сожжем «Ашан» и сами будем ходить в «Апшу». Вел километровые полемики в виртуальном сообществе «Русский крокодил», ей-богу, не шучу, крокодил — символ вольного Волхова, нордической нашей Ингерманландии. Давно бы уже эти люди всех переубили, кабы не ссорились постоянно между собой — кто из них хуже и потому достойней Валгаллы. Таня слушала, открыв рот, и Глебов этим пользовался, хотя нравилось ему и в валгаллище. Если б не список, долго бы ему искать девушку, никто не дает скальду. А так все-таки сближает. Ты, говорил, будешь меня провожать на битвы Света. В устной речи Глебова много было больших букв. Таня тоже не могла понять этих, которые спят с хачами.

Михаил Малахов, клерк, спал с Еленой Савиной, студенткой, медичкой. У него после списка не очень хорошо стало в карьере, на корпоративах смотрели косо, и он стал ходить на другие корпоративы — со списком. Не все ли равно, на какой корпоратив ходить? У Малахова была драма, если у клерка может быть драма. Но она может, и вот какой природы: есть люди, искренне моделирующие себя по предписанному, клерковскому образцу. Преданность корпорации, то-се. Личных качеств у них не нарастает — они заблаговременно заменяют себе всю жизнь работой, потому что про жизнь ничего не понятно, а с работой более или менее ясно, работай и все. Когда у такого человека отнимают работу, мир его рушится в три дня. Весь воющий ужас своей пустоты Малахов перегрузил теперь на Савину, студентку. Он еще работал, у него были деньги, пластиковые карточки, все как надо. Он выплачивал квартирный кредит, разрабатывал и сдавал концепции, но жить ему было некуда. Природа не терпит пустоты, и Малахов стал беспокоиться о здоровье. Здоровье сдавало стремительно. На правой ноге обнаружилась шишка, на левой похрустывал сустав. Малахов делился с Савиной всей этой информацией, Савиной было интересно, она была не бог весть какой медик, а тут столько внимания. Никто никогда так не внимал ее прогнозам и диагнозам, как Малахов. Она нашла у него много интересного, они подробно все это обсудили.

Так-то мы все друг перед другом нос дерем, а как эпидемия — так сразу и люди как люди, можно трахаться. Чумной барак спит с холерным, никто не воображает.

А супруги Сомовы, попавшие в список вместе, потому что и на премьеру вместе сходили, трахались друг с другом, и так-то им было хорошо. Обострились супружеские чувства, пригашенные семилетним браком. Критический, говорят, период для брака, а у нас уж так ли все хорошо. Придут с очередного списочного мероприятия — день рождения ли чей, воскресный выезд на природу, — и всем кости перемывают, какие все дураки. А мы не дураки, и так ли уж нам хорошо! И трахаются. Даже подумывать стали ребенка завести, а то все не до того, откладывали. Куда теперь откладывать? Стали заводить.

Второй куплет, трибьют Вырыпаеву. А Голышев Кирилл, 17, трахался с Матвеевой Ириной, 16, он у нее пятый, она у него вторая. Матвеева Ирина была то, что в старое время и в правильной цивилизации называлось бы гейша, девушка, рожденная для любви и ни для чего больше. В правильных цивилизациях у таких девушек есть социальная ниша, а в нашей им приходится чему-то учиться, где-то работать, разрушать чужие жизни и семьи. А ведь они ни о чем другом не думают, живут любовью, дышат любовью и всем, что вокруг любви. Это не блядство, но особого рода зацикленность. Матвеева Ирина не могла принадлежать кому-нибудь одному, ибо это была бы не любовь, а скука. Ей нравилось принадлежать одному и страдать по другому, провожать одного и звать другого, пить чай с одним и приглашать другого, сталкивать, наблюдать, страдать, напиваться, казнить себя, проклинать, каяться, ходить в храм с одним, вырывать у него руку, убегать к другому. А тут третий, разрешающий коллизию, но с ним тотчас появляется четвертый, и понеслась. Голышев, Голышек, был как раз пятый. Он был очкастенький, умненький, казался ей чистым. Голышев в ней нашел свой идеал и понятия не имел, на что попал. Матвеева Ирина была всегда влажная, пылкая, смуглая, обожающая делать это в недозволенных местах. Голышев ни о чем, кроме нее, не думал и даже забросил трактат с планом спасения России. Писал его давно, основываясь на Тойнби. Какой теперь Тойнби!

Однако штука в том, что Рогозин Вячеслав, 27, тоже трахался с Матвеевой Ириной, 16, и был у нее шестой, и разрешить все это дело мог бы только седьмой. Рогозин Вячеслав так по-особенному смотрел на Матвееву Ирину на одном списантском костре, с таким значением, и она, истинная жрица любви, тотчас наделила его всеми возможными совершенствами. У нее был дар именно к любви, настоящей, страстной — беда только в том, что прочие способности отсутствовали начисто. Такую бы только любить, но мы же все хотим обладать. Нет бы погладить, понюхать, трахнуть и отойти, — нет, подавай постоянство. А Матвеева Ирина была одноразовая, но сама не догадывалась о том. Каждый раз, заново вспыхивая, она горела так сосредоточенно и самозабвенно, словно собиралась замуж. Каких только добродетелей не находила она в Рогозине Вячеславе! Он был глупый и одинокий от своей глупости, фотограф-любитель с комплексами, но она придумала ему демонизм и гениальность, и заходилась от восторга над его тупыми натюрмортами — яблоко в тумане, сережка ольховая... Она отдавалась ему с визгом, с сознанием греховности, с мыслями о чистом Голышке, но как же хорошо ей было с Рогозиным, никогда не было так хорошо с Голышком! Рогозин ее снимал во всяких видах, в основном среди обшарпанных интерьеров, типа контраст. Матвеева Ирина безумно возбуждалась среди обшарпанных интерьеров, нравилось ей на грязных лестницах и гудящих чердаках, и она думала о себе словами своего ЖЖ, куда почитать про ее атласную кожу и страдания сбегались сотни печальных одиночек, втайне надеющихся, что она виртуал. Если виртуал, не так обидно представлять, что такие где-то есть и кому-то дают.

А Николай Саломатин, 43, трахался с Ольгой Боровлевой, 42. Оба люди семейные, он преподаватель сопромата, она преподаватель вьетнамского. На закат печальный улыбкою прощальной. Молодежь ничего не понимает — нет, только ровесники! Столько удивительных совпадений, и ведь тысячу раз могли встретиться, но все как-то не выходило, случайно пробегали мимо друг дружки, и пришлось судьбе помещать их в список — а как бы иначе! И семье врать ничего не надо: я в списке, у нас мероприятие, счастливо. Семья смотрит как на обреченного, старается кормить повкусней, все разрешает. Думается, узнали бы — не возражали бы. Много ли осталось? — все можно! Это, знаешь, у меня была тетка, болела, спрашиваем врача: что ей можно, доктор? Он, маша рукой: уже все... (потому и не хожу по врачам: напорешься на такого — и?) На всех кострах, походах и выездах сидели вместе, как голубки, но с видом вызывающим и обреченным. Помолодели и похорошели оба. Штука в том, что если бы всех включить в список, все бы давно уже друг друга нашли. В идеале нация и есть команда людей, состоящих в списке. Но что же поделать, если у нас эти списки составляет только одна инстанция. Как ты думаешь, не хотят ли они сформировать нацию? Я уже где-то читала, что в замысле предполагалось пересажать всех. Да, я тоже читал, бред, конечно.

А супругам Сомовым и так хорошо. Все у нас есть, по работе не обижают, слава тебе Господи! Им не надо было для счастья никакого списка, они с самого начала внесли себя в список на двоих, уважают друг друга за свою любовь со студенческой скамьи. Друг друга найти — тоже надо уметь, гоп-гоп, трах-трах.

А Смирнов с Ковалевой, а Богданов с Муравьевой, а Заботин с Мищенко, а Суетин с Домниковой. А Эрос с Танатосом, без этого как же. И потому, пока трахались все со всеми, иногда обмениваясь партнерами и друг другу подмигивая, весь список доносил друг на друга, потому что острота восприятия от этого становилась почти невыносимой. С тех самых пор, как майор Калюжный принялся вызывать к себе по одному и расспрашивать, что и как, — не всех сразу, конечно, давая время дозреть и обдумать, — писать к нему стало делом обычным: все-таки контакт, живой человек, искренне нами интересуется. Бывает, что и тюремщику рассказывают о себе все, как попутчику в поезде; бывает, что и террористу при стокгольмском синдроме вываливают последнюю правду. И потому Смирнов писал на Ковалеву, а Богданов на Муравьеву, а Макеева Ирина — на Голышева с его теориями и Рогозина с его пристрастием к фотографированию заброшенных военных заводов; и поскольку жизнь их с момента попадания в список шла как в романе, как бы понарошку, то и к этой новой страсти доносительства относились они как к дополнительному приключению: плакали, конечно, и руки ломали, и мучались даже немного совестью — но не более чем в кино, когда сопереживаешь судьбе героя. Все это были формы отвлечения от главного, дикого страха — так на последнем берегу увлекаются флиртом и автогонками, и доносят, наверное, потому что все позволено. Все равно полынья сужается, и недалек час, когда Серую Шейку схватят за серую шейку.

А Калюжный, вот ведь штука, сам был в списке. Его временно отстранили от всех главных дел и держали в резерве, проверяя, на что он теперь годен. И ведь знали же, сволочи, что это за список, сами же его составляли в ЦОСе, сами спускали, распространяли, доводили. И теперь, когда занесли его туда за несчастный сраный просмотр, на который сами же и командировали во избежание эксцессов, — он был среди своих как клейменый, и смотрели на него косо, и ходил уже слух — а поди ты пойми, что за список? Вы уверены, что именно из-за просмотра? Может, все-таки что-то серьезное, а просмотр — так, маска? И в отчаянном желании выслужить прощение, доказать незапятнанность мундира майор Калюжный шил списантам заговор, и что самое интересное — постепенно заговор сшивался. Тут ведь что главное? Главное, как учил его прославленный чекист Мыльников, наставник в суровой непостижимой азбуке, сокровенной тайной которой является отсутствие правил: не надо навязывать подозреваемому конкретную вину. Дай им время все на себя выдумать: ты сроду их так не оговоришь! И Калюжный действовал, и так ли они готово писали друг на друга! Дедка на бабку, бабка на репку. А супруги Сомовы — друг на друга. Трах-трах, гоп-гоп.

7

В начале октября на свиридовском мобильнике отобразился «частный вызов». Свиридов теперь боялся скрытых номеров — это мог быть Калюжный, могли менты, но оказался Панкратов.

— Что вам нужно? — грубо спросил Свиридов. Он дополнительно злился на него за свой страх.

— Поговорить, — сказал Панкратов.

— Говорите.

— Не по телефону. Сможете через три часа подъехать на Пушку? Под памятник?

— А в чем дело?

— Да вы не бойтесь, — сказал Панкратов дружелюбно. — Ничего такого.

— Это вы бойтесь, — рявкнул Свиридов. — А я пуганый.

— Да хорошо, хорошо. — Панкратов говорил мягко, чуть ли не заискивающе. — Вы совсем не то думаете. Подъезжайте, правда.

Свиридов не хотел никуда ехать, но превратился к октябрю в такого ожидальщика, что с жадностью хватался за любые дополнительные сведения. Если Панкратов что-то знал — а знать он мог, будучи приближен к седалищу, — пренебрегать им не следовало. На всякий случай, однако, Свиридов позвонил Вале:

— Если я не отзвонюсь до восьми, поднимай шум.

— Хочешь, я с тобой? — спросила она.

— Ладно, справлюсь.

Накрапывало, погромыхивало. Панкратов приехал раньше и нервно прохаживался под памятником. Вид у него был виноватый, но нагловатый — странное сочетание: он словно подмигивал Свиридову, просил у него прощения и вместе с тем намекал, что он ни в чем не виноват, подумаешь, так надо было. Свиридова это царапнуло. Предполагалось, что он с Панкратовым в заговоре.

Он смотрел на Панкратова в недоумении: чего я их боялся? Нормальный же пацан, ничего страшного.

— Ну, в общем, — сказал Панкратов, — я трудоустраиваться пришел. Вам человек на телевидении не нужен?

— Не нужен, — сказал Свиридов. — Я этим не заведую. А что, собственно...

— Будто вы не знаете, — сказал Панкратов и хихикнул. Ему казалось, что весь мир должен быть в курсе его делишек.

— Извините, не знаю.

— Поперли нас, — сказал Панкратов, оглянулся, словно их могли услышать, и подмигнул.

— Откуда?

— Из штаба. Вы что, не слышали? Столько шума, вся сеть на ушах.

Свиридов представил рыбачью сеть, наброшенную на уши Панкратова, и кисло усмехнулся.

— Я не туда хожу в сети, наверное.

— Да везде пишут. Сначала Гуся с Бобром, теперь меня. Дождались, чтоб из больницы, и тюк по темечку. Может, сходим куда? Я угощаю.

Они зашли в «Кофеманию», Свиридов заказал чизкейк, Панкратов долго объяснял, какой именно ирландский кофе должен быть ему сварен и каких типичных ошибок следует избегать при этом.

— Ну и вот, — сказал он, дружелюбно улыбаясь. — Олег повесился, неудачно. Руки не под то заточены, Бобер говорит. Сейчас в больнице. А Бобер думает — раз не можешь переломить тенденцию, надо возглавить. Будет переделывать клуб «Свалка» в клуб «Список».

— Почти то же самое, — сказал Свиридов.

— Ну где-то да, — еще шире улыбнулся Панкратов, радуясь, что клиент шутит. Шутит — значит, поддается, сейчас выжмем из него чего-нибудь... — Ему и денег дали. Модное место будет, а пускать только по списку.

— По нашему?

— Неважно, их еще много будет, наверное. В общем, люди потянутся.

— Погодите... А из-за чего же Гусев?

— Вы что, совсем ничего не знаете?

— Я же сказал.

И Панкратов принялся рассказывать, пересыпая речь множеством имен, названий и цифр, ровно ни о чем не говоривших стороннему человеку. Он уже привык думать, что его организация в ближайшие полгода станет царицей горы, а потому каждый встречный обязан быть в курсе ее грандиозных дел. Мелькали упоминания о политпоходе, первой пятерке, большой раздаче, восточном мосте (перекинутом, как догадался Свиридов, из Владивостока в Новосибирск), о групповом браке, объединившем двести активистов с таким же количеством активисток, и об акции у прибалтийских посольств, скромно называвшейся «Шпроты». Гусев играл в организации особую роль — он редактировал электронную газету, выпускал молодежные бестселлеры и мог твердо рассчитывать на место в Думе, но после попадания в список спикировал ниже плинтуса. Поначалу его успокаивали: все свои, никто тебя не подозревает, ничего страшного, — но вскоре выяснилось, что у Гусева хватает завистников, да и в прошлом у него были сомнительные порнопроекты; его вытеснили сперва из газеты, потом из молодежного издательства, а попытка рейда по Псковской области подорвала его позиции окончательно.

— Он как бы начал оправдываться. А это нельзя, понимаете?

— А вас тоже поперли?

— Я хотел в больничке перекантоваться. Ну, думаю, не тронут же больного? Сам врача и попросил, и стоило мне это копейки. Но меня пришел Каширин навещать. Ну этот, знаете, который по внутренним врагам.

— Откуда мне знать, кто у вас по внутренним врагам?

— Ну как же, они еще вам поводок вручали. Помните поводок?

— Поводок помню. А у вас что, был свой человек по внутренним врагам?

— Так это же нормально! — развел руками Панкратов. — Везде есть. У «Местных» есть, у «Дворников»... А «Свои» — это наши, вы не знали?

— В каком смысле наши? — Свиридов окончательно за-путался во всех этих своих, наших, местных и здешних.

— Одна команда. Почечкин — человек Бараша, а Бараш сами знаете чей.

Свиридов на всякий случай кивнул.

— Ну и вот. Пришел Каш. Видит, я лежу. Помидоров принес, сволочь. — Панкратов рассказывал беззлобно — Каширин выполнял свой долг, и он на его месте повел бы себя точно так же. — Принес, значит, помидорчиков, а сам к врачу. Что у больного Панкратова? Тот ему: плановое об-следование. Ну, он и смекнул. Я выписываюсь, а он уже все написал. И ребят опросил, и ребята вспомнили, как я одна-жды над планом смеялся.

— Над каким планом?

— Известно каким. План один.

— А, — догадался Свиридов. — Зачем же вы над ним смеялись?

— Все смеялись, — пожал плечами Панкратов. — Пели про план из Чуйской долины — что такого? Идейных-то нет, все реалисты.

— Я одного не понимаю, — Свиридов чувствовал себя все неуютнее, словно за столом с ним сидело иноприродное существо с непостижимой логикой, не злобное, не агрес-сивное, боже упаси, миролюбивое и симпатичное по-сво-ему, но все атомы в нем были расположены поперек. — У вас нет идеологии, вы сами сказали. А доносы есть. Как это возможно?

— Так и возможно, — Панкратов тоже, кажется, недо-умевал, как можно не понимать таких простых вещей. — Что такого-то? Не так сказал, присвоил бабки, выпил и ма-терился. У нас материться нельзя, все матерятся, конечно, но втихую. Да мало ли. Что, обязательно идея, что ли, нуж-на? Вон, у скинов идеология, пожалуйста. Вам скины боль-ше нравятся? А мы антифашисты, боремся с ними. Если бы не мы, они бы вообще давно всех в капусту...

В эту секунду Свиридов с ужасом поймал себя на том, что со скином ему было бы проще: у скина были понятия о верхе и низе, добре и зле, и с ним еще можно было договориться. А Панкратов никогда не напал бы на Свиридова по национальному или идейному мотиву, но спокойно съел бы его с соевым соусом, окажись так надо для попадания в первую пятерку, или как там у них называлась головка организации; еще долго объяснял бы повару, как именно сготовить.

— Ладно, ладно. А как же тогда внутренние враги?

— А чего внутренние враги? — Панкратов, кажется, начинал подозревать, что этот длинный над ним издевается. — Вы чего, не видите внутренних врагов?

— Но идеологии-то нет.

— И что, если нет? Есть территория, она суверенна, в ней нефть, на нее посягают. Вы сами, что ли, не видите, как посягают? Вон Олбрайтиха сказала, что у России слишком много нефти, что ресурсы несправедливо распределены. Вы думаете, внутри так никто не думает?

— Думают, думают. — Свиридов не был настроен на дискуссии. Он не знал, зачем Панкратов затеял весь этот разговор. — Получается фашизм без идеологии, так?

Он думал, что Панкратов обозлится на эту формулировку, но он все улыбался.

— А что плохого? Если б не идеология, что бы такого в фашизме? Объединил нацию, работу дал всем. Промышленный рост был вы знаете какой? Если бы они не были антисемиты, это была бы великая страна. Но поскольку во главе стоял маньяк, то все и кончилось. А если бы адекватный менеджер, то и сейчас бы все стояло...

— Вы провоцируете меня, что ли? — спросил Свиридов. — Я со всем согласен, так и напишите. Хотят отнять нефть, посягают на суверенитет.

— Да ладно, — снова улыбнулся Панкратов. Он был совсем мальчишка, двадцать два года, не больше, чего мы боялись, Господи. — Я не по врагам. Я по любви и дружбе. Помните акцию с рукопожатиями? Конкурс, кто больше рук пожмет? Это я. Студенческие семьи — тоже я, когда гондоны надували.

— А вы надували?

— Да ладно, все знают. Это громкая акция была. Дуть, пока они не лопнут, чтобы люди размножались. Кто больше всего гондонов испортит, тому девушка из «Своих». Потом кинули, конечно.

У Свиридова закружилась голова.

— Хорошо, — сказал он. — Я-то чем могу быть полезен?

— Это деловой разговор, — кивнул Панкратов. — Это вы уже правильно. Давайте так: вы пишете для «Родненьких», я справки наводил. Дело хорошее. На базе «Родненьких» я вам берусь за три месяца сделать движение. Будут «Родненькие», даже лучше, чем «Свои». Все связи у меня, телефоны, вся сеть. Я восемьсот человек за час могу на улицу вывести легко.

— Зачем?

— Ну как зачем? Делаем общественное движение. Нагибаем каких-нибудь врагов. Приглашаем в программу и нагибаем. Потом марш, против семейного насилия. Знаете, сколько семейного насилия? Я проверял, каждая вторая семья, только скрывают. Это и вам пиар, и этим креатив, — он ткнул пальцем в потолок. — У них же нет совсем креатива. Я вам нарисую движение в пять минут вообще. Если Мутнов согласится, все в пополаме. — Мутновым звали генпродюсера «Спецпроектов», где делали «Родненьких». — Можем нацболов размазать, их запросто можно, никто не заступится. Потом Гусева можно. На него наверняка что-то есть, я знаю, он много наследил.

— Гусева? — переспросил Свиридов. — Друга вашего?

— Ну да. Если никого не мочить, креатива не построишь. С пиндосами сейчас не выйдет, уже надоело. Можно по грузинам подумать, не принципиально. В общем, если вы меня туда отведете, я им сам все объясню.

Свиридов испытывал мучительное желание начистить ему рыло или хотя бы послать, но понимал, что у инопланетянина это не вызовет сколько-нибудь адекватной реакции. Он не обидится, не задумается, даже не удивится. Он пойдет к Каширину, который только что застучал его самого, и напишет, что Свиридов растлевал малолетних, а поскольку все и так знают цену Панкратову и его доносам, никто не будет даже проверять. Это примут как данность, как идеальный предлог, ибо смысл выхолостился давно, искать его не следовало, — остался чистый ритуал стука, сажания, истребления, карьерного роста, надувания гондонов, размножения, разложения... Главное было — не заговаривать о смысле, это было единственное, что не прощалось.

— Я вас могу свести с Мутновым, — кивнул он.

— Когда? — деловито спросил Панкратов. — Завтра я занят, есть у меня еще одна задумка...

Он помнил, что надо продавать себя подороже, все-таки занят, кому-то нужен...

— Я думаю, через месяц, — сказал Свиридов. — Вы пока схему продумайте.

— Боитесь? — по-своему истолковал Панкратов его уклончивость. — Думаете, я порченый теперь, да? Так и вы порченый, и они вас там держат. Вы что, написать на меня хотите?

— Я никогда ни на кого не пишу.

— А хоть и пишите! — Панкратов от дружелюбия мгновенно перешел к агрессии, и только теперь стало видно, как он уязвлен внезапным падением: ведь в шаге был от шоколада, в шаге, а теперь унижается вот перед кем. — Пишите все, у меня человек сидит и пишет весь этот разговор!

Он ткнул большим пальцем себе за спину. Угрюмый юноша с челкой, спадавшей на лоб и прикрывавшей, видимо, алые бутоны созревания, поглядывал на них и время от времени что-то нажимал на мобильнике. Может, блефуют, а может, и пишет. Есть пишущие мобильники.

— Очень предусмотрительно, — сказал Свиридов.

— А приходится, — широко улыбнулся Панкратов, снова мгновенно переключая регистр. Видимо, это стремительное переключение входило в набор обязательных умений местного, своего, родненького.

— У меня только один вопрос к вам, Максим, — сказал Свиридов. — Постарайтесь вспомнить, это очень важно. Вы «Команду» смотрели?

— А как же?! — обрадовался Панкратов; тема, видимо, была ему знакома. — Как иначе, у нас все на нее ходили. Мы целый поход делали. Наше новое кино. Кто больше всех раз посмотрит, тому диск с автографом Гаранина.

— Нет, но сами вы когда смотрели?

— В первый день, как вышла, — гордо сказал Панкратов. — Нас от штаба отправили в «Октябрь». Я Олю Щукину видел, автограф взял. В щечку меня поцеловала, — он ткнул пальцем чуть ниже глаза. — Мы все трое должны были пойти, только Бобер не смог. К нему Жека прилетела из Новосибирска, ей на следущий день надо было назад, на отчетную конференцию. Он ее не мог провести, дома валялись.

— Ишь ты, — сказал Свиридов. — Не чужд, не чужд. Не было его, значит?

— Не было.

— И тоже исключили?

— Тоже, — сказал Панкратов. Он смотрел на Свиридова с изумлением. — Вы что думаете, что нас за «Команду»? Она же нацпроект...

— Нацпроект, нацпроект, — кивнул Свиридов. — Я вам позвоню, давайте телефон.

Все опять не сходилось, вот в чем дело. Составитель списков снова оставил лазейку для неверия — можно подумать, только этим и занимался.

8

«Но если каждый из нас — носитель конкретной, ярчайше выраженной черты, и нас подобрали, как радугу, причем в числе 180 таится тот же сакральный смысл, что в семерке? Исследуем же.

Тимофеев Анатолий Сергеевич, 47 лет. Водитель при боссе (босса шифрует). До 35 лет в таксопарке, неоднократный победитель парковых соревнований, обладатель каких-то вымпелов за самый бестравматичный, безаварийный, бессмысленный, беспощадный и т. д. год. Главная черта: значительность, жажда доминирования, демонстрация тщеславия. Доведено до абсурда. Лучше всех водит машину, знает Москву, воспитывает детей. Дети тоже наилучшие. В их обществе я не выдержал бы и дня. В "Октябре" был. Билет на премьеру получил от босса, не пожелавшего снисходить до "Команды". Возможная причина гипертщеславия — компенасация за необходимость обслуживать, вылизывать, равняться. Прочих качеств лишен начисто или состояние их зачаточно. Странным образом уверен, что с таким совершенным человеком ничто не может случиться. Разговоров не может поддерживать никаких, кроме как о собственных достижениях. Попадание в список расценивает как случайное. Высказал, впрочем, версию, что все списанты — лучшие по профессии, но, приглядевшись, был разочарован.

Вероятность: высокая.

Грушина Мария Сергеевна, 26 лет, аспирантка-психолог. Черта: жажда замужества. Убеждена, что будет идеальной женой и матерью, перезревает, теряет драгоценное время. Огромная жопа. Мужа ищет за границей, на сайтах знакомств (все здешние либо заняты, либо спились). Ненавидит и ревнует мать, уверена, что та нарочно отваживает ее мужчин при знакомстве. Отца обожает, боится. Отец с семьей не живет, женился заново лет двадцать назад, она бывает у него раз в месяц. Кажется, Г. ненавидит мать еще и за то, что несет на себе ее карму брачной неудачливости: мать замуж больше не вышла, долгих ро-

манов не имела. Постоянно рассказывает о чужих неудачных браках с подтекстом "Уж я бы". Разговоров на другие темы не поддерживает. Подозревает, что весь список создан как огромный клуб знакомств, потому что (вполне серьезно) "у людей нашего круга нет другой возможности познакомиться". Знамо, люди нашего круга сутками работают, а в свободное время закупаются. Активно поддерживает выезды. Замуж готова хоть за Гусева. Замужних женщин за редким исключением презирает. Политических преследований не боится (важно: не имела неприятностей по списочной линии).
Вероятность: очень высокая.

Майоров Григорий Сергеевич, 34 года, промышленный альпинист, в свободное время альпинист просто, яхтсмен, главное хобби — интерес к истории ариев и праславянства. Убежден в арийском происхождении славян, отделяет их от русов ("самозванцы"). Цель, по его мнению, — совместные тренинги для выработки национальной элиты. Соблюдает ритуалы, почерпнутые из "Влесовой книги". Себя считает волхвом. С пятнадцати лет борода (рассказывал, интересуясь, почему не ношу: русскому надо). Все разговоры сворачивает на пользу древних боевых искусств и вред христианства. Травный чай. Не женат, ищет истинную арийку. Евреев поминает назидательно: "Вот они же могут". В идеале желал бы видеть русских евреями, но хуже, чтобы при случае победить и евреев. Вероятность: вполне.

Волкова Елизавета Сергеевна, 35 лет, редактор отдела в "Престиже". Доминанта: болтливость. Перманентный, неутихающий гнилой базар по любому поводу, выражение простейшей мысли с помощью дюжины длинных фраз, но не радостный треп блондинки, а заборматывание звериного страха и уязвленности: бледная, постоянно украдкой оглядывается — не сверлит ли кто недоброжелательным взором. Говорит быстро, как бы оправдываясь. Корни болтливости — вероятней всего, страх, ни на что конкретное не направленный (в частности, за взрослеющих детей, опасный возраст, их двое, погодки, вечные ссоры). Но страх есть у многих, а такой гнойный зудеж — только у Волковой. Редактор она хороший, но с избытком дотошности. Кто ее так перепугал на всю жизнь — загадка. Начальствовать не умеет и не любит, отсюда срывы; с мужем все давно никак. Список воспринимает как возможность неформально общаться, общение считает высшей ценностью, умиляется любой услышанной глупости, как лепету ребенка. Вид загнанный, голос вечно запыхавшийся, тоненький.

Вероятность: манифестация типа более чем наглядная, но кому и зачем нужна конкретно Лиза? Можно было найти менее жалкий экземпляр. Хотя, как концентрированное выражение жалкости...

Свиридов Сергей Владимирович, 28 лет, сценарист сериалов и телешоу. Доминирующая черта...»

Здесь Свиридов надолго задумался. Самому себя, как известно, классифицировать труднее всего — хотя бы потому, что классификация уже унизительна: допускать, что ты принадлежишь к некоему типу и есть еще такие, как ты, значит уже соглашаться на что-то негигиеничное вроде пользования чужой посудой, а в конце концов и на то, что на тебя распространяются общие закономерности вроде старения, смерти, нелюбимости. Впрочем, пребывание в списке научило его некоторой умственной дисциплине, да и вовсе не обязательно было искать какие-то гнусности: подумав, он выцепил-таки свою главную черту. Это было нежелание соглашаться на условия, во-первых, и скрывать свои комплексы, во-вторых, — нонконформизмом он это не назвал бы, поскольку нонконформист как раз делает усилие для несогласия, Свиридов же терпеть не мог себя ломать и не понимал, почему он все время должен это делать. Мир других был непрерывным насилием над собой: толстые боролись с толщиной, богатые стыдились богатства, каждый считал долгом подгонять себя под образцы. Свиридов же был уверен, что от природы не хочет и не представляет собою ничего дурного, а потому не стеснялся ни лени, если тошно было работать, ни раздражения, когда встречался с идиотизмом. Что-то ему прощалось за дар, а что-то и не прощалось, и в этом не было ничего страшного: мы не обязаны ни под кого подлаживаться, и никто не обязан нас любить. Что мы называем комплексами? — всего лишь чужие кодексы. Свиридов принципиально не понимал, почему надо делать вид, что тебе хорошо, когда плохо; почему надо скрывать, что тебя не любили в школе, что тебе плохо в любом коллективе, где больше пяти человек, что ты не любишь и боишься физической работы, что тебе противно земледелие в любых его проявлениях и малоприятны селяне с их капустным самодовольством, основанным на том, что они часто имеют дело с навозом. Он не понимал, почему надо уважать человека за перенесенное страдание или за выслугу лет. Насилие над собой он считал опасней насилия над другими, ибо насилия над другими принято стыдиться, а насилием над собой — гордиться до самого наглого самодовольства, хотя в смысле жестокости и глупости оно дает фору любой агрессии, направленной вовне. Ему казалось неправильным скрывать неудачи и вообще менять свое лицо. Он категорически не желал обкатывать себя для неотличимости. Он имел право на такую позицию не потому, что приписывал себе исключительный талант, а потому, что был человеком, всего и делов-то. Человеку не должно нравиться постоянно ломать себя об колено, а идея собственной греховности приятна только тому, кому она зачем-то нужна (для списывания на нее неудач, бездействия или откровенного свинства — многие так и делают). Все, что было неудобно, стыдно, противно, — он считал незазорным признавать, обсуждать и по мере сил корректировать, а если нет — учиться с этим жить. Или даже так: он ничего не требовал взамен, но не скрывал брезгливости, когда видел предлагаемое.

Эта черта, пожалуй, заслуживала того, чтобы попасть из-за нее в список. Все прочие были производными от этой брезгливости. Она лежала в основе его мира. Вероятность? Ничтожная: кто оценил бы эту черту? Но по выраженности она могла соперничать с болтливостью Волковой, что да, то да. И не сказать, чтобы эта черта его не устраивала.

Он, может быть, и не заметил бы ее в себе, если бы не потребность выявить принцип списка. Самоанализ никогда не казался ему перспективным занятием — отчасти потому, что слишком подробное изучение инструмента вредит работе, а Свиридов и был собственным инструментом, и если сороконожка задумается, с какой ноги начинает движение, — ей не сделать и шагу. Главное же — сколько себя ни анализируй, ни одна машина не может перепрограммировать себя до неузнаваемости, и если речь не идет о маньяке — незачем и пытаться. Но в двадцать восемь лет полезно впервые задуматься, что ты такое, — разумеется, для того, чтобы тотчас забыть.

9

— Любопытно, — сказал Глазов. — Но мимо, конечно.

Они сидели в шашлычной в Палашевском и ели лобио из горшочков.

— Почему «конечно»? — обиделся Свиридов.

— Да нет, я понимаю, что это все игры. Но сам список, к сожалению, не игра. И ваш этот файл ничего не отменяет. Есть психологический тест, трудный, — тридцать вагончиков. Надо по некоторому признаку отобрать три. Большинство замечает, что у всех вагончиков пять окон, а у трех шесть. Другие видят что-то с количеством колес, и только ничтожный процент обращает внимание на крышу, которая у одних зубчатая, у других нет. Вот по этому тесту очень четко можно понять, к большинству вы принадлежите или к меньшинству. Причем критерий неважен. Просто если вы попали в те три процента, которые заметили крышу, то с этим никто ничего не сделает — рано или поздно окажетесь в меньшинстве, неважно в каком. Хоть в сексуальном. Психология меньшинств — если вы читали, допустим, Московиси, Донцова, хоть Бронникова...

— Ничего не читал, — сказал Свиридов. — Я в психологию не верю, буржуазная лженаука.

— Да, да, разумеется. У вас же написано — человек верит в то, что ему приятно, а вам неприятно, что ваше уникальное «я» подвержено закономерностям. Но если б вы читали, вам бы не пришлось докапываться самому. Так вот, есть школа Хаммера, который вообще полагает, что все люди делятся по единственному признаку: люди большинства и меньшинства, и это наполовину условия жизни, обстоятельства и все такое, а наполовину предрасположенность, а я так думаю, что и на две трети она. В общем, если вы по природе человек меньшинства, то пуля дырочку найдет: попадете в него либо по идеологическим, либо по физиологическим признакам, — допустим, растолстеете, — но ниша вас втянет. Люди большинства сейчас на виду, они поголовно единороссы. Заметьте, в нашем списке единороссов практически нет, если не считать Гусева со товарищи. Отметаем бред насчет того, что все они засланные казачки, и легко понимаем, что они суть тоже люди меньшинства — потому что именно меньшинствам присуща гиперактивность, самоутверждение, агрессия в отстаивании своих прав и тэ дэ.

— Черт-те что получается у вас, — сказал Свиридов. — Кто-то наверху читал вашего друга Московиси — у него правда такая фамилия?

— Да, он француз. Русского происхождения, но отдаленного.

— Ага. Кто-то там читал вашего русского француза и по его критериям отбирает людей в список. Гипотетические меньшинства.

— А зачем отбирать? — Глазов посмотрел на Свиридова хитро, словно уже знал все ответы.

— А как иначе? Вы думаете — сделать? Создать активное меньшинство?

— Нет, ну это глупость клементьевская. Зачем им активное меньшинство, они хотят общество вообще без меньшинства... Просто — никого специально отбирать не надо. Вы никогда не задумывались над так называемым парадоксом Кожева?

— И про Кожева ничего не знаю. Что вы мне все эрудицию демонстрируете, Глеб Евгеньевич? Не выделывайтесь, сэр, покажите пальцем.

— Какая эрудиция, это общеизвестная вещь. Был такой философ, тоже жил во Франции, тоже из русских. Между прочим, родной племянник Кандинского. Он в двадцатом, кажется, уехал. Так он даже написал письмо Сталину с горячим одобрением репрессий, потому что увидел в них не репрессии, а способ воспитания нации. Не исключено, что так оно и было. А пришел он к этой мысли в результате так называемого парадокса Кожева: непонятен был критерий. Во французской революции — нагляден, в английской кромвелевской — запросто, даже в камбоджийской, до которой он не дожил, существовал образовательный и имущественный ценз, после которого высылали или забивали мотыгами. Но в России все действительно непонятно — торжество принципа неопределенности. Берут врагов и правоверных, своих и чужих, евреев и татар, низы и начальство, и каждая страта уверена, что ударяют именно по ней. Строго говоря, правило Кожева как раз в этом и заключается: если не можете сформулировать причину — ищите цель. То есть действие предпринимается не почему-то, а для чего-то. На самом деле почти любую вещь можно рассматривать с этих двух точек зрения — например, секс. Кто-то скажет, что это по любви, а кто-то — что ради зачатия. Но наличие беспричинности, абсурдности — как раз и есть симптом великой цели, и это вполне убедительная формулировка. Так что Клементьев, сам того не зная, реализует феноменологию Кожева. Кожев просто не додумался до одного простого принципа — чтобы его почувствовать, надо жить здесь, а он жил в Париже. Это вещь не теоретическая, а ситуативная...

— Я читал, что это была месть непрофессионалов, — вспомнил Свиридов. — Ефимов, кажется, писал, или еще кто-то из эмигрантов. Он изучил статистику — вышло, что брали в основном квалифицированных работников по доносам неквалифицированных...

— Это только часть правды. Ключевое слово здесь — донос. Брали не таких-то и таких-то, или, верней, их таковость и нетаковость выявлялась в процессе. Брали тех, кто не успел донести, по доносам тех, кто успел. Вот и вся классификация.

— Не думаю. Это что же, большинство взято по доносам?

— Подавляющее. Восемьдесят четыре процента, если быть точным.

— Не встречал этой цифры.

— Ну, она с небольшими разночтениями широко озвучивается. Да хоть бы и шестьдесят — все равно ясно, что достаточно было дать толчок, а остальное сделали сами. И вот те, кто успел донести раньше, сдали тех, кто по тем или иным причинам воздерживался. Так и определилось — кому сажать, кому сидеть. Те, кто успели донести, как раз и составляют идеальных граждан; те, кто не успели, — в принципе допустимая жертва.

— Да ладно, — сказал Свиридов. — А то не брали тех, кто доносил!

— Случалось, брали, — легко согласился Глазов, приступая к шашлыку. — Но во вторую очередь. Пока не остались те действительно кремневые люди, которые в результате выиграли войну. Те, с которыми власти было хорошо.

— И Ахматова входит в это число? — ехидно спросил Свиридов. — И Пастернак? И мой двоюродный дед?

— Про деда вашего я ничего не знаю, — не смутился Глазов, — Пастернак вовремя спозиционировал себя юродивым, насчет Ахматовой разные есть мнения...

— Вы допускаете, что она доносила?

— Я думаю, что в ее случае эффективней было взять мужа и сына, что и было исполнено. Вообще не забывайте, Сережа, что мы-то говорим в основном о промышленности и армии — то есть о тех, от кого что-то зависело. А искусство — вещь десятая, просто оно на виду. Я четко знаю, что среди исполнителей — тех, от кого в конечном счете и зависит жизнь государства, — берут не стихийно, а рационально. Инициативный, плодовитый доносчик по определению остается на свободе. А тот, кто тормознул, — по нравственным причинам или по лености, — в государстве нового типа не востребован. Можно даже сказать, что системная, человекообразующая черта новых людей — готовность донести с опережением, нужный для этого уровень социальной зависти, присматривание за чужим богатством, успехом и прочая. Чисто ситуативная вещь. Так и выявляется меньшинство, готовое на все. А потому не нужное.

— Ну и что в нашем случае?

— То же самое, с поправкой на масштаб, — пожал плечами Глазов. — Люди делятся на тех, кто составляет списки, и тех, кто в них попадает. Вот и все актуальное членение.

— Стоп, стоп. Вы хотите сказать, что список составлял не один человек?

— А как иначе? — Глазов даже отложил вилку, до того его потрясла свиридовская наивность. — Как вы себе представляете одного составителя, побывавшего на всех предприятиях, в газетах, у вас на студии? Нет, это результат целенаправленной работы, конечно. Рассылается по первым отделам, или как они сейчас называются, конкретный запрос: укажите людей, с вашей точки зрения неблагонадежных. А неблагонадежность — понятие широкое, Набоков ввел термин «непрозрачность», более удобный, по-моему. Что значит сегодня «неблагонадежен»? Недорадовался трудовым победам коллектива? Не съездил на тимбилдинг? Недопил на корпоративе? Прогулял работу без уважительных причин? Рассказал анекдот про Путина и овощи? Не работает. В начальники попадают люди, которые интуитивно чуют, кто прозрачен, а кто нет. Больше от начальства ничего и не требуется. Вы непрозрачны, я это безо всякого доноса вижу. И я непрозрачен — у меня больше одной мысли помещается в голове. И даже упомянутый вами шофер Тимофеев — приличный человек, потому что у него есть рабочая гордость и он ее ставит выше сословной; а лишними по умолчанию являются все, у кого имеются неконъюнктурные принципы. Не соотносящиеся с конкретной ситуацией. По этому же признаку и Маляров непрозрачен со своими ариями... ария голодных из оперы «Три дня не евши»...

— Майоров, — поправил Свиридов.

— Да, я путаюсь уже во всем этом списке... И бедная Лиза, болтушка, тоже ведь болтает не просто так. Откуда в ней этот страх? Да некомфортно ей в «Престиже», только и всего. И накроется скоро этот «Престиж» по открывшимся обстоятельствам.

— По каким?

— Делиться не хотели, я думаю. Да неважно. Она не на месте, у нее не светская психология, может, она вообще себя здесь чувствует чужой, или за сыновей боится, что им в армию идти... Вот они и направляют списки: такой-то, с нашей точки зрения, неблагонадежен, такая-то сомнительна... А дальше этот список доводится на всех уровнях до сведения контрольных, таможенных и иных влиятельных органов, и каждый делает что может, поскольку на прямые репрессии решаться не хотят. Имидж портить, с Западом ссориться — зачем? Если хотите знать, я всегда предполагал, что репрессии нового поколения пойдут по этому сценарию. Он такой сетевой. Факт наличия списка не скрывается — о нем все знают, и это полезно, чтобы люди боялись туда попасть и вели себя аккуратнее. Вы ведь заметили, что он расширяется? А число людей, бывших на конкретном сеансе, никак расширяться не может.

— Ну, может, добровольно вписываются? Как Борисов?

— Господь с вами. Борисов врун, болтун и хохотун, таких много не бывает. Я думаю, это новые неблагонадежные... потому что если список закроется, идея будет мертва. «Свои» почти всем уже сделали гадости, организация не должна простаивать.

— Глеб Евгеньевич. — Свиридов перестал понимать, где тут интеллектуальная спекуляция, а где вера в собственный бред. — Вы тоже, что ли, не верите, что перед нами список людей, в первую неделю проката посмотревших «Команду»?

— Ну конечно, нет. — Он говорил искренне, без тени насмешки. — Я даже знаю, почему в это верите вы: вам льстит сознание допущенности к гостайнам, у вас друг такой знаменитый, он лично к вам приехал и рассказал версию. Вероятно, для того, чтобы вы тут же ретранслировали ее вашей Тэссе из рода д'Эрбервиллей. Вы и ретранслировали, сделали, что требовалось, и я вас нисколько не виню: я бы тоже немедленно озвучил такую новость. Но считать эту версию основной, особенно по зрелом размышлении... извините, Сережа. Они, конечно, идиоты, и многое дошло до абсурда, — но при всем неуважении к «кровавой гебухе» я не думаю, что они докатились до рассылки по жэкам списка зрителей фильма «Команда». А вот придумать такую версию действительно могли очень глупые люди, и это лишний раз доказывает, что пиар у них поставлен хуже, чем оперативная работа.

— Да в чем тогда смысл этого списка?! — в отчаянии спросил Свиридов. — Идея-то в чем, Глеб Евгеньевич?! Я могу еще понять людей, которые отслеживают биографии зрителей: все-таки интересно, как подействовала

агитка! Когда обзванивают таргет-группу и собирают те-
лерейтинги, мне это тоже кажется абсурдом, но ведь это
методика, так делается во всем мире! А когда просто, по
произвольному критерию, отбирают двести человек и
у всех на глазах подвергают противоположным воздействиям, из огня в полымя, а оттуда в сугроб... в этом нет уже
вовсе никакого смысла!

— Вы, Сережа, все ищете смысл. А у одной умной женщины, — Глазов назидательно поднял вилку, — уже было написано: в иные эпохи надо помнить не о смысле, а о цели.
Сейчас вообще кризис смыслов, и я даже думаю, что вопрос
«зачем» — довольно детский. Вещи происходят силою вещей. В детстве люди подбирают к этому причины, а потом
просто понимают, что такова жизнь, и все. От идеологий
и целей давно пора отказываться, это вещи наивные. Происходит простейшая вещь: в перенасыщенном растворе выпадают кристаллы. В силу разных, слабо связанных причин
у нас в обществе сейчас перенасыщенный раствор: оно за-
крыто, подцензурно, социально расслоено, финансово пе-
регрето, интеллектуально обескровлено, немобильно, не-
стабильно. В обществе с такими характеристиками — часто,
согласитесь, взаимоисключающими, — создается в какой-
то момент избыточное давление, раствор перенасыщается,
и выпадают кристаллы. Кристаллы, разумеется, начинают
думать — чем они виноваты? Ничем, в кристаллическую решетку свободно могли объединиться другие атомы. Но объ-
единились эти, и надо жить. Утешайтесь тем, что мы кристалл.

— А что дальше?

— Да ничего практически. Кристалл растет, пока не кончится раствор, — ну и список будет расти, пока не кончится нефть или не сменятся условия. Но в таком обществе
всегда появляются списки, и формирование их всегда происходит более-менее по одной модели. В закрытых цент-
рализованных сообществах — то есть в перенасыщенных
растворах — это, как правило, те, кто не успел донести. Хотя, правду вам сказать, — в одном ваш друг Рома прав. Это
действительно неважно. Это мог быть хоть один какой-ни-

будь класс одной школы с одноклассников ру, но тогда ведь, согласитесь, неинтересно. Аналитический отдел Лубянки должен что-то предъявлять, чтобы не просто так зарплату платили. Ну вот, они проанализировали. И тот факт, что все мы попали в список, говорит как раз о том, что мы не совсем приспособлены для жизни в нашем обществе.

— Да почему? — спросил Свиридов с досадой. — Я одного никак не пойму: почему именно?

— Потому, — невозмутимо отвечал Глазов, — что в противном случае этот список составляли бы мы.

— И все сводится только к этому? — повторил Свиридов.

— В нашем обществе — только. Ум, талант и прочие профессиональные составляющие перестают иметь какое-либо значение.

— Так. — Глазову впервые удалось пошатнуть уверенность Свиридова в Роминой версии, и надо было срочно освоиться в новой конструкции. — Очень хорошо. Ладно. Но тогда — что нам теперь делать? Если от личных качеств больше ничего не зависит? Начать доносить?

— Поздно, — улыбнулся Глазов. — Не поверит никто.

— Ну а что? Уезжать?

— Можно попробовать, но проблематично. Усачева вон уже не выпустили, да и у меня проблемы — начальство собиралось в Японию отправить на симпозиум, но поедет, кажется, другой.

— А тогда как?

— Выпадайте в осадок, Сережа. Что еще кристаллу делать? Попробуйте как-то социализироваться, вон вы продолжаете вашу программу писать — пишите. Можете что-то для себя сочинять.

— Не могу я сочинять, Глеб Евгеньевич, — сказал Свиридов. — Не могу вообще ничего сочинять, когда я в списке. Сижу пасьянсы раскладываю.

— А вот это вы зря. — Чувствовалось, что Глазов наконец удивился. — Не ждал от вас. Я же вам объяснил: вы всегда принадлежали к меньшинству, только не знали об этом. А сейчас вас, слава богу, выявили... Что дурного?

Плодотворная, по-моему, ситуация. Можно гордыню отрастить.

— Для вас, может, плодотворная, а для меня вилы. Что может сочинить инфузория под микроскопом?

— Да только под микроскопом ей и сочинять! — Глазов улыбался все шире. — Это же отлично: такой читатель! Кто прочтет сочинения обычной инфузории? Другая инфузория! А тут кто? Целый наблюдатель, доктор наук. Сейчас-то и писать, когда к вам приковано внимание! Неужели это вам не стимул?

— Если б так — да. Но здесь поправка. Здесь под микроскопом, похоже, человек, а смотрит на него как раз инфузория. И в этом состоянии я вряд ли что-нибудь напишу. Да и описывать нечего — лежишь на приборном стекле...

— Это отличная тема! — воскликнул Глазов. — Отличная! И вот пишете же вы это ваше исследование — подробный перечень с характерной чертой каждого. Я слушал с большим интересом. Гораздо увлекательней, чем традиционная эта байда с сюжетом. Может, это и есть литература нового типа. Так сказать, с гурьбой и гуртом... Некоторые списки очень интересно читаются. Вот я читал про перевал Дятлова, когда изучал массовые фобии и парафеномены всякие. Вы ведь знаете эту историю, как группа погибла на Склоне мертвецов?

— Читал что-то...

— Очень странный сюжет. Они все погибли по-разному, наделав перед этим тьму нелепостей. Среди ночи разрезали палатку изнутри, хотя был вход, ничем не заваленный; все шестеро — подготовленные туристы. Выбежали на снег, двое развели костер и почему-то сунули в него руки и ноги. У одного юноши расплющен череп. Одна девушка без языка.

— Как — без языка?

— Не было, вообще. Нашли труп под снегом через три недели, а во рту пусто. У одного татуировка на груди оказалась непонятная — то есть она была и раньше, но непонятно, что за человек. Короче, до сих пор никакого объяснения: либо коллективное безумие, либо испытания на

304

склоне, ракета прилетела, и они все были ослеплены взрывом. Не знаю, короче. Самая таинственная история из всех советских. Еще подобная была в тайге, тоже разрезали палатку изнутри и выбежали, и лежали веером — зима, а без валенок, в носках, то есть их внезапно что-то очень испугало, до такой степени, что они забыли, где вход. Один успел на дереве нацарапать «Здесь аномалия».

— Не верю, — сказал Свиридов. — «Аномалия» — сложное слово, его не будешь царапать ножом в последний момент. Даже «здесь» сложное. Он бы другое написал, типа «Тут ой».

— Да, «Миша всё». Но не в том дело. Я читал когда материалы по перевалу Дятлова — там подробные списки вещей, которые у них с собой. Штаны фланелевые две штуки, фотокамера «Зенит» одна штука... Записные книжки с гимном Уральского политеха... И вот, знаете, эти списки сильней читались, чем любое расследование. Застывшие люди из пятьдесят девятого года: романтика, студенчество, туризм, пуризм... Девушки все девственницы оказались, представляете? А ведь с мальчиками в походах, вообще активистки и все дела... Они же ничего не знают, до первого космонавта не дожили. Если б издавать подробную опись имущества любого покойника — это лучше любой биографии: и документ времени, и даже итог судьбы. Сюжет в литературе как-то исчерпался, по-моему. Их число ограничено, что там нового придумаешь? А если бы кто-то издал наш список — просто список из двухсот человек, сколько нас тут есть, — это было бы поучительнейшее чтение. Особенно если не говорить читателю, по какому критерию отбор...

— Сроду не стал бы читать такую хрень, — признался Свиридов.

— Не зарекайтесь, не зарекайтесь. Написал же Сорокин про очередь — и сегодня читается как бестселлер. Кажется даже, что и фамилий теперь таких нет.

— Без сюжета ничего не бывает.

— Это в вас сценарист говорит. А иногда во всей жизни нет сюжета, есть зыбкая взвесь и в ней разговоры. Честно вам скажу, мне гораздо интересней было бы просто смотреть на человеческие лица.

— Разговоры слушать — с ума сойдешь. Застенографируйте то, о чем говорят вокруг, — чушь собачья.

— Не всегда, не всегда. — Глазов расплатился. — Не лезьте, я угощаю. Моя очередь. Когда есть действие — тогда да, разговоры, как правило, идиотские. А когда ничего не происходит — тогда только в разговорах весь интерес. По-моему, вы открыли жанр.

— Это не я открыл, — махнул рукой Свиридов. — В классической комедии «Сбрось маму с поезда» изображается литстудия в Штатах, там их полно. И один персонаж зачитывает роман «Список женщин, которых я хотел бы трахнуть».

— Между прочим, — уже на улице заметил Глазов, — этот список сказал бы о нем больше, чем любая биография. Так что подумайте, подумайте.

10

И Свиридов думал.

Мой отец пропал без вести. У Ложкина, Чумакова, Горяинова тоже в детстве ушли или погибли отцы.

Глазов, Сомов и Старухин страдают гипертонией. Проконтролировать всех, произвести замер. Версия о диспансеризации вписывается.

Чернов, Минаев и Козицкий в прошлом году бросили курить. Я почти бросил. Опросить прочих.

Лебедев и Кумач составляют двойную фамилию. Отыскать в истории Глазова-Сомова, Старухина-Ложкина.

Батурин, Морозов и Пугачев являются однофамильцами известных людей. Все остальные тоже являются чьими-нибудь однофамильцами.

Господи, по какому признаку ты всех нас вписал сюда?

Иногда он заходил в блоги — почитать, что пишут о списке. Писали мало. В Валином сообществе разнообразно жаловались на жизнь, но на улицу не рвались. Поражало одно: прежде чужое несчастье вызывало если не сочувствие, то по крайней мере род целомудренного уважения. Если кто-то умирал, стыдились радоваться; если родственника сажали — с этим не поздравляли. Теперь эти правила рухнули: можно было списать это на общую сетевую безответственность — с ника и спросу нет, — но Свиридов чуял за этим падение куда более серьезных ограничений. Внутри у всех была каша, труха, гниль. Чумакову никто не сострадал, большинство сходилось на том, что аудитору так и надо; нашлись люди, подведенные им под монастырь, не могущие ему простить именно отвергнутую взятку. Живой интерес к списку ощущался лишь среди эмигрантских блоггеров, страшно довольных любой здешней мерзостью. Выходило, что всем оставшимся так и надо. Израильские национал-патриоты — самые невменяемые из всех, как жесточайше деды получаются из наиболее зачморенных салаг, — злорадствовали насчет Лурье. Все сходились на том, что если он не уехал в начале девяностых, то безусловно заслуживает своей судьбы. Бывшая одесская инженерша собрала урожай из трехсот восторженных отзывов под постом о гнусном отступничестве всех оставшихся, о том, что еврей, отказавшийся от Восхождения, фактически становится на сторону ХАМАСа, — и Свиридов впервые пожалел суетливого Лурье, режиссера эстрадных зрелищ, отпетого пошляка, радостно затаптываемого своими. Смешней всего было то, что негодующие репатрианты расписывались в ненависти к Эрефии на полуграмотном, но несомненном русском — многословном, многоцитатном русском языке воинственной жаботинской публицистики. Особенно длинный флуд разразился после робкого возражения израильской девушки, не желавшей верить, что ее мать, оставшаяся дома, предала свой народ. За спорами о том, стал ли Израиль сверхдержавой или только идет к этому, Лурье совершенно забыли.

Этот флуд и навел Свиридова на мысль, утешавшую его почти до снега. Свиридов никогда не мог понять, как можно променять рассеяние с его страдальческой красотой и широчайшими возможностями на чечевичную похлебку имманентности, зов крови и почвы, на жалкий кусок ближневосточной земли и перспективу превращения в обычную ближневосточную нацию, разве что чуть крикливей и самодовольней. Он почти не застал соввласти, а потому склонен был идеализировать ее, как многие в поколении: выходило, что ей отомстили безжалостные, темные силы энтропии, умудрившиеся проассоциировать прогресс с массовым убийством. Между тем прогресс — который и заключался в преодолении губительных имманентностей, душных суеверий и многовековой замкнутости, — столько же мог отвечать за массовые убийства, сколько луна — за маньяка. Маньяк активизировался при луне, но это не значит, что она повинна в его зловонных грехах; Россия была одинаково готова составлять списки в тридцатые, когда в ней что-то непрерывно строилось, росло и варилось, — и в нулевые, когда все в ней падало, разлагалось, лгало и грабило. Русское привязалось к советскому, как муха затесалась в прибор нуль-транспортировщика в ужастике Кроненберга: ее гены навеки примешались к человеческим, и страшный гибрид похоронил саму идею. Меж тем массовые истребления оставались тут возможными и необходимыми под любым предлогом — или безо всякого, как теперь; но провозглашать на этой почве возврат к средневековью — значило сильно путать причины и следствия.

— А средневековье — вот оно, — говорил он ночью полусонной Вале. — Национализм — пожалуйста. Самая суеверная, самая низкопоклонная, темная, огосударствленная вера — на тебе, кушай. Триумф ползучих инстинктов — сколько угодно. Человек так устроен — если не тянуть его вверх, он опускается вниз. Поле, не засаженное культурными злаками, автоматически зарастает бурьяном, в три года, а то и раньше. Окультуривать, растить, преодолевать человека — иначе скотство, Панкратов, Гусев, Михалков, целующий ручки патриарху... И знаешь, мне кажется, что у списка есть шанс. Я много проверял — никакой имманентности в основе. Думал даже, что там вся публика без отцов. Ни одного правила без исключений, ни одного внятного критерия — как нарочно. Можно подумать, его Лем составлял. И я подумал: Валька, но ведь это и есть критерий! Люди, не объединенные никакой имманентностью, получили шанс построить отдельное сообщество, клуб свободных, ни к чему не прикованных существ! Всех повыгоняли либо с работы, либо из семьи. Все оторвались. Тут тебе и путь к новой нравственности, даже к новой церкви, если угодно, — ведь богостроительство не так глупо, к этому обязательно вернутся... Ты спишь, что ли?

Валя никогда не чувствовала тяги к абстракциям и действительно спала, уютная, как заяц в мультике. Что же, тем лучше: от бездны защищала, думать вслух не мешала. Всякий придумывает себе конструкцию, позволяющую жить: уродина полагает себя «зато умной», изгой верит, что с него начнется новое человечество. Что это было за новое человечество, Свиридов смог убедиться на дне рождения Волошина — вот уж подлинно на дне.

11

День рождения Волошина отмечался в пятницу, двадцать пятого октября. Журналист собрал почти всю их компанию — всех, с кем Свиридов периодически виделся; девочек было всего пять, и Волошин рассчитал верно. Версии списка — главные темы мужских разговоров — интересовали их всех гораздо больше, чем девочки. Пришла Наташа Драгоманова, жеманная и визгливая, Катя Булатова, та самая, с длинными зубами и заискивающей улыбкой; еще три не особенно заметных девицы, которых Свиридов знал только в лицо. Валя, которую намеревался привести он сам, была в тот вечер занята на волонтерстве; Свиридов, понятно, заподозрил, что у них с Волошиным особые дела по организации марша, лучше не обсуждать при всех. «Нет, нет, что ты. Может, я успею, потом забегу».

Был Глазов, был красивый и робкий Олег Сальников, позвали и Макеева — этого-то уж вовсе непонятно зачем, но Волошин пояснил наедине, что с ним уютней.

— Обязательно нужен дурак. Гораздо надежней.

— Что ж вы Абрамова не позвали?

— А я позвал. Еще в понедельник звонил. Но вряд ли он ко мне заявится, да и адреса не спросил.

— Адрес он знает, — сказал Свиридов. — Вы ему тогда давали, после творческой встречи.

— Да он забыл двадцать раз.

— Подождите, еще придет, начнет рассказывать, как все прекрасно...

— Не придет, — твердо сказал Волошин.

— Откуда вы знаете?

— Чувствую.

Свиридов это запомнил.

Никого из волошинских коллег не было, — вероятно, он старался не смешивать тусовки, а может, не хотел особо светить списантов перед журналистами; интересно, что каждый из списанных неохотно допускал товарищей по несчастью в свою профессиональную среду — то ли боялся заразить сотрудников, то ли понимал, что списочные разговоры вряд ли интересны людям другого круга. Все-таки в списке, как у гипертоников в санатории, темы были специальные — кого вызывали, что Калюжный, какие последствия по работе, что делает Жухов, не пора ли гнать Жухова... Толстую девушку Таню Ползунову, трудившуюся в сберкассе, неожиданно повысили. Драгоманова страстно влюбилась в киевлянина и беспрепятственно к нему выезжала уже дважды, значит, с ближними республиками проблем пока нет. Зато Спасова — помните Спасова? Высокий, с коровьими ресницами, — не пустили в Нигерию. Ну, это понятно: там война, сейчас никого не пускают. Но не пустили наши! Какая разница: значит, берегут своих. Мельком коснулись Гусева: он вышел из больницы, от издательства отошел, посещает храм.

— Ну, этот не пропадет, — сказал Клементьев. — Будет насаждать ОПК.

— УПК? — не дослышала Булатова.

— Основы православной культуры, — пояснил Клементьев. — Не верю я в перерождение этих типов. Подумаешь, повеситься хотел. Хотел — повесился бы.

Новые люди, победители имманентности, напились быстро и некрасиво. Без имманентности все чувствовали себя неловко, как без тени, а период сплочения на почве гонимости предсказуемо заканчивался. Гнусность ситуации усугублялась тем, что и в обычных-то закрытых сообществах все рано или поздно друг другу надоедают, а тут сообщество вдобавок утратило всякий признак признака, по которому его закрыли. У Волошина стало ясно, что все подозревают друг друга в худшем, но худшее каждый представляет по-своему. Разговоры не клеились, шутки не шутились.

— Андрей, вы как насчет марша? — спросил Свиридов.

— А что, марш — идея, — вяло сказал именинник. — Только не пойдет же никто.

— Это как надавить, — встрял Макеев. — Могут пойти, если всех с работы попрут.

— Всех-то не попрут.

— Я бы не ходил, — сказал Свиридов. — Дурновкусие.

— Ну, вам все дурновкусие... Хавать только все это полной ложкой — не дурновкусие, а рот открыть — как же, нельзя, новодворщина...

— Да открывайте сколько влезет, маршировать-то зачем? За Жухова? Это же, понимаете, низведение диалога на уровень головы и палки...

— Да? А сейчас у вас этот диалог на каком уровне — мерлезонского балета?

После горячего — Волошин накупил цыплят по-гурийски, переименнованных теперь в цыплят по-французски, разогрел в СВЧ, — курили на кухне. У Волошина зачирикал мобильник, в нем слышался громкий женский голос — Волошин однообразно повторял: нет, пока нет, да, сразу, как только, так немедленно.

— Жена? — извиняясь интонацией за нескромность, спросил Сальников.

— Жена моя давно в Штатах, — сказал Волошин. — И дочь с ней. И хер с ней.

— Американский? — подколол Макеев.

— Нет, наш, стоматолог на Брайтоне. А звонила жена Гриши Абрамова.

— Что такое?

— Спрашивает, не приходил ли.

— Он что, пропал?

— Говорит, четвертую ночь не ночует.

Все переглянулись, подумали об одном и том же, но были еще недостаточно пьяны, чтобы свободно обмениваться подозрениями. Только во время следующего перекура Сальников осторожно спросил:

— Что же такое с Гришей... с Абрамовым... бред какой-то. Такой положительный...

— С положительными-то и случается, — вздохнул Клементьев.

— Ну, хватит прятаться, — неожиданно сказал Волошин, перестав подпирать стену и оглядев всех с выражением горького торжества. — Абрамова сдал я.

Все были уже хороши, но протрезвели мгновенно.

— Заливать-то, — неуверенно сказал мальчик-тюльпан-чик Сальников.

— Да, да, — подтвердил Волошин. — Что такого? Не ждали Репина?

— Ну, знаете, — выдавил после паузы Макеев.

— Я его ненавижу, — резко сказал Волошин. — С первого дня, как увидел, — вы же меня, Сережа, с ним познакомили, нет? В «Октябре», на творческой встрече с ветеранами?

Свиридов кивнул.

— Ну вот. Как он начал рассказывать про прекрасную нынешнюю жизнь — так я все и понял. Вы тут говорили: Гусев, Бобров... Никого нет страшней, чем Абрамов. Которому все сейчас хорошо. Он же и после Жухова разливался, вы слышали? В первый раз-то... в походе. И что ребенку не надо менять еврейскую фамилию, и что в СМИ поливай кого хочешь, и что денег у всех полно, и непонятно, чего нам надо... На всю электричку дудел, сволочь. Все чтоб слышали! Вот тогда я и решил. Раз тебе так хорошо, получай. Посмотри, как оно хорошо, рылом упрись. Такой, пока не упрется, хрен поймет.

— Стоп, стоп, — проговорил Клементьев. — И когда вы его?

— Что — когда? Донес когда? Когда Калюжный вызывал. Он сразу спросил: кто что говорит? Я и говорю: никто ничего, один Абрамов. От него я неоднократно слышал разговоры о необходимости создания на базе списка разветвленной антиправительственной организации с британским финансированием. По-моему, очень логично, нет? На тебе твой Британский совет, кушай.

— У него двое детей, — сказал Свиридов.

— Помню, помню. Две дочки. Но если все у нас так хорошо, государство же быстро разберется, правильно? И позаботится о дочках, дочь за отца не отвечает...

Никто не знал, шутит Волошин или исповедуется. По его гладкому лицу и блестящим черным глазам ничего нельзя было сказать. Он поглядывал то на одного, то на другого и всем подмигивал.

— Мальчики! — капризно позвала Наташа. — Сколько можно!

— Погоди, мы в бутылочку играем, — отозвался Макеев. Из гостиной донесся визгливый хохот.

— Нет, Андрей, вы серьезно? — не выдержал Свиридов. — Всякий розыгрыш хорош в пределах...

— А почему, кстати? Вот вы, Сережа, верите?

— Нет. Вам это незачем, это не в вашей природе.

— А почему? — Волошин говорил зло, серьезно и смотрел теперь на одного Свиридова. — Они составляют в сети списки на уничтожение, и делают это совершенно открыто. «Враги русского народа». КМПКВ — когда мы придем к власти. Знаете такое сокращение? Там имен триста, между прочим, и мое в том числе. Уверяю вас, что и этот список не просто так, и тоже КМПКВ. А если мы еще не знаем признака — это не значит, что его нет. Ясно только, что живым никто из этого списка не выйдет, — тут-то, надеюсь, все понятно?

— Живым вообще никто не выйдет, — сказал Глазов из своего угла.

— Ну не надо, не надо, Глеб Евгеньевич! Хватит абстракции разводить, трогает жизнь, как говорится! Вот уже как трогает! — Волошин большим и средним пальцами подергал себя за кадык. — Они — совершенно не стесняются. Как вы не понимаете, это же все до первой крови! Одного растерзают — остальных задавят и не плюнут. Страшно же только в первый раз! У них все серьезно, они готовы, вам первому не поздоровится. Почему мы должны смотреть на это молча? Вот такие, как Абрамов, — они-то и решают дело. Это голос довольного большинства, им все нравится, — и пока мы не раскачаем это довольное большинство, ничего не выйдет. Не с Гусевым надо бороться, не с Панкратовым. Один взятый Абрамов значит больше, чем двадцать повесившихся Гусевых. Они же должны понять, что их, которым так хорошо, которые никуда не высовываются, — тоже могут взять за просто так, за неправильный нос, по оговору соседа! Пока они этого не поймут — мы так и будем катиться в задницу. Вы что же, надеетесь в перчаточках это все остановить? Было уже в перчаточках, сами хотите гибнуть — ради бога, но страну-то зачем толкать? Один взятый Абрамов — это двести одумавшихся! Поглядел бы я, как он теперь под нарами режим хвалит. А в том, что он под нарами, я не сомневаюсь. Такие всегда под нарами, деток очень любят. Кто любит деток, тот всегда ссыклив не по делу. А на нарах те, кто никого не любит и ничего не боится. Пока у нас таких не будет, будем в опущенниках ходить.

— Это такая ерунда, что даже спорить противно, — сказал Глазов.

— Да не спорьте, я переживу. Возразить-то нечего.

— Понимаете, Андрей, — осторожно начал Свиридов. Он боялся не Волошина, а почти неизбежной банальности сказанного: скользнет, не задев, а надо было в точку. — Я не буду вам про цель и средства, про мерзость доносительства и так далее. Но это все — для поддержания прежнего фокуса, для тех же качелей, на которых, честно говоря, уже укачивает. Мы должны быть как они и хуже, да? Но мы не должны быть как они, иначе все придет туда же. Мы должны быть лучше, чем они, другими, чем они, неужели непонятно?

— Бред, бред! — злился Волошин; он не на шутку завелся. — Праздный треп! В случае с Абрамовым, со всеми сытыми Абрамовыми, которые не желают ничего понимать, уперлись рылом в корыто и счастливы: как именно мы должны быть лучше?

— Вы должны как-нибудь иначе объяснять ему, в чем его неправда, — терпеливо продолжал Свиридов, чувствуя себя все более глупо и неловко. — На то у вас божественный дар слова и как там еще это называется. А у него нет никакого божественного дара, он мастер в автосервисе и ничего дурного вам не сделал, в конце концов...

— Да?! — возмутился Волошин. — А когда он на весь вагон орал: «Вы неправы, сейчас прекрасное время и лучший президент! Из всех возможных!» — это вам не было прямым доносом? Он же не просто орал: «Все отлично»! Он орал именно: «Вы неправы», и пальцем тыкал! Это не донос? Не изящная форма стука?

— Он орал в электричке, — сказал Макеев. — А вы сказали Калюжному. Разница есть?

— Никакой решительно. Все электрички набиты Калюжными.

— Ну, я вижу, вас не собьешь, Андрей, — решительно сказал Глазов и поднялся. — Если вы не шутите, я, пожалуй, пойду, а если так шутите — тем более пойду. Очень может быть, что у вас своя правда, и что вы по-своему очень доказательны, но как-то, понимаете...

— Да ради бога! — воскликнул Волошин, но уже без прежнего напора. — Не держу.

— Ну, еще бы вы держали...

— Господа, господа, — залепетал Сальников, пытаясь удержать зоолога, — друзья... Не хватало только еще в списке перессориться...

— Да никто не ссорится, Олег, — мягко отвел его руку Глазов. — Это же личный выбор... нет? Я просто вам хочу напомнить, Андрей, — обратился он к Волошину почти сострадательно. — Есть закон: сначала, конечно, берут тех, на кого донесли, это правило, я вот Сереже о нем рассказывал. Но потом, как правило, приходят за теми, кто донес. Это вторая ступень, про которую я обещал рассказать, но тогда не успел. В результате остаются какие-то третьи, признака я еще не сформулировал, — но именно эти третьи и есть опора нации. Они как-то умудряются жить, не участвуя во всем этом. А вы поучаствовали, и за вами обязательно придут — во вторую очередь, но никуда не денетесь...

В эту секунду, с чисто кинематографической постановочной точностью, какая в любом фильме показалась бы отвратительным дурновкусием, раздался звонок в дверь; но если в фильмах такие немые сцены превращаются в открытые финалы, то в жизни, вот проблема, открытых финалов нет, и действие продолжается даже тогда, когда всем уже все понятно. Кстати, открытый финал уместен там, где при любом варианте мораль примерно одинакова, — это он и демонстрирует; войдет ли сейчас новый грозный ревизор или прежний милый Хлестаков, который все это время притворялся, — смысл один. Представим себе данную сцену в кинематографе: кто бы ни оказался за дверью — случайный поздний гость или тайная полиция, — смысл примерно одинаков, и именно это призвана продемонстрировать долгая пауза, осторожный, робкий проход Волошина к двери, во время которого в голове Свиридова и пронеслась эта нехитрая догадка; но то, что было за дверью, совершенно смазывало финал и вновь выводило действие на унылый, бесконечный простор взаимоисключающих догадок и мнимых, никогда не случающихся событий; а это жанр теперь такой — неслучившееся. Посулили террор — и нет, либерализацию — и нет, войну — и зависло, и снова все висят в киселе, не в силах ни на что решиться; как же я не догадался с самого начала, ведь я уже, кажется, начал понимать жанр, в котором живу?

— Ничего, что поздно? — спросил Абрамов. — Звиняйте, дядьку, я не один. Со мной друган. Входи, друган.

Вместе с ним вошел очкастенький, виноватенький, помятый и мнущийся, даже не особенно вонюченький бомжик, и даже, может быть, не бомжик, а просто опустившийся тип — по его жалкому раскладу со всеми, по улыбочке, по вечной виноватости было ясно, что ему довольно выпить сто грамм, чтобы начать буянить уже совершенно непотребно, с ущербом для мебели; он топтался, поворачивался на месте, поздоровался за рукав с чьим-то пальто на вешалке, и ясно было, что вся его жизнь состоит из буйств с последующей смятенной виноватостью, и буйство сквозь нее уже просвечивало. Абрамов пил с ним третьи сутки и теперь ощущал ответственность за бомжика.

— Входи, входи. Это Леша, — представил он спутника.

— И это он? — спросил Волошин голосом Иа-Иа. — Мой подарок?

— Нет, братан, почему, — сказал Абрамов. — Лучший твой подарочек — это я. Видишь, как мне стало хорошо.

От него пахло настоящим трехдневным запоем, ссадина на скуле была сплошь залита зеленкой — не мазали, лили из пузырька.

— Вот так вот мне хорошо, — повторил он. — Отлично, отлично. И не надо ребенку фамилию менять, да? Эх, хорошо в стране советской жить. Налейте, что ли, кто-нибудь.

Девушки высыпали из гостиной и в изумлении рассматривали странную пару. Леша потупился. Абрамов сел на пол, не раздеваясь, скинув только ботинки, на каждый налипло с полкило глины — по каким пустырям он таскался?

— Ну налейте кто-нибудь! Очень грустно.

— Ты жене позвонить мог? — спросил Свиридов. — Она с ума сходит.

— Да заебала она уже, — просто сказал Абрамов. — Она с ума сходит, дочери сходят, я схожу... Вон Леша ни по кому с ума не сходит, у него была жена и нету, он свободный теперь человек. Да, Леша?

— Свободный, свободный, я кларнетист, — быстро заговорил Леша. — Леша Пиняев, всегда пожалуйста. Я исполняю на кларнете фортепианное трио Шостаковича номер пять, горькие ламентации, мог бы исполнить и сейчас, но нужен малый барабан, малый барабан.

Он лепетал, левой рукой карябая щеку, как Шостакович, была у гения такая манера. Прекрасная посмертная судьба, нашел в кого вселиться, зато теперь совершенно свободен и каждый вечер исполняет у трех вокзалов горькие ламентации, фортепианное трио для кларнета. Гораздо лучше, чем попадать в статью «Сумбур вместо музыки».

— Во, — кивнул Абрамов. — Скоро и я так стану... свободный. Восемь лет не пил, братцы, представляете? Сорррвался... в такой штопор... даже приятно. Но вы же рады мне, да?

— Очень рады, — кивнул Волошин. — Поднимайся. Вы, Леша, тоже проходите, пожалуйста. Кларнета у меня нет, но гитара имеется.

— На гитаре у нас Миша, Миша, — залопотал бомжик. — Я могу позвонить, он придет. Он играет на Сретенке, удивительно, удивительно...

— И Мишу позовем, — сказал Волошин. — Ну, пошли. Я надеюсь, Глеб Евгеньевич, вы передумали уходить?

Глазов молча тер переносицу. Кажется, он пытался проснуться. Вся их кухонная компания смотрела на чудесно явившегося Абрамова с откровенной брезгливостью, а Олег Сальников — так и вовсе с презрением. Дорогой покойник воскрес и навонял, виновник был невиновен, жанр не изменился, постановка моральной проблемы оказалась невозможной за полной размытостью всех критериев. Или, верней, в этом киселе шла своя жизнь, не в пример более тонкая, чем в твердом трехмерном мире, и самое горькое, что в нем приходилось искать новые критерии, а старые никуда не годились. Сумбур вместо музыки. Но трудность в том, что и в сумбуре законы: в нем нет предателей и жертв, добродетелей и злодейств, бродят и сталкиваются новые, туманные сущности, в которых тем не менее черт ногу сломит. Это Свиридов и пытался втолковать Глазову, когда они через час уходили-таки от Волошина, выпив больше, чем надо, на радостях по случаю воскресения Абрамова. Пили на самом деле, чтобы не дать окончательно накваситься ему. Он заснул, Волошин позвонил его жене — до того он препятствовал, вырывал телефон, умолял не сдавать его домашним, — и жена приехала, рослая, мужеподобная женщина с красными руками, с которой мог быть счастлив только слабак, законченный подкаблучник, реализующий свой мужской потенциал разве что в автосервисе. Она схватила Абрамова под мышки — на Лешу Пиняева вообще ноль внимания — и потащила в прихожую, там плюхнула, как мешок, и, безо всякой брезгливости вымазываясь в глине, стала напяливать на него ботинки; кажется, он уже притворялся пьяным, чтобы избежать разговора. Никто ей не помогал. Она, не прощаясь, выволокла его на лестничную клетку, там он вдруг протрезвел, встал и твердо пошел к лифту рядом с ней, осознав, видимо, неизбежное; было слышно, как они тяжело топают по кафелю, счастливые люди свободного мира. Жалко было только двух девочек, окончательно перепуганных долгим отсутствием матери: сидят там, ждут, пока она дотащит свой куль, жмутся друг к дружке. Хотя наверняка две отвратительные дылды: хамки и ябеды.

— Знаете, в чем ваша проблема, Сережа? — прервал его Глазов.

— В списке, как и ваша.

— Нет, не думаю. Вам, во-первых, нельзя пить. Вот вы сейчас со мной под дождем идете, а так бы и меня подвезли, и сами бы доехали. Завязывайте пить, Сережа, и больше ездите на машине. Это дисциплинирует.

— А во-вторых?

— А во-вторых, как бы это сказать? Один фантаст, мой старый приятель, как-то пересказывал мне фильм «Город потерянных детей». Знаете такой?

— Жене и Каро, — машинально сказал Свиридов.

— Да, да. Я не смотрел, только в игру играл. И вот я его спрашиваю: Андрей, а как они вообще туда попадали-то, в этот город потерянных детей? И он ответил гениально: они начинали смотреть не в ту сторону.

— Их похищали просто, — объяснил Свиридов. — Там профессор ебанутый, в игре этого нет...

— Это неважно, — нетерпеливо перебил Глазов. — Какая разница? Важно же, почему их похищали. Они начинали смотреть не туда, и все. Я знал людей, которых засасывало. Вы смотрите не в ту сторону, вам нельзя этого. Если бы вы мне были несимпатичны, я не стал бы вам говорить. Но вам не надо всего этого, вы еще молодой, у вас есть воля, нормальный характер... Что вам весь этот список потерянных людей? Кто вам вообще сказал, что надо в нем состоять?

— Мне это уже говорили, — кисло сказал Свиридов. Он вспомнил Алю.

— Ну и правильно говорили, и ничего. И простите вы меня за вторжение, но с Валей вам тоже нечего делать. Это я выпил, потому и лезу с советами. Ничего?

— Ради бога, Глеб Евгеньевич.

— Не сердитесь. Просто поймите: все эти дела, больные дети, волонтерство, люди из списка... это вам ни к чему совершенно. Ей это нужно, потому что сама она ничего из себя не представляет, и вот наращивает себе личность за счет благотворительности. Самое последнее дело.

Они стояли под мелким дождем, в лужах плясали иглы, бурая листва блестела под фонарем. Свиридов не хотел уходить: Глазов говорил важное и приятное. В последнее время ему редко говорили приятное — может, потому, что по-настоящему приятны стали только гадости про других; но в том, что он говорил о Вале, было зерно.

— Она не такая, — для порядку защитил он подругу.

— Она именно такая, поверьте, я много их повидал. Самоутверждаться за счет больных и убогих — последнее дело, волонтерство — вообще занятие не для девушек. Они тоже начинают смотреть не в ту сторону и сходят с ума. В мире много зла, беспричинного, непонятного, много всякой гадости. Это не нужно, нельзя пускать в свою жизнь. Есть опыт вредный, а есть лишний, просто лишний. Раньше принято было внушать: ешьте дерьмо полной ложкой, это и есть опыт. А вам зачем? Вы и так нормальный парень, не нужно вам это, честное слово. И я тоже больше не буду сюда ходить.

По наросшей привычке подозревать худшее Свиридов подумал: педик, ревнует...

— Вам другая женщина нужна, — развеивая эти подозрения, продолжал Глазов. — Здоровая веселая девка, рядом с которой было бы легче. С бабой должно быть легче, иначе зачем все? А этих я знаю, у меня этого было знаете сколько? Бедненькие, убогонькие. Жалеем птичку, цветочек. Это все от пустоты, от ничтожества, поверьте мне. Стрезва я бы вам не сказал, а так говорю. Не надо вам Валю Миронову, пусть ее устраивает марш списанных, это самое для нее правильное занятие, но себя в это втаскивать, ради бога, не давайте, не ваше это, сто лет вам не нужно. Ладно?

— Да, — сказал Свиридов. — Да, конечно. Я сам что-то такое чувствовал, но думал — все трусость.

— А вы не думайте, Сережа. Не думайте про себя плохо и не смотрите в ту сторону. И меня не провожайте, я один пройдусь. Ловите вон тачку, езжайте к себе, если что — звоните.

Валя позвонила ему около полуночи и сказала, что может приехать, — но он сказал, что лыка не вяжет, созвонимся завтра. Она, кажется, все поняла, у нее это было неплохо поставлено.

И с этого дня Свиридов не ходил на мероприятия списка.

12

Многое решила эта ночь, которую он провел в полубреду в своей одинокой квартире. Почему-то его бил озноб. Он достал с антресолей ватное дедовское одеяло, но и оно не помогло; проверил, плотно ли закрыт балкон, — плотно, не в нем дело. Свиридов заснул наконец рваным и нервным сном, в котором не мог выбрать между двумя трамваями. Дело было на грязной заводской окраине, куда почему-то доходили сразу два трамвайных маршрута. Один увозил прочь из города, другой обратно в город, и непонятно было — то ли на фиг бросить такую жизнь, которая завела-таки его в невыносимый тупик, к этой обшарпанной проходной, за которой в длинных цехах делали никому не нужные вещи, — то ли уцепиться за нее, потому что дальше будет еще хуже, голое черное поле с грачами и среди глинистой земли — рельсы в никуда. И он стоял на трамвайной остановке среди мрачных работяг — большинство уезжало в город, и против города дополнительно свидетельствовало то обстоятельство, что в трамвай было не протолкнуться. Другой же вагон, увозящий в черные поля, которые начинались сразу за поворотом, и Свиридов почему-то видел очень далеко, на километры вперед, проницая взглядом все те же бесконечные ночные пространства, — был почти пуст, но зато уж те, кто в нем ехали, смотрели так зверино, и рожи у них были такие бурые, что страшно было поставить ногу на подножку. А выбирать было уже пора, ибо сторож, выходя из проходной, озабоченно посматривал на часы: в его обязанности входило разогнать всех, кто вышел с завода. После этого можно было вернуться в сторожку, пропахшую немытым мужиком и «Примой», — так пахнут все КПП, что армейские, что заводские; смотреть крошечный черно-белый телевизор, разговаривать с ним, пить чай из мутного стакана в подстаканнике. Сторож — единственный, кто был тут на месте. Свиридов ненавидел выбор из двух, а тут был именно такой; и в тот самый миг, как он впихнулся-таки в последний трамвай, идущий в город, ему стало ясно, что этого никак, никак нельзя было делать, в городе творится сейчас что-то такое, из чего уже не выбраться, — но бездна за городом тянула к себе с такой силой, засасывала в такую глинистую воронку, что он из одного чувства протеста отправился умирать вместе со всеми, и пространство смыкалось за трамваем, зарастая мелкими коричневыми домишками для будущих страшных жителей. Он проснулся, плотней закутался в одеяло, понял, что уже не уснет, прислушался к организму и отправился в сортир.

Выключатели светились тускловатыми оранжевыми глазками: во время ремонта, устроенного Свиридовым в дедовской квартире силами двух ленивых молдаван, в прошлом преподавателей Кишиневского пединститута, ему почему-то поставили эти выключатели — чтобы их легче было находить в темноте, что ли? Плохо работал спуск, Свиридов попытался его починить, но особенно не преуспел; отвратительно было копаться в осклизлых внутренностях бачка. Кое-как поправил, долго мыл руки, в доме было все так же холодно, вода шла чуть теплая; черт, неужели и с трубой авария? Вернувшись под теплое одеяло, Свиридов, однако, почувствовал, что надо встать, вернуться и еще раз зажечь и погасить свет в ванной. Он сделал это как-то не так.

Возвращалось омерзительное ощущение, забытое с детства: сделал не так, переделать. Ему тогда это казалось собственной, неповторимой болезнью, но, прочитав в дурном советском романе описание героя, который, ступив за порог, тут же возвращался обратно и окончательно входил со второй попытки, Свиридов утратил и эту собственность. Оказывается, это было общее достояние, синдром навязчивых ритуалов или состояний, он же обсессивно-компульсивный синдром, проклятие детей требовательных родителей либо же дурная наследственность. Присмотревшись, он и за отцом стал замечать то же. Механизм был ясен: если сделать все с одного раза, могло пойти так, а если с двух, то иначе. Может быть, с трех все могло пойти совсем по-другому, но поскольку число нечетное, то это было ближе к первому варианту, а четыре — уж совсем смешно. В детстве это тянулось долго, в отрочестве прошло в одночасье — как-то вдруг самому стало смешно угождать неведомому божеству, да и жизнь в девяностые шла так, что понятно было: закон утратился, как чашку ни ставь, ничего не добьешься. Странным образом сейчас это вернулось — вероятно, закон заработал опять и невидимый бог, спрятавшийся было, снова требовал жертвоприношений в виде бесконечных повторений жеста или слова. «Сюда — цветы, тюльпан и мак, бокал с вином — сюда. Скажи, ты счастлив? Нет. А так? Почти. А так? О да». Бедный запуганный ленинградец, пытается выдать обсессию за эстетическое чувство.

Но понимание пониманием, а пришлось встать: вдруг это проявление более тонкой связи с миром, понимание, что если еще пять раз пощелкать выключателем — все придет в лад, в гармонию. Вылез из-под теплого одеяла, хотя нет лучшего способа заснуть, как знать, что надо сделать нечто, и все-таки этого не делать. Встал, пошел щелкать выключателем; чувство было похоже на сосущую боль, неловкость, причем именно в руке. Рука требовала включать и выключать. Нет, все еще было как-то не так; наконец выключил более-менее приемлемо, но чувствовал страшный зов не уходить, долго еще стоять в коридоре. Под одеяло было нельзя. Плюнул, взял себя в руки, зажег в коридоре свет: больной, желтый, при нем еще страшней. Выключил, вернулся в постель, но тут же вскочил, как ужаленный: неправильно лег. Надо было лечь иначе, как-то с правой ноги. Долго ложился, выбирая правильное положение. (Драйзер после провала «Сестры Керри» всю ночь пытался правильно установить стул посреди комнаты, кажется, «Регтайм».) Лег, укрылся, устроился, отлично понимая, что придется вставать опять: неправильно закрыл дверь в ванную. Встал, долго еще закрывал дверь; два оранжевых глаза смотрели в упор. На самом деле все не так, паллиативными мерами ничего не решишь. На самом деле надо было выйти из квартиры, шагнуть в ледяную дождливую ночь: все решалось там.

Все пустыри, все капустные поля у окраин, все ржавые гаражи звали его. В эту минуту он понял, что произошло с отцом. Отец в какой-то миг тоже не смог сопротивляться этому зову. Свиридов с ужасной ясностью увидел, как это было: он точно так же три раза попытался закрыть дверь или поставить чайник на плиту, и в третий раз дыра в его обороне была пробита и начала стремительно увеличиваться. В эту дыру хлынули все несчастья и ненастья, все мольбы о пощаде и спасении, и отец вышел из дома и пошел в это слезное серое пространство — искупительная жертва, если угодно, чтобы жили Свиридов с сестрой; ушел и отдал себя вместо них, и до них долго не могли добраться, только теперь достучались. Свиридов чувствовал, что если он еще раз выйдет в коридор, то и сам не сможет удерживаться, поспешно оденется и выйдет в сырую ночь, и отправится куда глаза глядят, и забудет имя, и там, может быть, встретится с отцом — просто потому, что дно одно и на нем не разминешься. Этот рыдающий зов бесконечного пространства, населенного больными детьми, одинокими стариками и неустроенными женщинами, был так силен, что Свиридов заткнул уши, но и сквозь вату продолжал слышать напряженный, звенящий гул.

Он включил компьютер и до утра раскладывал «Паука», а с утра, едва начало мутно светать, начал жизнь без списка, без Вали и волонтеров. Все случилось легко, отпало, словно отболело. Видимо, он перебрал все, что можно было делать в списке, — обсуждать, жаловаться, бояться, жалеть, негодовать, — и, отведав всего, встал из-за стола. Утром он наконец лег, выспался, проснулся около часу и первым делом позвонил Тессе. Чувствовалось, что она занята — может быть, интервью? — но ради него отвлеклась:

— Да, Сергей, говори.

— Тэсса, — сказал Свиридов ровно и твердо. — Простите, но я больше не буду писать вам.

— Но странно, — сказала Тэсса. Она занервничала. — Но очень странно, что ты так предупреждаешь. До очередная колонка есть неделя...

— Я не хочу неделя, — сказал Свиридов. — Я просто не буду писать очередную колонку, и все.

— Но это сейчас очень важно, — с усилившимся акцентом, с мягким напором повторила она. — Сейчас самое такое время, ты понимаешь? Ты два месяц писал почти ни о чем, и сейчас, когда начало событий, ты отказываешь. Ты нужен именно сейчас, в период марш...

— Я не буду участвовать в марше, — раздельно произнес Свиридов.

— Но как, ты же есть список...

— Я не есть список! — взорвался Свиридов. — У меня своя жизнь. Моя жизнь не определяется списком. Я не пойду ни на какой марш и не буду больше ничего вам писать, ясно?!

— Если речь про деньги, — так же мягко сказала Тэсса, — то это решаемая вещь.

Свиридов повесил трубку и отключил телефон на случай, если она вздумает перезвонить. А два дня спустя он встретил Вику — и отгородился ею от всей прежней жизни, от Тэссы, Вали, списка, марша и страха.

Вика не боялась ничего. Она была права всегда и во всем, не совершая для этого никаких усилий. Вале приходилось покупать правоту волонтерством, помощью ближнему, лихорадочной благотворительностью, — Вика была права от рождения, хотя ни на чем не настаивала. Она просто входила, усаживалась в кресло, закуривала, поглядывая на всех — и никто не сомневался в ее праве так себя вести, так говорить, так курить. Может, она и была в глубине души страшно неуверена в себе, бог ее знает. Но она так хорошо умела срезать одним словом, многозначительно вздохнуть, отвернуться, — что каждый в ее присутствии тут же ощущал собственную неполноценность, и Свиридов быстро оценил ее незаменимый дар.

Она явилась на «Родненьких» от «Космо», хотя не работала там и вообще нигде толком не работала — напишет туда, нарисует сюда, издаст книжку жежешных постов (ник был, естественно, walks_by_himself с кисою на юзерпике), — и Свиридов бросился к ней, как собака к целебной траве. Потом, недели две спустя, — ее манера курить в постели раздражала, что ж поделаешь, но не мешала долгим ночным разговорам, в которых она, впрочем, чаще помалкивала, — он ей сказал:

— Правильно ты все делаешь.

— В смысле?

— В смысле — тут ничего не надо уметь, кроме домини-рования. При отсутствии общего смысла это единственная ценная вещь. У одних оно грубое, у тебя деликатное, даже симпатичное. Но перед тобой все выглядят дураками, я это ценю.

Она пожала плечами и стряхнула пепел мимо пепельницы.

— А я идиот, что все время доказываю свое право на су-ществование людям, не имеющим права на существование. Мы за это и в список попали, кстати.

— Мм? — промычала она вопросительно.

— Да, это же чувствуется всегда. Если человек ищет ка-ких-то оправданий своей жизни, ему прямая дорога в список.

— Мм?

— У меня был приятель, так он на вопрос — чем отлича-ется верующий от атеиста в нравственном смысле, ну зна-ешь, бывают же добрейшие атеисты и наоборот, — так вот, он сказал: любопытством и благодарностью. Любопытст-вом — потому что верующего не устраивает насквозь по-нятный мир, а благодарность — потому что хочется кому-то сказать спасибо. Но я думаю, это не все, понимаешь? Глав-ное — это неуверенность в своем праве быть. Надо посто-янно отчитываться. Потребность в конечной инстанции.

— Погрешность, — сказала она.

— Какая?

— Погрешность прибора. — Она училась когда-то на физфаке, ушла с первого курса, но вот и такие фразочки бывали у нее в багаже. — Человек такого наприписывал Бо-гу, столько своего дерьма туда накидал — с чего ты вообще взял, что ему интересны твои отчеты?

— Но хоть кому-то они должны быть интересны?

— Никому ровно. Богу интересны хорошенькие женщи-ны, хорошая литература. По пейзажам же видно, что эстет.

— Это да.

Она не брала у него денег, да он и не мог предложить много. Она появлялась, когда хотела, но если он просил приехать — старалась приехать. Она ничего не рассказыва-ла о себе. Свиридову нравились такие отношения. Впервые в жизни ему нравилось ничем не обладать и ни за что не отвечать. Кто ничего не хочет — к тому все само плывет. Он научился многозначительно отмалчиваться и не лезть в споры. У него прошла всякая потребность влезать в многочасовые дискуссии о причинах и целях списка. В конце концов все, кто сюда попал и тут живет, тоже оказались в каком-то списке, и спрашивать о предназначении бессмысленно — делай, что хочешь, потому что никто не знает, что должно. И будь готов за это платить. Вика — значит Виктория, «она победа».

В постели была сдержанна, иногда он не понимал даже — нужно ей это или нет. Алька была честна во всем, но Свиридов теперь знал, как расплачиваются за полную честность. Он все-таки не выдержал, позвонил ей как-то, — абонент временно заблокирован. Совсем, видно, плохи дела. Можно было сразу, как Алька. Но он прошел путь, так честней.

О делах списка он узнавал по сайту. Ему самому теперь было непонятно, как он мог всерьез жить этими вечными поисками смысла, страхами, выездами на природу. Валя Голикова все понимала, не появлялась, не звонила, и он старался не думать о ней. Не было даже намека на вину — он одинаково легко бросил их, Валю и список, пытавшихся привязать его именно дискомфортом, вечным ощущением бесправности. И чудо — только он понял, что имеет право жить, ни перед кем не отчитываясь (а внутренне всегда ведь был к этому готов, думал об этом, даже в личный реестр вносил эту тайную добродетель), как посыпались заказы, сползла опала, и даже позвонили один раз с «Ордена», какое-то ток-шоу, но тут уж он был непреклонен. Кто угодно, но не вы.

В первых числах декабря Валя вывесила сообщение: Чумаков слепнет в тюрьме, оказался диабет, лечения нет. Позвонила Тэсса с просьбой о подробностях — Свиридов попросил больше не обращаться. Слепнет, очень жаль. Зато Бобров с клубом «Список» преуспевает, к нему стали даже захаживать «Местные» — произвели, правда, погром и не желали платить, но он это как-то замял, и через неделю они наведались снова, уже заплатив. Хоть и бывший, а свой. Стало быть, никакой списочной предопределенности тут нет, и Чумаков в тюрьме не за список, а, может быть, за диабет. Никто ничего не знает, и почему вообще шум? Все это было так пошло, особенно с Викиной точки зрения, на которую он теперь все чаще становился. Виктория, победа. А другой модели поведения просто нет. Где-то, может, и есть, но тут нет.

Пятнадцатого декабря Валя разместила призыв о выходе на марш. Плюс обращение Жухова с воспоминаниями о том, как он лично еще когда-а-а резко критиковал, протестовал и огребал полной чашей, а теперь фабрикуют дела, отбирают дачу, и он лично возглавит демократическое шествие, ваш нежный, ваш единственный. Разумеется, проспект Сахарова. Долго думали над датой и вот определились, ничего удачней не могли выдумать: католическое Рождество! Да теперь любому будет ясно, кто выдумал и натравил: еще и эта ее работа в американском фонде, и явное финансирование, о котором кричали «Свои» при поддержке «Тутошних», он путался в этом свячнике... Тоже мне марш. На что надеются? Тут же запрет, да и кто бы ждал другого? Они вздумали подать официальный запрос, им издевательски ответили, что на проспекте Сахарова большое движение. Предупредили, что отреагируют адекватно. Кто б сомневался. У Свиридова возникла крамольная мысль: что, если попробовать отговорить, позвать Валю на «Родненьких», забросить тему? Надо ли ходить на марши и все такое? Начальство предсказуемо посоветовало забыть; правильно, я бы сам посоветовал. И какова, в самом деле, мерзость: поистине все друг друга стоят! Чумаков слепнет, но почему надо прикрываться Чумаковым ради осуществления чьих-то бесспорно сомнительных целей? Я не верил и никогда не поверю во всю эту чушь про отъем нефти, но заинтересованность Тэссы — это же очевидно, нет? И Валин фонд, он ведь не белорусский, так? Не арабский? И списанты пойдут на проспект, и их отлупят, а то и пересажают — разве нет? Какого вообще черта?

Он попробовал влезть с этим на списочный форум, но десяток списантов под никами — он даже не брался угадать, кто есть кто, — накинулся на него с визгом: агент, пошел вон, среди нас провокатор! А вы чего ждали, интересовалась House_mouse, что они так стерпят? Нет, они, конечно, попытаются разложить изнутри! Позор, вон отсюда, забанить, вычислить IP! Список быстро и неуклонно развивался в полноценную секту, но списанты были наконец прочно и солидарно счастливы — вряд ли в их жизни было время лучше, чем этот декабрь. Широко обсуждалась подготовка к шествию: кто-то писал плакатики «Всех не перепишешь!» и «ФСБ, ты не Шиндлер!», кто-то увеличивал для транспаранта портрет Чумакова. Немыслимо было и представить себя в этом строю. Нацболы предлагали участие. Шла бурная дискуссия о приемлемости нацбольской помощи. На юзерпике нацбола Перца появился плакатик «Я тоже в списке!».

Но чем больше Свиридов смотрел на весь этот бедлам, тем отчетливее понимал, что пойти на проспект Сахарова придется — по той же отвратительной причине, по какой отец три раза ставил чашку на стол; по которой он сам в детстве не ложился спать, не коснувшись всех углов в комнате, словно храня их в предверии ночи; по которой он трижды вставал, чтобы правильно щелкнуть выключателем в сортире. Здравствуйте, тотем и табу. Все мы чувствуем смутное неустройство в этом мире, сквознячок, повевание сквозь щели, — а потому отбиваем ритуальные поклоны и выходим на ритуальные шествия. Природа этих действий объяснима, не спорим; сложнее с причиной. Если бы все было хорошо, никто бы не молился, не кланялся; но нехорошо. У одних ритуалы попроще, у других посложнее, но штука не в том, чтобы ущучить ритуал. Штука в том, чтобы разобраться с причиной, а так как это не в наших силах, полностью избавиться от долженствований, навязчивостей и обсессий может только безнадежный идиот. Не пойти ли мне в самом деле на марш? Разумеется, мне не пойти на марш. Но живу ли я, вправе ли я называться живым — здесь, в уютном вневременном небытии, отгородившись от списка? Ведь это я сам выбрал от него не зависеть, а кто-то вписал меня туда; вдруг в этом был смысл?

Он хотел поговорить об этом с Викой, но знал, что она скажет. Вика никогда не делала того, что не хочет. У нее с детства было счастливое врожденное чувство, что желание ее левой ноги есть мировой закон. Так тоже можно. И она была красива, эффектна, желанна — обладание ею было почти так же лестно, как обладание истиной. Но писала она плохо, это надо признать; очень плохо — фальшиво, вычурно, жежешно. Оттого и числилась в тысячницах, и многие подражали ей.

В таких размышлениях Свиридов раскладывал «Паука» в ночь на двадцать четвертое, ничего не зная, ни к чему не придя. Надо было писать диалоги к «Детской площадке», заказ СТС, история папы-одиночки с двумя детьми, женившегося на маме-одиночке с тремя, — но он раскладывал «Паука», и «Паук» не сходился. Это было не просто так. Он нервничал, начинал игру с начала, — две колонки сходились, больше никак. Плюнул на все, начал новую — сплошь черная масть, начал опять — стало что-то вырисовываться; он бормотал — «Вот, уже что-то на что-то похоже»... Позвонила Людмила: «Я надеюсь, ты не идешь завтра на эту чушь?» — «Что ты, дорогая». — «Помни, мать с ума сойдет!» Неожиданно разозлился, закричал: «Может у меня быть своя жизнь?! Когда я тут полгода с ума сходил, ты позвонила один раз — спросить, не могу ли я через “Родненьких” починить стояк твоей коллеге!» — «Так ты пойдешь?» — «Это мое дело. Матери ни слова». Черт бы подрал Людмилу. Никогда никем не интересовалась, кроме себя, а муж вообще дуб. Ведь сходилось, но разозлился и потерял мысль. Злость помогла, начало выстраиваться — на отменах ходов растерял драгоценные очки, но за тысячу выйдет точно, — тут и раздался звонок в дверь.

Свиридов замер. Да, разумеется, они пошли по квартирам и взяли всех заранее, как я мог не предусмотреть. Если бы успел сложить «Паука», все бы обошлось. И глазка у меня нет в двери, никогда не думал, что понадобится. Ну, перед смертью не надышишься.

Он открыл дверь.

На пороге стояла Валя Голикова.

13

— Ну входи, — сказал Свиридов.

Вид у нее был несчастный, нос красный, но странным образом все это к ней шло — словно она и рождена была выглядеть так; одень в бархат — покажется уродиной, но сейчас, в жалкой курточке, с умоляющим лицом, заискивающим взглядом... Безошибочная, убийственная жалкость: никто не устоит. Свиридов знал, какая железная воля прячется за этой трагической — ах, если бы трагической, за кроткой маской, за мимикрией под ничтожество, убожество, растерянность. Но в первый момент пожалел, и она почувствовала.

— Я посижу часок, ладно? — быстро сказала она.

— Да хоть два. Пошли, чаю налью.

— Ага, спасибо.

Она разулась, чего никогда не делала Вика, и прошла на кухню.

— Давно я тут не была, — сказала она виновато, и Свиридов мгновенно опознал один из механизмов ее власти — жалкость, униженность, даже и затравленность; но не было прочней сети, которыми эта несчастная оплетала всех в радиусе ее досягаемости. Об этих механизмах мало написано, да и как сунешься? Если столько помогать каждому встречному, так и останешься нераскрытой. Штирлицу определенно надо было в рейхе заниматься благотворительностью; впрочем, он, кажется, так и делал.

— Слушай, — сказал Свиридов. — Мне не надо бы, наверное, лезть, и ты наверняка скажешь, что я агент.

Валя подняла на него измученные глаза, и он устыдился.

— Но все-таки, Валь: не ходите вы завтра никуда. Обзвони людей, скажи, что нет смысла, что получила новые сведения, я не знаю. Отмутузят же почем зря, а то вообще пересажают — ну зачем?

— Сереж, — сказала она беспомощно, — я вообще уже ничего не понимаю. Я не смогу это остановить, даже если захочу.

— Почему?

— Они сами уже, Сереж. Им хочется. Мне знаешь что Петя Трубников сказал? Что только сейчас и начал жить.

— Трубников?! — Свиридов покрутил пальцем у виска. — Он же ку-ку!

— Он не ку-ку, Сережа. Он нормальный человек. Да и все говорят — смысл, смысл. Ты знаешь, кто мне вчера позвонил? Панкратов!

— Оп-па! — А впрочем, чего и ждать. — Ты его пустила?

— А как я могу его не пустить. Он же в списке.

— Ну знаешь! — сказал Свиридов, поднимаясь с дивана и начиная кружить по кухоньке, как всегда в минуты волнения, когда он понимал и чувствовал больше, чем мог сказать.

Что Панкратов попросился — это очень хорошо. Это отлично. Свиридов чувствовал радостное возбуждение: давно его догадки не подтверждались так отчетливо. Ходить куда-нибудь под одними знаменами с Панкратовым — это последнее дело. Так он и сказал:

— Ты знаешь, что он через меня пытался создать партию «Родненькие»? Ты в курсе вообще, что он никуда не смог устроиться и поэтому подался к тебе?! Это провокатор, законченный. Человек вообще без совести, без правил, без всего — как ты можешь, Валя?!

— А как я иначе могу, Сереж? Я только начала, а дальше... Ты же видел. А что делать? Вот Чумаков, ты же знаешь, что там с семьей. Там с матерью его совсем плохо, и сам он никакой, говорят, и еще Карцева взяли...

— Какого Карцева?

— Маленького, усатого. Совершенно ни за что, наркотики подбросили и взяли. Он из университета, физик-аспирант, какие у него наркотики...

— Когда взяли?

— Я вывешивала инфу, но его отец из Краснодара приехал, попросил снять. Шума не хочет. Они все не хотят шума, а потом начнется, и поздно будет...

— Что начнется, Валя?! — заорал Свиридов. — Что еще начнется?! Все уже началось, здесь никогда иначе не было! Что ты лезешь в эту воронку, зачем провоцируешь их — они ведь будут только рады вас всех повязать! И будут в своем праве — несанкционированное шествие! И ты знаешь все это, и ведешь их туда, и хочешь еще, чтобы я это одобрил, — так?

— Сережа, не кричи.

Да, конечно. Теперь она будет спорить с его тоном, потому что по существу сказать нечего. Он кричит, он виноват, Юпитер сердится и неправ.

— Я не знаю уже, как до тебя докричаться.

— Не докрикивайся, я слышу.

— Хорошо. — Он сел на диван и уставился на Валю в упор. Неожиданно она засмеялась.

— Смешной ты. Я отвыкла.

— Да, да. Милый и смешной. По сути мы имеем что-нибудь возразить?

— По сути... — Долгая пауза, надо полагать, просчитанная. — По сути мы имеем возразить то, что люди загорелись от первой искры, а я теперь не могу их развернуть. Не пойти тоже не могу. Это будет гапоновщина, разве нет?

— Будет, конечно. Это с самого начала гапоновщина.

— Но нельзя же так просто ждать! Нельзя же сидеть и ждать, пока они всех! Ведь понятно же, что этим кончится, что весь список идет в пасть!

— Все идут в пасть, — сказал Свиридов. — Никто из нас не выйдет отсюда живым, как учил еще Глазов. Правда, тебя тогда не было, ну так я сам тебе скажу.

— Сереж, не надо. Ты же понимаешь все.

Снова этот собачий взгляд. Хорошо отработано.

— Я не понимаю, чего ты хочешь. Ты хочешь одобрения? Чтобы я тебе спасибо сказал, что ты их тащишь на бойню? Пересажают список или нет — я не знаю, меня это в некотором роде тоже касается, и я перестал об этом думать, потому что не от меня зависит. Я не знаю, когда придут, возьмут, кирпич упадет, рак случится, не знаю. Но жить я должен так, как будто этого нет. «Жить так, будто умер» — знаешь такой самурайский принцип?

— Почему же ты тогда не пойдешь? — спросила она в упор. Грамотный, вовремя нанесенный удар. С ней нельзя заговаривать о принципах — тут же ударит в самый принцип. — Ты ведь уже умер?

— Немножко умер, — с вызовом ответил Свиридов. — Знаешь, «если зерно падши в землю не умрет...». Именно поэтому меня и не волнуют марши. Вы с чем несогласны? Марш прокаженных, несогласных с проказой, — спасибо, поздравляю, увольте.

— А ты согласен с проказой?

— А я ее не выбирал! Что вас всех объединяет, о чем вам вообще говорить, если бы не список?

— Теперь объединяет, — сказала она твердо. — Теперь — список. Это и есть наше общее. И если мы согласны быть в списке, то так нам и надо.

— А толку? Толку, Валя? Списки будут всегда, их составляет не ФСБ и не Рома Гаранин, их составляет каждый, в чьем-нибудь обязательно окажешься! Что теперь, идти башку подставлять?

— Я не знаю, — сказала она, снова изображая беспомощность. — Я только знаю, что когда говорят: «Евреи, выйти из строя», надо выходить, даже если ты не еврей.

— Кому надо?! — закричал он, вскакивая. Еще немного — и он ударил бы ее.

— Евреям надо... Если все выйдут — всех же не расстреляют...

— Расстреляют как милых. Меньше пленных — меньше расход.

— Тогда мне надо.

— Ну так и выходи, и не смей обличать белобрысых евреев, которые не выходят из строя! Что за философия, я не знаю, что за безумное требование все время умирать! Что ты все оправдываешь войной! Эти, на израильских форумах, где Лурье полощут, тоже все орут: война, война, мы воюющая страна! На нас падают ракеты, мы всегда правы! Сейчас никто еще не кричит: «Евреи, выйти из строя», — а вы уже шагаете!

— Потому что, когда крикнут, будет поздно, — сказала она, не глядя на него.

— А ты уверена, что крикнут?

— А ты — нет?

— А я — нет. И уволь, жить по логике войны я не собираюсь. По этой логике надо все прощать вожаку и объединяться с Панкратовым.

— Да не объединяйся, — сказала она. — Ну хочешь, я завтра не пущу Панкратова? Я сейчас ему позвоню и скажу, что он дома нужнее, надо сайт поддерживать, если что-то со мной или с Бодровой...

— Как же, останется он. Он теперь небось у Жухова правая рука. Кстати, я далеко не убежден, что сам Жухов пойдет на марш. Наверняка в пробке застрянет.

— Он пойдет, Сережа.

— Тем хуже.

— Сереж, — сказала она после паузы. — Если ты думаешь, что я все это не понимаю...

— Понимаю и иду, ага.

— Если все идут, то нельзя быть в списке и не пойти.

— Почему же? — Он остановился перед ней, засунув руки в карманы. — Я, например, не пойду. И уверен, что половина не пойдет.

— Да, наверное, — вздохнула она. — Я имею в виду — мне нельзя.

— Ну, если ты все решила — давай. Идите, переводите теоретический спор, в котором был еще хоть какой-то смысл, в плоскость мордобоя. Оно и проще. Средневековье так средневековье. Я не понимаю только, зачем тебе мое одобрение.

— А я сама не знаю, — просто призналась она. — Страшно очень дома одной сидеть. Мама плачет.

Он представил их жалкую квартирку, заснеженную клумбу под окнами, чахлые цветы на подоконниках, вечно несчастного ваньку-мокрого, плачущего по всем бедным замерзшим деревцам и кустикам за окнами; Валенькины грамоты под стеклом, пела в хоре, Валенькины детские рисунки. Хорошо оплетают, славно придумали. Кто раз придет, будет вечно виноват.

— Это я виноват, что она плачет?

— Да никто не виноват, Сережа. Я просто думала... ну совершенно же некуда деваться больше. Я к ним не могу.

Они сейчас у Волошина сидят, корреспонденты там... У корреспондентов рожи злорадные... Думаешь, мне кажется, я права во всем? Мне кажется, я вообще сволочь последняя...

— И все-таки идешь.

— Ну а как, Сережа?

Чуть не разревелась, но сдержалась. Был бы перебор.

— А так, — ответил он. — Справляться со своей проказой наедине. Делать из нее литературу, кто умеет. Жить, будто нет проказы. Есть разные варианты, но маршировать с трещотками, с провокаторами, с ворами в первых рядах — это спасибо.

— Сереж, — заговорила она быстро, подняв на него мокрые глаза. — Сереж, я никого в жизни не любила, как тебя. Ты можешь жить как хочешь, я ничего от тебя не требую. Сережа, пойдем завтра с нами, ради бога, пойдем...

— Это еще зачем?

— Ну не знаю, не знаю я! Почему-то мне кажется, что если будешь ты, они нас не тронут. Ты известный, тебя показывали, ты Тэссе своей пишешь...

— Я уже месяц Тэссе не пишу.

— Сережа, милый, пойдем. Пойдем, пожалуйста. Я с тобой не боюсь, никогда ничего не боюсь с тобой, я даже залететь с тобой не боялась, помнишь?

О, как безупречно она подбирала аргументы, как отлично строила речь; нет, эта девочка не пропадет. Когда-нибудь, лет через двадцать-тридцать, а впрочем, история ускоряется, — в дни, когда я буду листать мое досье, в том числе все эти доносы, которые воображал себе в первые списочные недели... тогда Валя будет королевой, лидером межрегиональной группы, любимицей телевидения, колумнистом обновленного «Огонька». Нас будут презирать за то, что мы не уехали. Пусть. Кончится-то все равно тем же самым.

— Валя. Валь, хватит.

Она хватала его за руки.

— Валь, я просто никуда не выпущу тебя завтра.

— Не выпускай, не выпускай, хорошо. Только пойдем с нами завтра, Сережа, ради бога, пойдем...

Что ты будешь делать! «Кончится тем же самым» — да, это верно не только применительно к истории, это верно применительно ко всему. На простынях, еще пахнущих Викой. Сволочи мы, сволочи, скоты, нет нам названия. И плакала, все время плакала, как тогда, со своим благоверным. Его не удержала, а меня, кажется, удержит.

Она заснула мгновенно, долгая бессонница, наверное.

Что мне теперь делать?

Придется идти.

Это решение заполнило комнату, как сундук. Нечем стало дышать. И во сне он все убегал, убегал.

14

В восемь утра Свиридов сел к компьютеру и открыл сайт Списка.

Он сделал это в безумной надежде получить последний толчок, обрести решимость, бросить на весы ничтожное привходящее обстоятельство: человек в тупике, в состоянии неразрешимого выбора, живет в беспрерывном ожидании решающего аргумента и прислушивается к чему угодно, цепляясь за четное число фонарей или трещин в асфальте, не понимая, что любой выбор будет хуже ожидания. Валя спала — счастливо и безмятежно, как народоволка перед терактом: решение принято, прочее в руках судьбы.

Свиридов открыл сайт и не нашел себя в списке.

В первый момент он, естественно, решил, что ошибся его измученный мозг. Он подробно, имя за именем, прокрутил свою, наизусть известную часть списка — Самсонова, Сварцевич, Стародумов... Стародумов шел сразу после Сварцевича. Свиридова не было. Он исчез. Его устранили.

Свиридов раскинул «Солитер», проверяя свою адекватность. Вышли два туза, но это было уже неважно. Он правильно различал масти и не путал карты. Все это что-то значило. Он проверил Валю: Голикова была на месте. Ее призыв так и висел сверху. До выхода на проспект Сахарова оставалось два часа.

Ругательски себя ругая за то, что новости списка для него важнее личных, Свиридов открыл свою почту на Яндексе. Непрочитанных писем было два. «Озон» приглашал на распродажу, Гаранин требовал: «Звони срочно!».

Он открыл гаранинское письмо, удивляясь размеренности и неторопливости собственных движений. Шестым чувством он понимал, что все уже нормально, но еще боялся словесного оформления: ад казался слишком близок и страшен, чтобы возвращаться туда.

«Серый! — писал Гаранин. — С тебя пузырь. Звонил с вечера но не дозвонился. Ты отключен на хуй. Я на связи. Ура не ссать. РГ».

Свиридов прочел и несколько раз перечел это письмо, с умилением отмечая пропущенные запятые. Торопился человек, хотел обрадовать. Надо, кстати, включить телефон (дотянулся, включил). Набрал Гаранина.

— Здоров! — заорал Гаранин. — Ты что, ебешься там? Добрые люди работают давно!

— Чего случилось-то, Ром? — полушепотом спросил Свиридов.

— У тебя чего, баба спит? Молодца, Серый, так их! Еби всех! — Рома был неплох уже с утра. — Короче, тебя вычеркнули, Серый! Ты понял? Ты вычеркнут на хер!

— Я уже видел, — сказал Свиридов.

— Че, на сайт ходил?

— Ну.

— Ты гляди! — восхитился Рома. — Как у них поставлено! Значит, уже и Бодровой сообщили.

— Да я думаю, они взломали давно.

— Кому он нужен его ломать! Ты правда что ли думаешь, что этот марш разгонят? Ни хера не будет, Серый! Я думаю, если они тебя убрали, они и других начнут помаленьку. А ты хоть знаешь, кто тебя отмолил?

— Ты?

— Бери выше!

— Ломакин? — предположил Свиридов.

— Какой Ломакин, почему Ломакин? Не знаю такого.

— Строитель.

— Какой на хер строитель! — Гаранин выждал паузу. — Тебя отмолила Лала Графова!

Ну что, вполне в жанре. У Кристи убивает наименее подозрительный, у нас все решает наиболее случайный. Только этот персонаж, раз упомянувшись, ни с чем не срифмовался — и вот, пожалуйста, выстрелило даже то ружье, которое все упорно считали граблями.

— Она приехала тут сниматься в «Западло»! — орал Гаранин. — «Западня», про шпионов, все его зовут «Западло», но ей оказалось не западло. Ее там в Голливуде никто не хочет знать ни хуя, а сиськи уже не те. Триумфальное возвращение. Приняли наверху. Она говорит — имею личную просьбу. У вас тут есть очень талантливый сценарист, у него проблемы. Какие проблемы, нет проблем, сейчас решим. Ну и все, и ты в шоколаде. Я так думаю, Серый, она там дала. Не знаю кому, но факт, дала. Иначе бы, сам понимаешь... Ну?! Ты счастлив?!

— Абсолютно, — сказал Свиридов.

— Ну? Когда мне напишешь че-нибудь?

— Теперь быстро.

— Ну давай!

— Давай.

Свиридов осторожно положил телефон на стол.

Только теперь он почувствовал, какая глыба давила его все это время. Невозможно было представить, как он прожил с этим четыре месяца, какое четыре, скоро пять. «Проказа с Генриха сползла». Где он это читал? Классе в пятом, в Библиотеке всемирной литературы. Том из родительской библиотеки, утеха среднего совка. Гартман фон А-у-э, «Бедный Генрих». «Но тут родительских ушей стенания коснулись, и мать с отцом проснулись. За то, что была в них душа человечья, за их милосердье и добросердечье, проказа с Генриха сползла, Господня милость его спасла». Никакого особого милосердья и добросердечья Свиридов за собой не помнил, но, может, он подал правильному нищему? Бывают же правильные нищие, есть обычные, а есть особенные, у которых самый прямой провод с Господом. Это сюжет, можно развить. Опять появились сюжеты, их можно было развивать. Словно вырвали зуб, сравнение, всегда приходящее в голову, когда исчезает давняя и унизительная боль. Перед стыдной радостью освобожденья ничтожно было все — даже мысль о Вале и о том, как, собственно, теперь Валя. Валя была только часть этой боли, нужная лишь для того, чтобы о ней забыть. Грех признаться, но это ведь так. Никогда не любил Валю. В-Аля, аббревиатура, вынужденная Аля. Кто эта женщина, зачем она тут лежит? Пусть идет маршировать куда угодно, у прокаженных свои радости.

Разумеется, в следующую секунду Свиридов забыл свое стыдное облегчение и оставил гадкие мысли. Но зоркость дана человеку не только затем, чтобы подмечать чужие мерзости, — это черта списочности, где все только и следят, у кого больше язв, у кого лик львинее, — но и затем, чтобы знать гнусности за собой. В конце концов, это моя профессия. Хорошо уже и то, что я все это вижу.

Ну и что, идти мне теперь на марш или нет?

Господи, конечно, нет. Как можно. Это еще пошлее, чем Борисов, вписавшийся в список добровольно в надежде отвести более ужасные расправы. Примазываться к искусственному, донельзя отвратительному столпничеству... ладно, пока я был в списке — это обсуждалось. Но теперь, когда вычеркнут...

Свиридов встал и прижался лбом к ледяному стеклу.

Что со мной, Господи? Во что я превратился за четыре месяца? Я в самом деле думаю, что меня откуда-то вычеркнули, хотя как можно вычеркнуть меня из списка людей, посмотревших бездарный фильм бездарного фигляра? Я в перечне прокаженных, и меня уже нельзя вычеркнуть оттуда. Я должен пойти туда, где возражают против самого этого порядка вещей: туда, где прокаженные требуют разрешить им ходить без трещоток.

Но почему я должен идти ради этого на манифестацию в честь чумы? Ведь они предлагают взамен проказы чуму, холеру, ведь это не выход, там нет выхода. Победит только тот, кто вычеркнет себя из всех списков, кто вообще откажется мыслить в категориях списка, — и сделать это можно только в одиночку, тихо, дома, ни словом не заявляя о себе, ибо где заявление — там тут же новый список... Есть только одна свобода — свобода клопа в щели, тотчас подсказал внутренний голос. Да, клопа в щели, прикрикнул Свиридов на внутренний голос. А ты пошел в жопу, слышать тебя не хочу. Ты думаешь, говоря мне гадости, ты прав? Вспомни лучше вообще, кто тебя кормит.

Валя спала. Свиридов раскинул пасьянс. Вышли три туза.

Он не знал, что скажет, когда она проснется. Вероятнее всего, в сотый раз изложит премьерную версию Гаранина или попробует объяснить наконец, — ведь наедине с собой это всегда получалось, — почему прыжок из огня в полымя никого не приближает к свободе. Теперь уже не важно, что говорить. Он смотрел в окно, на детей, торопившихся в школу. Половина девятого, скоро звонок. Третий звонок для учителя, первый для вас. По первому уже надо сидеть в позе «кротко». Какая мука, в самом деле, какое унижение — каждый день вставать в семь утра, ладно, в пол-восьмого, торопиться в класс, в царство сплошной и всеобщей несвободы... Как хорошо, что я купил себе прекрасное право спать до девяти. Сегодня холодно, и я не пойду ни на какой марш. Я никому больше ничего не должен.

Да, но не у всех же есть Рома Гаранин и Лала Графова! Ну и что, тут же осадил он проклятый голос, я не виноват, что по крайней мере у меня они есть. Остальные пусть выкручиваются как им угодно, — с меня хватит. Интересно, где моя ворона. А вот и она.

Огромная, черная, нахохлившаяся, она сидела на липе напротив и внимательно изучала окно Свиридова. Кажется, она была чем-то недовольна. Во всяком случае незаметно было, чтобы она его поздравляла. Сидит и смотрит, и ведь не денется никуда.

Валя проснулась мгновенно, как всегда, — только что безмятежно лежала в своей футболке и вот уже спустила ноги на пол. Долго валяться, нежиться — не ее стиль. В школе небось была отличница: странно, никогда не спросил. А скорей всего, и не спала, все слышала, догадалась.

— Здорово, — сказал Свиридов.

— Чего не спишь?

— Так.

— Ага. — Она быстро и прозаично одевалась, минимум эротики. — Кофейку сваришь?

— Да, конечно. — Он пошел на кухню.

Стоя у плиты, он почувствовал ее взгляд: она стояла в дверном проеме, облокотясь о косяк, и смотрела так же, как Алька во время последней встречи. Почему-то они сразу все умудрялись понять. Она не осуждала его, боже упаси. Это был взгляд из бездны, из такой глубины, на которую он не только не опускался — он не мог ее и предполагать, а они там жили. Это был взгляд не обвиняющий, не умоляющий и уж подавно не завистливый. Просто — ты на поверхности, мы в бездне, мы все понимаем и ни на чем не настаиваем; для нас естественно быть в бездне. А тебя никогда не пустят сюда — и при этом ты будешь вечно чужим на поверхности; взгляд человека, достигшего надежного дна, на человека, вечно носимого всеми ветрами между небом и землей. Вот в чем дело: своим здесь себя чувствует только тот, кто на дне, тот, кому некуда больше падать. В этом состоянии возможны прекрасные поступки. А он человек промежутка, и у него, пожалуй, есть надежда на спасение. Но какой ценой? Вот этой самой: у кого есть надежда, тот не свой, никогда не свой. «Оставь надежду всяк сюда входящий» — это же не угроза, какие угрозы, когда все уже произошло? Это правило пользования лифтом, способ сохранения лица. Оставь надежду, а дальше делай что хочешь.

Некоторое время они молча смотрели друг на друга. Кофе вскипел, он осторожно налил ей чашку. Валя выпила мелкими глотками, улыбаясь как-то робко.

— Ну... я пойду, наверное, да? — сказала она.

— Да, — сказал Свиридов. — Ты, наверное, иди.

— Ты, наверное, все правильно решил.

— Не знаю, — сказал Свиридов.

— Я вот не могу, — сказала она. — Я понимаю, но никак.

— Ну тогда иди.

Но она все не решалась — понимала, что уходит не на марш, черта ли им там сделают на марше, а от Свиридова, и это уже насовсем. Есть вещи, которые не переступаются.

— Ну пойду.

— Давай. Позвони вечером обязательно.

Она еще раз посмотрела этим своим взглядом de profundis, быстро оделась в прихожей и вышла.

Свиридов остался один.

15

Было прохладно, пусто, свежо, белесо. Он сидел за столом, не глядя в монитор, уставившись сквозь тюлевую занавеску на белизну за окном, и стыдная, забытая радость существования наполняла его.

Бабушка с мальчиком шла через заснеженный двор, мальчик волочил санки. Две девочки в красном крутились на скрипучей карусели. Три девочки постарше, лет по двенадцать, хихикали, прогуливая школу. Старик выгуливал рыжую беспородную собаку. Другая, черная и тоже беспородная, с нею заигрывала, но та, что на поводке, эти приставания гордо игнорировала. Еще один старик, с двумя рулонами туалетной бумаги в авоське, шел из магазина. Хорошо бы рядом бежал рулон туалетной бумаги и заигрывал с тем, что в авоське, а тот его презирал. Пыхтящий толстяк в расстегнутой синей куртке обметал пыхтящую «мазду», завел и вот чистил, пока греется. «Снег», статья Галиена Марка.

Человек, утративший вертикаль, быстро находит утешение в горизонтали. Христос, избегнувший участи в «Последнем искушении», впервые замечает вокруг себя природу, и природа очень недурна. Мир вокруг был сказочно хорош, а он так давно, так высокомерно не замечал этого. Впереди было пространство всех возможностей. День сиял, и пусть это был день без солнца, — прекрасна была и его матовая белизна, и ватная, велюровая сероватость декабрьского неба, и торопящиеся по своим делам люди. Можно было любить людей. Рука, сжимавшая Свиридова, разжалась, и он прекрасно чувствовал себя без этой руки.

Еще много будет утешений — яичница с колбасой... Он с радостью подумал, что впереди у него завтрак. Ничего дурного, свинского, чавкающего, — кроткая благодарная радость: яичница с колбасой. Мир хорош, разумен, благоустроен. Как долго он был неблагодарен. Спасибо, Господи.

В эту минуту Бог с негодованием захлопал крыльями, завертел головой, вспорхнул с ветки напротив и приземлился на свиридовском подоконнике.

— Как, как, что такое? — закаркал, захлопотал он, царапая когтями жесть. — Что такое, не понимаю, куда это мы ускользаем? Кого это мы благодарим? Тоже мне благодарность. Быстро встал пошел вышел марш марш.

Свиридов покачал головой.

— Нет, нет. Никуда я не пойду, и ты это отлично знаешь.

— Что такое вообще?! — возмутился Бог. — Раз в жизни, можно сказать, взял двумя пальцами, приблизил к глазам. Поместил под микроскоп, в интересное окружение. Ослепительные возможности, запах жизни. И тут же сразу же дезертирство, сучение лапками, мольбы о пощаде. Кого молим, юноша? К кому обращаемся? Тебя Господь включил в список, сидит наблюдает! Ты больше всех ныл, что у тебя безвременье! Вот, кончилось безвременье, пожалуйста, действуй! Ты думаешь, без моего ведома кто-нибудь тут составляет списки? Ты думаешь, это они составляют списки? Это я, я, я составляю!

Интонации у Бога были ворчливые, как у старой коммунальной еврейки, что часто вообще наблюдается у еврейских стариков, так что ничего удивительного. Буду старик — тоже буду похож на старуху.

— Господи, — устало сказал Свиридов. — Я не хочу состоять в списках. Я хочу в списках не значиться.

— Что такое, что, что! — захлопотал Господь, перемещаясь вдоль подоконника. — Ты обалдел, что ли, вшивота, ты с кем разговариваешь! В списки ему не хочется. Быть живым в некотором роде и значит быть в списках, ты понял? Это ужасно, хуже всего, это я не знаю что — выпасть из списка! Это значит, дубина, что я о тебе забыл!

— Этого я и желал бы более всего, — скромно сказал Свиридов. — Я желал бы, чтобы ты с твоими методами обо мне забыл.

— Говорит и не знает, что говорит! Что он такое говорит! — заахал Господь. В былое время он явился бы, конечно, в ином обличье. Как почти во всей хорошей советской фантастике, в мечтах мэнээса, он явился бы в облике старого очкастого учителя, доброго и всепонимающего, в облике железной необходимости с человеческим лицом, и благословил бы на гибель и ужас с этим самым человеческим лицом, и все были бы довольны. Но Господь тоже эволюционирует, как все живое, мир распустился, учитель давно на пенсии, а пенсионер ворчлив по определению. — Ты понимаешь ли, что ты несешь?! Для человека с сотворения мира не было хуже наказания, чем быть отверженным от взора Божия! А тут я смотрю на тебя в упор большими круглыми глазами, и ты недоволен! Ему не нравится список, скажите пожалуйста. Как ты предлагаешь рулить миром без списка? Я говорю: Свиридов, к доске. Свиридов пошел к доске. Что это такое, какие-то подтирки, вычеркивания? Уже ты давно мне внушаешь определенные подозрения, и уже я частично вызвал родителей!

— А, — вяло сказал Свиридов. — Пошел шантаж.

Господь понял, что переборщил, и попытался взять лаской.

— Ну слушай, — сказал он по-товарищески. — Ну как ты хочешь, чтобы строился сюжет? Как я вообще буду формировать человека, если он все время ускользает из рук? Чего ты боишься, неужели у тебя есть сомнения, что это лично я затребовал твое дело и внес тебя в список? Ты пойми, дурацкая твоя голова, что если ты не будешь состоять в этом списке — ты будешь состоять в списке людей, вычеркнутых из списка, и я отнюдь не знаю, в каком лучше.

— Было, все было, — сказал Свиридов. — Не забывай, что ты мне кажешься и что вообще ты ворона.

— Может быть и да, а может быть и нет, — сказал Господь. — Может быть, и ты мне кажешься. Оставим, однако, эту демагогию и поговорим как серьезные люди. Ты скажешь мне, конечно, да уже и говоришь, собственно, что люди из списка — дурные, глупые люди, что они идут на мертвое дело и уважают себя ни за что. Ха-ха, не думаешь ли ты, что я сам этого не знаю? Я так все тут устроил, что немертвых дел тут нет, все со всех сторон хороши, и единственное немертвое дело можешь в данную минуту сделать ты, встав со стула и пойдя отсюда. Не скрою, соорудить такую конструкцию, в которой все было бы одинаково безнадежно, кроме кратковременных периодов вдохновения и вспышек личного выбора, было делом трудным и тонким, и именно за это, на мой взгляд, меня следовало бы похвалить прежде всего. А не за какие-то сомнительные горы и звезды, перечисленные в одном памятнике народного творчества. Хочу заметить кстати, что этот свой Ветхий Завет они сочиняли сами, без всякого моего участия, и их претензии на избранность мне довольно смешны.

— Да, да, я догадывался.

— Все обо всем догадываются! — воскликнул Господь. — Штука в том, что одним нужны подтверждения, а другие способны действовать сами. Тебе нужны подтверждения, вот, даю. Все эти декабристы, выходящие на площадь, и все остальные несогласные ни к чему хорошему не ведут и вообще занимаются ерундой, почему я и не даю им победы. Но в момент выхода на площадь в них вырабатывается некое вещество, благодаря которому только и стоило городить весь огород, как пасечник строит улей ради меда. Без этого вещества мир очень быстро прекратится, а я как тонкая материя перестану существовать еще раньше, и тогда мало не покажется никому. Ты бы, дурная твоя голова, подумал, кому ты хуже делаешь. Ты делаешь хуже мне, я недополучаю свой завтрак.

Господь потюкал клювом по карнизу, ожидая реакции, но Свиридов молчал.

— Один твой приятель, между прочим, — сказал голодный Господь, — высказывал тут дельную мысль насчет того, что сонеты Шекспира суть псалмы и так далее. Черт его знает, что там себе думал Шекспир, но один сонет точно обращен ко мне, я всегда так и понимал. «Послал бы все к чертям, когда б не ты: ведь без меня тебе придут кранты!». Это он к кому обращается? Это он ко мне обращается!

— Ну-ну, — заметил Свиридов. — И «Юрий Милославский» тоже твое сочинение...

— Точно тебе говорю! — отчаянно заверещал Господь. — Что, это он из-за бабы все терпит? Это из-за меня, потому что если еще один от меня отпадет — меня значительно убудет! Я сущность архаическая, меня и так почти не осталось. Если еще ты отвалишься — я вообще не знаю, что будет!

— А что слева бесы и справа бесы, тебя как бы не смущает, — не спросил, а констатировал Свиридов. — Была бы мне моя капля благодати, а на источник плевать с высоты нашего величия, так? Плодожор, людоед.

— Ну да, ну да! — захлопал крыльями Господь. — Сталкиваются бесы, а высекается благодать. Здесь нет ничего хорошего, это специально так придумано! Но когда сталкивается, то сразу благодать! Не оставляй без себя Господа Бога своего, Свиридов. Когда его не будет, тебе самому не перед кем будет плясать.

Господь смотрел на него жалким горящим глазом, глазом больного, но хитрого старца, хищно и страстно держащегося за жизнь — когтями за жесть.

— Интересное кино, — прочувствованно сказал Свиридов. — Когда мы еще молодой, когда мы в силе и славе, мы можем что угодно сделать с несчастным парнем из земли Уц, а в ответ на все претензии демонстрировать свои горы, долины и зверя Левиафана. Который не обеспокоится, хотя бы и весь Нил устремился в нос его. А когда мы стары, и больны, и мало кому нужны, мы прилетаем тут бить на жалость и говорим: пойди, пожалуйста, на бессмысленное дело, получи там по морде, в этом весь смысл, без этого я умру. Господи! Оставь, пожалуйста, эту лирику и скажи прямо: можно ли жить в твоем мире и не состоять в каком-либо списке, который бы с начала до конца определял мое поведение?

— Нет, конечно! — закаркал Господь, смущенный прямотою вопроса. — Конечно, нет. Что ты еще себе выдумал, какие еще другие возможности, нет, нет, никогда ничего подобного!

— В таком случае, — сказал Свиридов, — пошел вон, Господи.

Как знаешь, как знаешь.

ОТ АВТОРА

«Списанные» — первая часть трилогии «Нулевые», связанной сквозными второстепенными персонажами и типологическим сходством сюжетов, разворачивающихся в закрытых сообществах. Вторая часть — «Остров Джоппа» — сейчас дописывается, а третья — «Камск» — в стадии сбора материала. Полное издание трилогии планируется в 2009 году. Все части самостоятельны и могут существовать автономно.

СОДЕРЖАНИЕ

Литературно-художественное издание

Дмитрий Львович Быков

СПИСАННЫЕ

роман

Редактор
Алексей Костанян

Художественный редактор
Валерий Холмогоров

Корректор
Татьяна Тимакова

Подписано в печать 05.05.2008.
Формат 84×108^1/$_{32}$.
Гарнитура NewJornalC. Бумага писчая.
Усл. печ. л. 18,5. Тираж 15 000 экз.
Заказ № 368.

«ПРОЗАиК»
107078, Москва,
ул. Новорязанская, д. 8а, стр. 3

Издание осуществлено
при поддержке ООО «Издательство "Время"»
http://books.vremya.ru

По вопросам реализации обращаться:

Книжный клуб 36.6
107078, Москва, Рязанский пер., д. 3
тел.: +7 (495) 540-45-44
e-mail: club366@aha.ru
Информация в Интернете: www.club366.ru

Отпечатано в ОАО «ИПП «Уральский рабочий»
620041, ГСП-148, г. Екатеринбург, ул. Тургенева, 13.
http://www.uralprint.ru
e-mail: book@uralprint.ru